新完全マスター漢字
日本語能力試験 N2

名前
____

スリーエーネットワーク

漢字表

ステップ1

第1回～第14回
8ページ

［ア］

悪	安	医	一	員	院	飲	右	雨	運	映	駅	円	園	遠
アク	アン	イ	イチ	イン	イン	イン	ウ	ウ	ウン	エイ	エキ	エン	エン	エン
1	2	3	4	5	6	7	8	9	10	11	12	13	14	15
屋	音													
オク	オン													
16	17													

［カ］

下	化	火	何	花	科	夏	家	歌	画	回	会	海	界	開
カ	カ	カ	カ	カ	カ	カ	カ	カ	ガ	カイ	カイ	カイ	カイ	カイ
18	19	20	21	22	23	24	25	26	27	28	29	30	31	32
階	外	学	楽	間	漢	館	顔	危	気	起	帰	九	休	急
カイ	ガイ	ガク	ガク	カン	カン	カン	ガン	キ	キ	キ	キ	キュウ	キュウ	キュウ
33	34	35	36	37	38	39	40	41	42	43	44	45	46	47
牛	去	魚	京	強	教	曲	近	金	禁	銀	区	苦	空	兄
ギュウ	キョ	ギョ	キョウ	キョウ	キョウ	キョク	キン	キン	キン	ギン	ク	ク	クウ	ケイ
48	49	50	51	52	53	54	55	56	57	58	59	60	61	62
係	計	月	犬	見	建	県	険	験	元	言	古	五	午	後
ケイ	ケイ	ゲツ	ケン	ケン	ケン	ケン	ケン	ケン	ゲン	ゲン	コ	ゴ	ゴ	ゴ
63	64	65	66	67	68	69	70	71	72	73	74	75	76	77
語	口	工	公	広	交	好	考	行	校	降	高	号	国	黒
ゴ	コウ	コウ	コウ	コウ	コウ	コウ	コウ	コウ	コウ	コウ	コウ	ゴウ	コク	コク
78	79	80	81	82	83	84	85	86	87	88	89	90	91	92
今	困													
コン	コン													
93	94													

［サ］

左	作	三	山	子	止	氏	仕	四	市	糸	私	使	始	姉
サ	サク	サン	サン	シ	シ	シ	シ	シ	シ	シ	シ	シ	シ	シ
95	96	97	98	99	100	101	102	103	104	105	106	107	108	109
思	紙	字	寺	次	耳	自	事	持	時	七	室	質	社	車
シ	シ	ジ	ジ	ジ	ジ	ジ	ジ	ジ	ジ	シチ	シツ	シツ	シャ	シャ
110	111	112	113	114	115	116	117	118	119	120	121	122	123	124
者	借	弱	手	主	取	首	受	秋	終	習	週	集	十	住
シャ	シャク	ジャク	シュ	シュ	シュ	シュ	ジュ	シュウ	シュウ	シュウ	シュウ	シュウ	ジュウ	ジュウ
125	126	127	128	129	130	131	132	133	134	135	136	137	138	139
重	出	春	所	書	女	小	少	消	上	乗	常	場	色	食
ジュウ	シュツ	シュン	ショ	ショ	ジョ	ショウ	ショウ	ショウ	ジョウ	ジョウ	ジョウ	ジョウ	ショク	ショク
140	141	142	143	144	145	146	147	148	149	150	151	152	153	154
心	森	寝	新	親	人	図	水	世	正	生	西	声	青	晴
シン	シン	シン	シン	シン	ジン	ズ	スイ	セイ	セイ	セイ	セイ	セイ	セイ	セイ
155	156	157	158	159	160	161	162	163	164	165	166	167	168	169
夕	石	赤	切	千	川	先	線	全	前	早	走	送	足	族
セキ	セキ	セキ	セツ	セン	セン	セン	セン	ゼン	ゼン	ソウ	ソウ	ソウ	ソク	ゾク
170	171	172	173	174	175	176	177	178	179	180	181	182	183	184
村														
ソン														
185														

［タ］

多	体	待	貸	大	代	台	短	男	地	知	茶	着	中	昼
タ	タイ	タイ	タイ	ダイ	ダイ	ダイ	タン	ダン	チ	チ	チャ	チャク	チュウ	チュウ
186	187	188	189	190	191	192	193	194	195	196	197	198	199	200

町	長	鳥	朝	通	痛	低	弟	定	鉄	天	店	転	田	電
チョウ	チョウ	チョウ	チョウ	ツウ	ツウ	テイ	テイ	テイ	テツ	テン	テン	テン	デン	デン
201	202	203	204	205	206	207	208	209	210	211	212	213	214	215

都	土	度	冬	東	答	同	動	堂	道	働	特	読
ト	ド	ド	トウ	トウ	トウ	ドウ	ドウ	ドウ	ドウ	ドウ	トク	ドク
216	217	218	219	220	221	222	223	224	225	226	227	228

［ナ］

内	南	二	肉	日	入	年
ナイ	ナン	ニ	ニク	ニチ	ニュウ	ネン
229	230	231	232	233	234	235

［ハ］

売	買	白	八	半	飯	晩	番	非	疲	費	百	病	品	不
バイ	バイ	ハク	ハチ	ハン	ハン	バン	バン	ヒ	ヒ	ヒ	ヒャク	ビョウ	ヒン	フ
236	237	238	239	240	241	242	243	244	245	246	247	248	249	250

父	部	風	服	物	分	文	聞	閉	米	別	返	便	勉	歩
フ	ブ	フウ	フク	ブツ	ブン	ブン	ブン	ヘイ	ベイ	ベツ	ヘン	ベン	ベン	ホ
251	252	253	254	255	256	257	258	259	260	261	262	263	264	265

母	方	北	木	本
ボ	ホウ	ホク	ボク	ホン
266	267	268	269	270

［マ］

毎	妹	万	味	無	名	明	目	門	問
マイ	マイ	マン	ミ	ム	メイ	メイ	モク	モン	モン
271	272	273	274	275	276	277	278	279	280

［ヤ］

夜	約	薬	友	有	郵	用	洋	様	曜
ヤ	ヤク	ヤク	ユウ	ユウ	ユウ	ヨウ	ヨウ	ヨウ	ヨウ
281	282	283	284	285	286	287	288	289	290

［ラ］

来	利	理	立	旅	料	力	林	六
ライ	リ	リ	リツ	リョ	リョウ	リョク	リン	ロク
291	292	293	294	295	296	297	298	299

［ワ］

話
ワ
300

ステップ2

第15回
28ページ

［ア］

暗	以	位	意	違	育	引	雲	泳	英	営	王	央	横	億
アン	イ	イ	イ	イ	イク	イン	ウン	エイ	エイ	エイ	オウ	オウ	オウ	オク
301	302	303	304	305	306	307	308	309	310	311	312	313	314	315

温
オン
316

［カ］

加	可	果	過	課	改	絵	解	貝	各	角	格	活	完	寒
カ	カ	カ	カ	カ	カイ	カイ	カイ	カイ	カク	カク	カク	カツ	カン	カン
317	318	319	320	321	322	323	324	325	326	327	328	329	330	331

感
カン
332

第16回
29ページ

関	岩	願	記	喜	期	器	機	議	客	究	泣	級	球	共
カン	ガン	ガン	キ	キ	キ	キ	キ	ギ	キャク	キュウ	キュウ	キュウ	キュウ	キョウ
333	334	335	336	337	338	339	340	341	342	343	344	345	346	347

橋	業	局	玉	具	軍	形	経
キョウ	ギョウ	キョク	ギョク	グ	グン	ケイ	ケイ
348	349	350	351	352	353	354	355

第17回
31ページ

軽	欠	血	決	結	件	研	限	原	現	減	個	光	向	効
ケイ	ケツ	ケツ	ケツ	ケツ	ケン	ケン	ゲン	ゲン	ゲン	ゲン	コ	コウ	コウ	コウ
356	357	358	359	360	361	362	363	364	365	366	367	368	369	370

航	黄	港	合	告
コウ	コウ	コウ	ゴウ	コク
371	372	373	374	375

第18回
32ページ

根	婚
コン	コン
376	377

［サ］

査	差	座	才	済	細	最	際	在	昨	産	算	残	史	死
サ	サ	ザ	サイ	サイ	サイ	サイ	サイ	ザイ	サク	サン	サン	ザン	シ	シ
378	379	380	381	382	383	384	385	386	387	388	389	390	391	392

指	師	試
シ	シ	シ
393	394	395

第19回
33ページ

資	示	治	式	失	実	写	若	酒	種	収	宿	術	初	暑
シ	ジ	ジ	シキ	シツ	ジツ	シャ	ジャク	シュ	シュ	シュウ	シュク	ジュツ	ショ	ショ
396	397	398	399	400	401	402	403	404	405	406	407	408	409	410

助	笑	商	勝	情
ジョ	ショウ	ショウ	ショウ	ジョウ
411	412	413	414	415

第20回
34ページ

職	申	身	信	神	真	深	進	数	成	制	性	政	星	静
ショク	シン	シン	シン	シン	シン	シン	シン	スウ	セイ	セイ	セイ	セイ	セイ	セイ
416	417	418	419	420	421	422	423	424	425	426	427	428	429	430

折	設	雪	説	洗
セツ	セツ	セツ	セツ	セン
431	432	433	434	435

第21回
36ページ

船	戦	選	然	組	争	相	草	増	速	続	卒
セン	セン	セン	ゼン	ソ	ソウ	ソウ	ソウ	ゾウ	ソク	ゾク	ソツ
436	437	438	439	440	441	442	443	444	445	446	447

［タ］

他	打	太	対	退	第	題	宅
タ	ダ	タイ	タイ	タイ	ダイ	ダイ	タク
448	449	450	451	452	453	454	455

第22回
37ページ

達	単	暖	談	池	遅	置	竹	虫	注	調	直	追	底	庭
タツ	タン	ダン	ダン	チ	チ	チ	チク	チュウ	チュウ	チョウ	チョク	ツイ	テイ	テイ
456	457	458	459	460	461	462	463	464	465	466	467	468	469	470

的	点	伝	当	投
テキ	テン	デン	トウ	トウ
471	472	473	474	475

第23回
38ページ

島	登	等	頭	得
トウ	トウ	トウ	トウ	トク
476	477	478	479	480

［ナ］

難	熱	念	能	農
ナン	ネツ	ネン	ノウ	ノウ
481	482	483	484	485

［ハ］

馬	配	倍	畑	発	反	比	彼	飛	悲
バ	ハイ	バイ	はた	ハツ	ハン	ヒ	ヒ	ヒ	ヒ
486	487	488	489	490	491	492	493	494	495

第24回
39ページ

美	備	必	表	夫	付	府	負	婦	普	平	並	変	放	法
ビ	ビ	ヒツ	ヒョウ	フ	フ	フ	フ	フ	フ	ヘイ	ヘイ	ヘン	ホウ	ホウ
496	497	498	499	500	501	502	503	504	505	506	507	508	509	510

訪	報	忙	忘	防
ホウ	ホウ	ボウ	ボウ	ボウ
511	512	513	514	515

第25回
41 ページ

望
ボウ
516

［マ］

枚	末	未	民	務	命	鳴	面	毛
マイ	マツ	ミ	ミン	ム	メイ	メイ	メン	モウ
517	518	519	520	521	522	523	524	525

［ヤ］

野	役	由	油	遊	予	預	要	葉
ヤ	ヤク	ユ	ユ	ユウ	ヨ	ヨ	ヨウ	ヨウ
526	527	528	529	530	531	532	533	534

第26回～第30回
42ページ

［ラ］

落	流	留	両	良	涼	類	礼	例	歴	連	練	路	老	論
ラク	リュウ	リュウ	リョウ	リョウ	リョウ	ルイ	レイ	レイ	レキ	レン	レン	ロ	ロウ	ロン
535	536	537	538	539	540	541	542	543	544	545	546	547	548	549

［ワ］

和
ワ
550

ステップ3

第31回
43 ページ

［ア］

愛	圧	案	衣	囲	依	委	胃	異	移	偉	域	印	因	隠
アイ	アツ	アン	イ	イ	イ	イ	イ	イ	イ	イ	イキ	イン	イン	イン
551	552	553	554	555	556	557	558	559	560	561	562	563	564	565
宇	羽	永	栄	鋭	易	液	越	延	炎	煙	塩	演	汚	応
ウ	ウ	エイ	エイ	エイ	エキ	エキ	エツ	エン	エン	エン	エン	エン	オ	オウ
566	567	568	569	570	571	572	573	574	575	576	577	578	579	580
押	欧	奥												
オウ	オウ	オウ												
581	582	583												

［カ］

仮	価	河	荷	菓	貨	靴
カ	カ	カ	カ	カ	カ	カ
584	585	586	587	588	589	590

第32回
45 ページ

介	灰	快	皆	械	壊	害	拡	革	覚	較	確	額	割	株
カイ	カイ	カイ	カイ	カイ	カイ	ガイ	カク	カク	カク	カク	カク	ガク	カツ	かぶ
591	592	593	594	595	596	597	598	599	600	601	602	603	604	605
干	刊	甘	汗	官	巻	看	乾	換	慣	管	環	簡	観	丸
カン	カン	カン	カン	カン	カン	カン	カン	カン	カン	カン	カン	カン	カン	ガン
606	607	608	609	610	611	612	613	614	615	616	617	618	619	620

第33回
47 ページ

含	岸	机	希	祈	季	基	寄	規	技	義	疑	喫	詰	逆
ガン	ガン	キ	キ	キ	キ	キ	キ	キ	ギ	ギ	ギ	キツ	キツ	ギャク
621	622	623	624	625	626	627	628	629	630	631	632	633	634	635
久	及	旧	吸	求	救	給	巨	居	許	御	漁	叫	供	協
キュウ	キュウ	キュウ	キュウ	キュウ	キュウ	キュウ	キョ	キョ	キョ	ギョ	ギョ	キョウ	キョウ	キョウ
636	637	638	639	640	641	642	643	644	645	646	647	648	649	650

第34回
48 ページ

況	挟	狭	恐	胸	境	競	驚	極	均	勤	偶	隅	君	訓
キョウ	キョウ	キョウ	キョウ	キョウ	キョウ	キョウ	キョウ	キョク	キン	キン	グウ	グウ	クン	クン
651	652	653	654	655	656	657	658	659	660	661	662	663	664	665
群	系	型	恵	敬	景	傾	警	芸	迎					
グン	ケイ	ケイ	ケイ	ケイ	ケイ	ケイ	ケイ	ゲイ	ゲイ					
666	667	668	669	670	671	672	673	674	675					

第35回
50 ページ

劇	券	肩	軒	健	検	嫌	権	賢	戸	呼	固	故	枯	庫
ゲキ	ケン	ケン	ケン	ケン	ケン	ケン	ケン	ケン	コ	コ	コ	コ	コ	コ
676	677	678	679	680	681	682	683	684	685	686	687	688	689	690

湖	雇	互	誤	護	更	幸	肯	厚	洪
コ	コ	ゴ	ゴ	ゴ	コウ	コウ	コウ	コウ	コウ
691	692	693	694	695	696	697	698	699	700

第36回
51ページ

紅	荒	郊	香	候	康	硬	鉱	構	講	谷	刻	骨	込	混
コウ	コウ	コウ	コウ	コウ	コウ	コウ	コウ	コウ	コウ	コク	コク	コツ	こむ	コン
701	702	703	704	705	706	707	708	709	710	711	712	713	714	715

［サ］

砂	再	災	妻	採	祭	菜	歳	材	財
サ	サイ	サイ	サイ	サイ	サイ	サイ	サイ	ザイ	ザイ
716	717	718	719	720	721	722	723	724	725

第37回
53ページ

罪	咲	冊	札	刷	殺	察	雑	皿	参	散	賛	士	支	司
ザイ	さく	サツ	サツ	サツ	サツ	サツ	ザツ	さら	サン	サン	サン	シ	シ	シ
726	727	728	729	730	731	732	733	734	735	736	737	738	739	740

伺	志	刺	枝	詞	歯	誌	似	児	辞
シ	シ	シ	シ	シ	シ	シ	ジ	ジ	ジ
741	742	743	744	745	746	747	748	749	750

第38回
54ページ

識	湿	捨	守	授	州	舟	周	拾	修	就	柔	祝	述	純
シキ	シツ	シャ	シュ	ジュ	シュウ	シュウ	シュウ	シュウ	シュウ	シュウ	ジュウ	シュク	ジュツ	ジュン
751	752	753	754	755	756	757	758	759	760	761	762	763	764	765

順	準	処	署	緒	諸	除	召	床	招
ジュン	ジュン	ショ	ショ	ショ	ショ	ジョ	ショウ	ショウ	ショウ
766	767	768	769	770	771	772	773	774	775

第39回
55ページ

承	昇	将	症	章	紹	焼	証	象	照	賞	条	状	城	畳
ショウ	ショウ	ショウ	ショウ	ショウ	ショウ	ショウ	ショウ	ショウ	ショウ	ショウ	ジョウ	ジョウ	ジョウ	ジョウ
776	777	778	779	780	781	782	783	784	785	786	787	788	789	790

蒸	植	触	伸	臣	辛	針	震	吹	姓
ジョウ	ショク	ショク	シン	シン	シン	シン	シン	スイ	セイ
791	792	793	794	795	796	797	798	799	800

第40回
56ページ

省	清	勢	精	製	整	税	昔	席	責	積	績	接	節	絶
セイ	セイ	セイ	セイ	セイ	セイ	ゼイ	セキ	セキ	セキ	セキ	セキ	セツ	セツ	ゼツ
801	802	803	804	805	806	807	808	809	810	811	812	813	814	815

占	専	泉	浅	善	祖	捜	掃	窓	装
セン	セン	セン	セン	ゼン	ソ	ソウ	ソウ	ソウ	ソウ
816	817	818	819	820	821	822	823	824	825

第41回
58ページ

想	層	総	操	燥	造	像	憎	蔵	贈	臓	束	則	息	側
ソウ	ソウ	ソウ	ソウ	ソウ	ゾウ	ゾウ	ゾウ	ゾウ	ゾウ	ゾウ	ソク	ソク	ソク	ソク
826	827	828	829	830	831	832	833	834	835	836	837	838	839	840

測	属	率	存	孫	尊	損
ソク	ゾク	ソツ	ソン	ソン	ソン	ソン
841	842	843	844	845	846	847

［タ］

帯	袋	替
タイ	タイ	タイ
848	849	850

第42回
59ページ

態	濯	担	炭	探	団	段	断	値	恥	畜	築	仲	宙	柱
タイ	タク	タン	タン	タン	ダン	ダン	ダン	チ	チ	チク	チク	チュウ	チュウ	チュウ
851	852	853	854	855	856	857	858	859	860	861	862	863	864	865

駐	著	貯	庁	兆	帳	張	頂	超	沈
チュウ	チョ	チョ	チョウ	チョウ	チョウ	チョウ	チョウ	チョウ	チン
866	867	868	869	870	871	872	873	874	875

第43回
60ページ

珍	賃	停	提	程	泥	滴	適	展	殿	徒	途	渡	塗	努
チン	チン	テイ	テイ	テイ	デイ	テキ	テキ	テン	デン	ト	ト	ト	ト	ド
876	877	878	879	880	881	882	883	884	885	886	887	888	889	890

怒	灯	到	逃	倒	凍	党	盗	塔	湯
ド	トウ	トウ	トウ	トウ	トウ	トウ	トウ	トウ	トウ
891	892	893	894	895	896	897	898	899	900

第44回
62 ページ

筒	統	童	銅	導	毒	独	突	届	鈍	曇
トウ	トウ	ドウ	ドウ	ドウ	ドク	ドク	トツ	とどける	ドン	ドン
901	902	903	904	905	906	907	908	909	910	911

［ナ］

軟	乳	任	認	燃	悩	脳	濃
ナン	ニュウ	ニン	ニン	ネン	ノウ	ノウ	ノウ
912	913	914	915	916	917	918	919

［ハ］

波	派	破	拝	杯	背
ハ	ハ	ハ	ハイ	ハイ	ハイ
920	921	922	923	924	925

第45回
63 ページ

敗	泊	博	薄	麦	爆	箱	肌	髪	抜	犯	判	坂	板	版
ハイ	ハク	ハク	ハク	バク	バク	はこ	はだ	ハツ	バツ	ハン	ハン	ハン	ハン	ハン
926	927	928	929	930	931	932	933	934	935	936	937	938	939	940

般	販	皮	否	批	被	鼻	匹	筆	氷
ハン	ハン	ヒ	ヒ	ヒ	ヒ	ビ	ヒツ	ヒツ	ヒョウ
941	942	943	944	945	946	947	948	949	950

第46回
64 ページ

評	標	秒	猫	貧	布	怖	浮	符	富	膚	武	舞	封	副
ヒョウ	ヒョウ	ビョウ	ビョウ	ヒン	フ	フ	フ	フ	フ	フ	ブ	ブ	フウ	フク
951	952	953	954	955	956	957	958	959	960	961	962	963	964	965

幅	復	福	腹	複	払	沸	仏	粉	兵
フク	フク	フク	フク	フク	フツ	フツ	ブツ	フン	ヘイ
966	967	968	969	970	971	972	973	974	975

第47回
65 ページ

壁	片	辺	編	保	捕	補	募	暮	包	宝	抱	豊	亡	坊
ヘキ	ヘン	ヘン	ヘン	ホ	ホ	ホ	ボ	ボ	ホウ	ホウ	ホウ	ホウ	ボウ	ボウ
976	977	978	979	980	981	982	983	984	985	986	987	988	989	990

帽	棒	貿	暴
ボウ	ボウ	ボウ	ボウ
991	992	993	994

［マ］

磨	埋	満	眠	夢	娘
マ	マイ	マン	ミン	ム	むすめ
995	996	997	998	999	1000

第48回
67 ページ

迷	綿
メイ	メン
1001	1002

［ヤ］

訳	輸	勇	優	与	余	幼	羊	容	陽	溶	腰	踊	養	浴
ヤク	ユ	ユウ	ユウ	ヨ	ヨ	ヨウ	ヨウ	ヨウ	ヨウ	ヨウ	ヨウ	ヨウ	ヨウ	ヨク
1003	1004	1005	1006	1007	1008	1009	1010	1011	1012	1013	1014	1015	1016	1017

欲	翌
ヨク	ヨク
1018	1019

［ラ］

頼	絡	乱	卵	裏	離
ライ	ラク	ラン	ラン	リ	リ
1020	1021	1022	1023	1024	1025

第49回～第53回
68 ページ

陸	律	略	粒	了	量	領	療	緑	輪	涙	令	冷	戻	齢
リク	リツ	リャク	リュウ	リョウ	リョウ	リョウ	リョウ	リョク	リン	ルイ	レイ	レイ	レイ	レイ
1026	1027	1028	1029	1030	1031	1032	1033	1034	1035	1036	1037	1038	1039	1040

列	恋	労	録
レツ	レン	ロウ	ロク
1041	1042	1043	1044

［ワ］

湾	腕
ワン	ワン
1045	1046

学習漢字リスト

1．この本で学習する 1,046 文字の学習漢字リストです。
2．この本で学習する漢字の言葉が全部入っています。
3．全体を三つのステップに分けてあります。
4．ステップの中での漢字の順番は、音読み（ない時は訓読み）のアイウエオ順です。
5．音読みは片仮名、訓読みは平仮名で書いてあります。
6．送り仮名はゴシックになっています。
7．動詞は、他動詞にだけ（他）を付けました。

(注)　・自動詞、他動詞の分け方は『新明解国語辞典第五版』（三省堂、1997 年）を参考にしました。
　　　・表記、送り仮名については『現代国語表記辞典第二版』（三省堂、1992 年）を参考にしました。

(凡例)

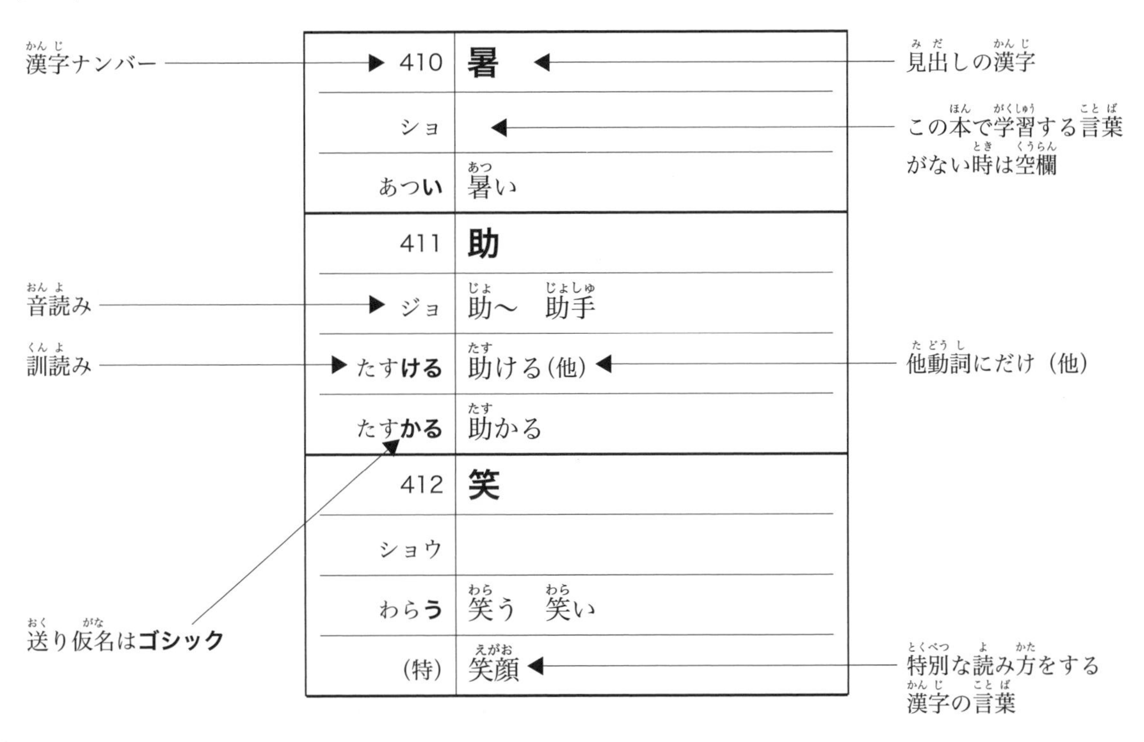

ステップ１（1～300）

第１回～第14回

1	**悪**
アク	
わる**い**	悪(わる)い　悪口(わるくち)
2	**安**
アン	安心(あんしん)　安全(あんぜん)　安定(あんてい)
やす**い**	安(やす)い
3	**医**
イ	医学(いがく)　医者(いしゃ)
4	**一**
イチ	～一(いち)　一(いち)　一時(いちじ)　一日(いちにち)　一部(いちぶ) 一定(いってい)
イツ	同一(どういつ)
ひと	一(ひと)～　一月(ひとつき)
ひと**つ**	一(ひと)つ
(特)	一日(ついたち)　一人(ひとり)　一人一人(ひとりひとり)
5	**員**
イン	～員(いん)　会員(かいいん)　教員(きょういん)　全員(ぜんいん)
6	**院**
イン	大学院(だいがくいん)　入院(にゅういん)
7	**飲**
イン	飲食(いんしょく)
の**む**	飲(の)む(他)　飲(の)み物(もの)
8	**右**
ウ	
ユウ	左右(さゆう)
みぎ	右(みぎ)
9	**雨**
ウ	
あめ	雨(あめ)
あま	雨戸(あまど)
10	**運**
ウン	運(うん)　運転(うんてん)　運動(うんどう)
はこ**ぶ**	運(はこ)ぶ(他)
11	**映**
エイ	映画(えいが)
うつ**る**	映(うつ)る
うつ**す**	映(うつ)す(他)
12	**駅**
エキ	駅(えき)
13	**円**
エン	～円(えん)　円(えん)　だ円(えん)
14	**園**
エン	～園(えん)　動物園(どうぶつえん)
15	**遠**
エン	遠足(えんそく)
とお**い**	遠(とお)い　遠(とお)く
16	**屋**
オク	屋外(おくがい)　屋上(おくじょう)　家屋(かおく)
や	～屋(や)
(特)	部屋(へや)　八百屋(やおや)
17	**音**
オン	音(おん)
おと	音(おと)　物音(ものおと)

18	**下**
カ	下線(かせん)　地下(ちか)　地下水(ちかすい)　地下鉄(ちかてつ)
ゲ	下(げ)　下車(げしゃ)　下水(げすい)　下品(げひん)
した	下(した)　下書き(したがき)　下着(したぎ)　目下(めした)
さ**げる**	下(さ)げる(他)
さ**がる**	下(さ)がる
くだ**る**	下(くだ)る　下(くだ)り
くだ**さる**	下(くだ)さる(他)
お**ろす**	下(お)ろす(他)　見下(みお)ろす(他)
お**りる**	下(お)りる
(特)	下手(へた)

19	**化**
カ	～化(か)　化学(かがく)　文化(ぶんか)

20	**火**
カ	火口(かこう)　火山(かざん)　火事(かじ)　火曜(かよう)
ひ	火(ひ)

21	**何**
カ	
なに	何(なに)　何か(なにか)　何々(なになに)
なん	何(なん)～　何(なん)　何で(なんで)　何でも(なんでも) 何とか(なんとか)

22	**花**
カ	
はな	花(はな)　花火(はなび)　花見(はなみ)

23	**科**
カ	～科(か)　科学(かがく)　学科(がっか)

24	**夏**
カ	
なつ	夏(なつ)　夏休み(なつやすみ)

25	**家**
カ	～家(か)　家事(かじ)　家内(かない)　一家(いっか)
いえ	家(いえ)
や	大家(おおや)　貸家(かしや)

26	**歌**
カ	～歌(か)　歌手(かしゅ)
うた	歌(うた)
うた**う**	歌(うた)う(他)

27	**画**
ガ	画家(がか)
カク	計画(けいかく)

28	**回**
カイ	～回(かい)　回(かい)　回転(かいてん)
まわ**る**	回(まわ)る　回(まわ)り　回(まわ)り道(みち)
まわ**す**	回(まわ)す(他)

29	**会**
カイ	～会(かい)　会(かい)　会社(かいしゃ)　社会(しゃかい)
あ**う**	会(あ)う　出会(であ)い　出会(であ)う

30	**海**
カイ	～海(かい)　海外(かいがい)
うみ	海(うみ)

31	**界**
カイ	～界(かい)　世界(せかい)

32	**開**
カイ	開会(かいかい)　開通(かいつう)
ひら**く**	開(ひら)く(自・他)
あ**く**	開(あ)く

あ**ける**	開(あ)ける(他)

33	**階**
カイ	～階(かい)

34	**外**
ガイ	外(がい)～　～外(がい)　外国(がいこく)　外出(がいしゅつ) 外部(がいぶ)
ゲ	外科(げか)
そと	外(そと)
はず**す**	外(はず)す(他)
はず**れる**	外(はず)れる

35	**学**
ガク	学(がく)　学者(がくしゃ)　学生(がくせい)　学会(がっかい) 小学生(しょうがくせい)　大学生(だいがくせい)
まな**ぶ**	学(まな)ぶ(他)

36	**楽**
ガク	音楽(おんがく)
ラク	楽(らく)　気楽(きらく)
たの**しい**	楽(たの)しい
たの**しむ**	楽(たの)しむ(他)　楽(たの)しみ

37	**間**
カン	～間(かん)　中間(ちゅうかん)　年間(ねんかん)
ケン	世間(せけん)　人間(にんげん)
あいだ	間(あいだ)　この間(あいだ)
ま	間(ま)　間違(まちが)い　間(ま)もなく　貸間(かしま) すき間(ま)

38	**漢**
カン	漢字(かんじ)

39	**館**
カン	～館(かん)　映画館(えいがかん)　会館(かいかん)　大使館(たいしかん)

40	**顔**
ガン	
かお	顔(かお)
(特)	笑顔(えがお)

41	**危**
キ	危険(きけん)
あぶ**ない**	危(あぶ)ない

42	**気**
キ	気(き)　気体(きたい)　気付(きづ)く　のん気(き)
ケ	気配(けはい)

43	**起**
キ	起床(きしょう)
お**きる**	起(お)きる
お**こる**	起(お)こる
お**こす**	起(お)こす(他)

44	**帰**
キ	帰宅(きたく)
かえ**る**	帰(かえ)る　帰(かえ)り　日帰(ひがえ)り
かえ**す**	帰(かえ)す(他)

45	**九**
キュウ	九(きゅう)
ク	九(く)(時(じ))
ここの	九日(ここのか)
ここの**つ**	九(ここの)つ

46	**休**
キュウ	定休日(ていきゅうび)

やす**む**	休む(やす)(自・他)　休み(やす)　一休み(ひとやす)
47	**急**
キュウ	急(きゅう)　急行(きゅうこう)
いそ**ぐ**	急ぐ(いそ)(自・他)
48	**牛**
ギュウ	牛肉(ぎゅうにく)
うし	牛(うし)
49	**去**
キョ	去年(きょねん)
コ	過去(かこ)
さ**る**	去る(さ)(自・他)
50	**魚**
ギョ	金魚(きんぎょ)
うお	魚(うお)
さかな	魚(さかな)
51	**京**
キョウ	上京(じょうきょう)
52	**強**
キョウ	強化(きょうか)　強力(きょうりょく)
ゴウ	強引(ごういん)
つよ**い**	強い(つよ)　強気(つよき)
53	**教**
キョウ	～教(きょう)　教会(きょうかい)　教科書(きょうかしょ)
おし**える**	教える(おし)(他)
おそ**わる**	教わる(おそ)(他)
54	**曲**
キョク	曲(きょく)　曲線(きょくせん)
ま**がる**	曲がる(ま)

ま**げる**	曲げる(ま)(他)
55	**近**
キン	近所(きんじょ)　近代(きんだい)
ちか**い**	近い(ちか)　近く(ちか)　近ごろ(ちか)　近々(ちかぢか) 近づける(ちか)(他)
56	**金**
キン	金(きん)　金曜(きんよう)　集金(しゅうきん)　代金(だいきん)
かね	(お)金(かね)　(お)金持ち(かねも)
57	**禁**
キン	禁止(きんし)
58	**銀**
ギン	銀(ぎん)　銀行(ぎんこう)
59	**区**
ク	～区(く)　区切る(くぎ)(他)　区分(くぶん)　区別(くべつ) 地区(ちく)
60	**苦**
ク	苦心(くしん)
くる**しい**	苦しい(くる)
くる**しむ**	苦しむ(くる)
くる**しめる**	苦しめる(くる)(他)
にが**い**	苦い(にが)　苦手(にがて)
61	**空**
クウ	空～(くう)　空気(くうき)　空中(くうちゅう)
そら	空(そら)
あ**く**	空く(あ)　空き(あ)
から	空(から)　空っぽ(から)
62	**兄**
ケイ	

キョウ	兄弟(きょうだい)
あに	兄(あに)
(特)	お兄(にい)さん

63	**係**
ケイ	関係(かんけい)
かかり	係(かかり)

64	**計**
ケイ	計(けい)　会計(かいけい)
はか**る**	計(はか)る(他)
(特)	時計(とけい)

65	**月**
ゲツ	月曜(げつよう)　今月(こんげつ)　先月(せんげつ)　年月(ねんげつ) 来月(らいげつ)
ガツ	～月(がつ)　生年月日(せいねんがっぴ)
つき	～月(つき)　月(つき)　月日(つきひ)

66	**犬**
ケン	～犬(けん)
いぬ	犬(いぬ)

67	**見**
ケン	見学(けんがく)　見物(けんぶつ)
み**る**	見(み)る(他)
み**える**	見(み)える
み**せる**	見(み)せる(他)

68	**建**
ケン	建設(けんせつ)
た**てる**	建(た)てる(他)　～建(だ)て　建物(たてもの)
た**つ**	建(た)つ

69	**県**
ケン	県(けん)

70	**険**
ケン	危険(きけん)
けわ**しい**	険(けわ)しい

71	**験**
ケン	受験(じゅけん)

72	**元**
ゲン	元気(げんき)
ガン	元日(がんじつ)
もと	元(もと)　元々(もともと)　足元(あしもと)　地元(じもと)

73	**言**
ゲン	言語(げんご)
ゴン	伝言(でんごん)
い**う**	言(い)う(他)　言(い)い出(だ)す(他) 言(い)いつける(他)
こと	言(こと)づける(他)　一言(ひとこと)

74	**古**
コ	中古(ちゅうこ)
ふる**い**	古(ふる)い　古(ふる)～

75	**五**
ゴ	五(ご)　五十音(ごじゅうおん)
いつ	五日(いつか)
いつ**つ**	五(いつ)つ

76	**午**
ゴ	午後(ごご)　午前(ごぜん)

77	**後**
ゴ	～後(ご)　後(ご)　今後(こんご)

コウ	後者（こうしゃ）
のち	後（のち）
うし**ろ**	後（うし）ろ
あと	後（あと）
78	**語**
ゴ	～語（ご）　語（ご）　語学（ごがく）　国語（こくご）　用語（ようご）
かた**る**	語（かた）る(他)　物語（ものがたり）　物語（ものがた）る(他)
79	**口**
コウ	人口（じんこう）
くち	～口（くち）　口（くち）　出入り口（でいりぐち）　出口（でぐち）
80	**工**
コウ	工員（こういん）　工事（こうじ）　工場（こうじょう／こうば）
ク	大工（だいく）
81	**公**
コウ	公園（こうえん）　公正（こうせい）
82	**広**
コウ	広告（こうこく）
ひろ**い**	広（ひろ）い　広（ひろ）さ　広場（ひろば）　広々（ひろびろ）
ひろ**める**	広（ひろ）める(他)
ひろ**がる**	広（ひろ）がる
ひろ**げる**	広（ひろ）げる(他)
83	**交**
コウ	交通（こうつう）　交番（こうばん）　外交（がいこう）
ま**ざる**	交（ま）ざる
ま**ぜる**	交（ま）ぜる(他)
84	**好**
コウ	友好（ゆうこう）
この**む**	好（この）む(他)　好（この）み
す**く**	好（す）き　好（す）き好（ず）き　大好（だいす）き
85	**考**
コウ	参考（さんこう）
かんが**える**	考（かんが）える(他)　考（かんが）え
86	**行**
コウ	行動（こうどう）　通行（つうこう）
ギョウ	～行（ぎょう）　行事（ぎょうじ）
い**く**	行（い）く　行（い）き
ゆ**く**	行（ゆ）く　行（ゆ）き
おこな**う**	行（おこな）う(他)
(特)	行方（ゆくえ）
87	**校**
コウ	～校（こう）　校長（こうちょう）　学校（がっこう）　小学校（しょうがっこう） 中学校（ちゅうがっこう）
88	**降**
コウ	下降（かこう）
お**りる**	降（お）りる
お**ろす**	降（お）ろす(他)
ふ**る**	降（ふ）る
89	**高**
コウ	高（こう）～　高校（こうこう）　高校生（こうこうせい）
たか**い**	高（たか）い
たか**める**	高（たか）める(他)
90	**号**
ゴウ	～号（ごう）　号（ごう）　信号（しんごう）
91	**国**
コク	～国（こく）　国家（こっか）　国会（こっかい）
くに	国（くに）

92	**黒**
コク	黒板(こくばん)
くろ	黒(くろ)
くろ**い**	黒(くろ)い
93	**今**
コン	今(こん)～　今回(こんかい)　今度(こんど)　今日(こんにち)
いま	今(いま)　今(いま)に　今(いま)にも
(特)	今日(きょう)　今朝(けさ)　今年(ことし)
94	**困**
コン	困難(こんなん)
こま**る**	困(こま)る
95	**左**
サ	左右(さゆう)
ひだり	左(ひだり)
96	**作**
サク	作文(さくぶん)　作家(さっか)　作曲(さっきょく)
サ	動作(どうさ)
つく**る**	作(つく)る(他)
97	**三**
サン	三(さん)
み	三日(みっか)
みっ**つ**	三(みっ)つ
98	**山**
サン	～山(さん)
やま	山(やま)
99	**子**
シ	女子(じょし)
ス	様子(ようす)
こ	子(こ)　お子(こ)さん
(特)	迷子(まいご)　息子(むすこ)
100	**止**
シ	中止(ちゅうし)
と**まる**	止(と)まる　立(た)ち止(ど)まる
と**める**	止(と)める(他)
101	**氏**
シ	氏(し)　氏名(しめい)
102	**仕**
シ	仕方(しかた)　仕事(しごと)
103	**四**
シ	四(し)
よ	四(よ)(時(じ))　四日(よっか)
よ**つ**	四(よ)つ角(かど)
よっ**つ**	四(よっ)つ
よん	四(よん)
104	**市**
シ	市(し)　都市(とし)
いち	市場(いちば)
105	**糸**
シ	
いと	糸(いと)
106	**私**
シ	私鉄(してつ)　私立(しりつ)
わたくし	私(わたくし)（「わたし」とも読(よ)む）
107	**使**
シ	使用(しよう)　大使(たいし)　大使館(たいしかん)
つか**う**	使(つか)う(他)

108	**始**
シ	開始(かいし)
はじ**める**	始(はじ)める(他)　～始(はじ)める　始(はじ)め
はじ**まる**	始(はじ)まる　始(はじ)まり

109	**姉**
シ	姉妹(しまい)
あね	姉(あね)
(特)	お姉(ねえ)さん

110	**思**
シ	意思(いし)
おも**う**	思(おも)う(他)　思(おも)い切(き)り 思(おも)い出(だ)す(他)　思(おも)いっ切(き)り 思(おも)いつく(他)　思(おも)い出(で)　思(おも)わず

111	**紙**
シ	～紙(し)
かみ	紙(かみ)　紙(かみ)くず　ちり紙(がみ)　手紙(てがみ)

112	**字**
ジ	字(じ)　ローマ字(じ)

113	**寺**
ジ	～寺(じ)　寺院(じいん)
てら	寺(てら)

114	**次**
ジ	目次(もくじ)
シ	次第(しだい)(に)
つぐ	次(つ)ぐ
つぎ	次(つぎ)　次々(つぎつぎ)に

115	**耳**
ジ	
みみ	耳(みみ)

116	**自**
ジ	自習(じしゅう)　自分(じぶん)
シ	自然(しぜん)
みずか**ら**	自(みずか)ら

117	**事**
ジ	大事(だいじ)
こと	事(こと)　見事(みごと)　物事(ものごと)

118	**持**
ジ	持参(じさん)
も**つ**	持(も)つ(他)　～持(も)ち 持(も)ち上(あ)げる(他)　気持(きも)ち

119	**時**
ジ	～時(じ)　～時間(じかん)　～時間目(じかんめ) 時間(じかん)
とき	時(とき)　時々(ときどき)
(特)	時計(とけい)

120	**七**
シチ	七(しち)
なな	七(なな)
なな**つ**	七(なな)つ
なの	七日(なのか)

121	**室**
シツ	室(しつ)～　～室(しつ)　教室(きょうしつ)

122	**質**
シツ	～質(しつ)　質(しつ)　質問(しつもん)　地質(ちしつ)

123	**社**
シャ	～社(しゃ)　社会科学(しゃかいかがく)　社長(しゃちょう)

124	**車**
シャ	～車(しゃ)　自動車(じどうしゃ)　電車(でんしゃ)
くるま	車(くるま)

125	**者**
シャ	～者(しゃ)　作者(さくしゃ)　前者(ぜんしゃ)
もの	者(もの)

126	**借**
シャク	借金(しゃっきん)
か**りる**	借(か)りる（他）

127	**弱**
ジャク	弱点(じゃくてん)
よわ**い**	弱(よわ)い

128	**手**
シュ	～手(しゅ)　運転手(うんてんしゅ)
て	手(て)　手間(てま)
（特）	上手(じょうず)　下手(へた)　手伝(てつだ)う（他） 手伝(てつだ)い

129	**主**
シュ	主語(しゅご)　主人(しゅじん)
おも	主(おも)

130	**取**
シュ	
と**る**	取(と)る（他）　取(と)り上(あ)げる（他） 取(と)れる　ちり取(と)り

131	**首**
シュ	首都(しゅと)
くび	首(くび)　手首(てくび)

132	**受**
ジュ	受験(じゅけん)
う**ける**	受(う)ける（他）　受(う)け取(と)る（他） 受(う)け持(も)つ（他）

133	**秋**
シュウ	
あき	秋(あき)

134	**終**
シュウ	最終(さいしゅう)
お**わる**	終(お)わる（自・他）　～終(お)わる 終(お)わり
お**える**	終(お)える（他）

135	**習**
シュウ	学習(がくしゅう)
なら**う**	習(なら)う（他）

136	**週**
シュウ	週(しゅう)　週間(しゅうかん)　今週(こんしゅう)　先週(せんしゅう)　来週(らいしゅう)

137	**集**
シュウ	～集(しゅう)　集会(しゅうかい)　集中(しゅうちゅう)
あつ**める**	集(あつ)める（他）
あつ**まる**	集(あつ)まる　集(あつ)まり

138	**十**
ジュウ	十(じゅう)　十分(じゅうぶん)
ジッ	十(じっ)(本(ぽん))
とお	十(とお)　十日(とおか)
（特）	二十(はたち)　二十歳(はたち)　二十日(はつか)

139	**住**
ジュウ	住所(じゅうしょ)

す**む**	住(す)む
す**まう**	住(す)まい

140	**重**
ジュウ	重(じゅう)～　～重(じゅう)　重体(じゅうたい)　重大(じゅうだい)
チョウ	尊重(そんちょう)
おも**い**	重(おも)い
かさ**ねる**	重(かさ)ねる(他)
かさ**なる**	重(かさ)なる

141	**出**
シュツ	出場(しゅつじょう)
で**る**	出(で)る　出入(でい)り　出来事(できごと) 出来(でき)る
だ**す**	出(だ)す(他)　～出(だ)す 取(と)り出(だ)す(他)　引(ひ)き出(だ)し 引(ひ)き出(だ)す(他)　見出(みだ)し

142	**春**
シュン	
はる	春(はる)

143	**所**
ショ	～所(しょ/じょ)　長所(ちょうしょ)　名所(めいしょ)
ところ	所(ところ)　所々(ところどころ)

144	**書**
ショ	書店(しょてん)　書道(しょどう)　書物(しょもつ)
か**く**	書(か)く(他)　書(か)き取(と)り

145	**女**
ジョ	女(じょ)～　～女(じょ)　女王(じょおう)　長女(ちょうじょ)
おんな	女(おんな)　女(おんな)の子(こ)　女(おんな)の人(ひと)

146	**小**
ショウ	小(しょう)　小便(しょうべん)　大小(だいしょう)
ちい**さい**	小(ちい)さい　小(ちい)さな
こ	小(こ)～　小屋(こや)

147	**少**
ショウ	少女(しょうじょ)　少々(しょうしょう)　少年(しょうねん)
すく**ない**	少(すく)ない
すこ**し**	少(すこ)し　少(すこ)しも

148	**消**
ショウ	消化(しょうか)
き**える**	消(き)える
け**す**	消(け)す(他)　消(け)しゴム 取(と)り消(け)す(他)

149	**上**
ジョウ	上(じょう)　上下(じょうげ)
うえ	上(うえ)　目上(めうえ)
うわ	上着(うわぎ)
あ**げる**	上(あ)げる(他)　見上(みあ)げる(他) 持(も)ち上(あ)げる(他)
あ**がる**	上(あ)がる　仕上(しあ)がる 立(た)ち上(あ)がる　出来上(できあ)がり 出来上(できあ)がる
のぼ**る**	上(のぼ)る　上(のぼ)り
(特)	上手(じょうず)

150	**乗**
ジョウ	乗車(じょうしゃ)
の**る**	乗(の)る
の**せる**	乗(の)せる(他)

151	**常**
ジョウ	日常（にちじょう）
つね	常に（つね）

152	**場**
ジョウ	～場（じょう）　会場（かいじょう）　入場（にゅうじょう）
ば	場（ば）　場合（ばあい）　場所（ばしょ）　立場（たちば）

153	**色**
ショク	～色（しょく）　特色（とくしょく）
いろ	色（いろ）
(特)	景色（けしき）

154	**食**
ショク	食事（しょくじ）　食品（しょくひん）　食料（しょくりょう）　食料品（しょくりょうひん）
く**う**	食う（く）(他)
た**べる**	食べる（た）(他)　食べ物（たもの）

155	**心**
シン	心理（しんり）　用心（ようじん）
こころ	心（こころ）

156	**森**
シン	森林（しんりん）
もり	森（もり）

157	**寝**
シン	寝台（しんだい）
ね**る**	寝る（ね）　昼寝（ひるね）

158	**新**
シン	新～（しん）
あたら**しい**	新しい（あたら）
あら**た**	新たな（あら）

159	**親**
シン	親切（しんせつ）
おや	親（おや）
した**しい**	親しい（した）

160	**人**
ジン	～人（じん）　人工（じんこう）　人事（じんじ）　人生（じんせい） 外国人（がいこくじん）
ニン	～人（にん）　人気（にんき）　本人（ほんにん）
ひと	人（ひと）　人通り（ひとどお）
(特)	大人（おとな）　一人（ひとり）　一人一人（ひとりひとり）　二人（ふたり）

161	**図**
ズ	図（ず）
ト	図書（としょ）　図書館（としょかん）

162	**水**
スイ	水道（すいどう）　水分（すいぶん）　水曜（すいよう）
みず	水（みず）　水着（みずぎ）

163	**世**
セイ	中世（ちゅうせい）
セ	世話（せわ）
よ	世の中（よなか）

164	**正**
セイ	正（せい）　不正（ふせい）
ショウ	正月（しょうがつ）　正午（しょうご）　正味（しょうみ）
ただ**しい**	正しい（ただ）
まさ	正に（まさ）

165	**生**
セイ	生（せい）　生物（せいぶつ）
ショウ	生じる / ずる（しょう）(他)　一生（いっしょう）

い**きる**	生(い)きる　生(い)き生(い)き　生(い)き物(もの)
う**まれる**	生(う)まれる　生(う)まれ
は**える**	生(は)える
き	生地(きじ)
なま	生(なま)
166	**西**
セイ	西洋(せいよう)
サイ	関西(かんさい)　東西(とうざい)
にし	西(にし)
167	**声**
セイ	
こえ	声(こえ)
168	**青**
セイ	青少年(せいしょうねん)　青年(せいねん)
あお	青(あお)
あお**い**	青(あお)い
(特)	真(ま)っ青(さお)
169	**晴**
セイ	快晴(かいせい)
は**れる**	晴(は)れる　晴(は)れ
170	**夕**
セキ	
ゆう	夕方(ゆうがた)　夕食(ゆうしょく)　夕立(ゆうだち)　夕日(ゆうひ) 夕(ゆう)べ
171	**石**
セキ	石油(せきゆ)
いし	石(いし)

172	**赤**
セキ	赤道(せきどう)
あか	赤(あか)　赤(あか)ちゃん　赤(あか)ん坊(ぼう)
あか**い**	赤(あか)い
(特)	真(ま)っ赤(か)
173	**切**
セツ	大切(たいせつ)
き**る**	切(き)る(他)　切手(きって)
き**れる**	切(き)れる　～切(き)れ　売(う)り切(き)れ 売(う)り切(き)れる
174	**千**
セン	千(せん)
175	**川**
セン	
かわ	川(かわ)
176	**先**
セン	先生(せんせい)　先々月(せんせんげつ)　先々週(せんせんしゅう)
さき	先(さき)　先(さき)ほど
177	**線**
セン	線(せん)　電線(でんせん)
178	**全**
ゼン	全(ぜん)～　全国(ぜんこく)　全集(ぜんしゅう)　全部(ぜんぶ) 全力(ぜんりょく)
まった**く**	全(まった)く
179	**前**
ゼン	前(ぜん)～　～前(ぜん)　前後(ぜんご)
まえ	～前(まえ)　前(まえ)　手前(てまえ)

180	**早**
ソウ	
サッ	早速(さっそく)
はや**い**	早(はや)い　早口(はやくち)

181	**走**
ソウ	
はし**る**	走(はし)る

182	**送**
ソウ	送別(そうべつ)　送料(そうりょう)
おく**る**	送(おく)る(他)　見送(みおく)り　見送(みおく)る(他)
(特)	送(おく)り仮名(がな)

183	**足**
ソク	～足(そく)　不足(ふそく)
あし	足(あし)　足元(あしもと)
た**りる**	足(た)りる
た**る**	足(た)る
た**す**	足(た)す(他)

184	**族**
ゾク	家族(かぞく)

185	**村**
ソン	農村(のうそん)
むら	村(むら)

186	**多**
タ	多少(たしょう)　多分(たぶん)
おお**い**	多(おお)い

187	**体**
タイ	体重(たいじゅう)　体力(たいりょく)　一体(いったい)　全体(ぜんたい)
からだ	体(からだ)

188	**待**
タイ	期待(きたい)
ま**つ**	待(ま)つ(他)

189	**貸**
タイ	賃貸(ちんたい)
か**す**	貸(か)す(他)　貸(か)し　貸(か)し出(だ)し

190	**大**
ダイ	大(だい)　大学(だいがく)　大体(だいたい)
タイ	大会(たいかい)　大気(たいき)
おお	大(おお)～　大通(おおどお)り
おお**きい**	大(おお)きい　大(おお)きな
おお**いに**	大(おお)いに
(特)	大人(おとな)

191	**代**
ダイ	～代(だい)　代理(だいり)　時代(じだい)　年代(ねんだい)
か**わる**	代(か)わる　お代(か)わり 代(か)わり(に)
か**える**	代(か)える(他)

192	**台**
ダイ	～台(だい)　台(だい)　台所(だいどころ)
タイ	台風(たいふう)

193	**短**
タン	短(たん)～　短所(たんしょ)　長短(ちょうたん)
みじか**い**	短(みじか)い

194	**男**
ダン	男子(だんし)
ナン	長男(ちょうなん)
おとこ	男(おとこ)　男(おとこ)の子(こ)　男(おとこ)の人(ひと)

195	**地**
チ	地（ち）　地図（ちず）　地方（ちほう）　地名（ちめい）
ジ	地味（じみ）　地元（じもと）　無地（むじ）

196	**知**
チ	知事（ちじ）　知人（ちじん）　通知（つうち）
し**る**	知る（し）(他)　知らせ（し） 知らせる（し）(他)

197	**茶**
チャ	(お)茶（ちゃ）　茶色（ちゃいろ）　茶色い（ちゃいろ）
サ	喫茶(店)（きっさ　てん）

198	**着**
チャク	～着（ちゃく）　着々（ちゃくちゃく）
き**る**	着る（き）(他)　着物（きもの）
き**せる**	着せる（き）(他)
つ**く**	着く（つ）
つ**ける**	着ける（つ）(他)

199	**中**
チュウ	～中（ちゅう／じゅう）　中（ちゅう）　中学（ちゅうがく）　中学校（ちゅうがっこう） 中心（ちゅうしん）　中年（ちゅうねん）
なか	中（なか）　中身（なかみ） / 中味（なかみ）

200	**昼**
チュウ	昼食（ちゅうしょく）
ひる	昼（ひる）　昼間（ひるま）　昼休み（ひるやす）

201	**町**
チョウ	～町（ちょう）
まち	町（まち）　下町（したまち）

202	**長**
チョウ	長～（ちょう）　～長（ちょう）　生長（せいちょう）
なが**い**	長い（なが）　長～（なが）

203	**鳥**
チョウ	
とり	鳥（とり）　小鳥（ことり）

204	**朝**
チョウ	
あさ	朝（あさ）
(特)	今朝（けさ）

205	**通**
ツウ	～通（つう）　通学（つうがく）　通じる / ずる（つう）(他)
とお**る**	通る（とお）　～通り（とお）　通り（とお）　一通り（ひととお）
とお**す**	通す（とお）(他)
かよ**う**	通う（かよ）

206	**痛**
ツウ	苦痛（くつう）
いた**い**	痛い（いた）
いた**む**	痛む（いた）　痛み（いた）

207	**低**
テイ	低～（てい）　低下（ていか）
ひく**い**	低い（ひく）

208	**弟**
テイ	
ダイ	兄弟（きょうだい）
おとうと	弟（おとうと）

209	**定**
テイ	定員（ていいん）

210	**鉄**
テツ	鉄（てつ）　鉄道（てつどう）

211	**天**
テン	天気(てんき)
212	**店**
テン	～店(てん)　店員(てんいん)
みせ	店(みせ)　店屋(みせや)
213	**転**
テン	転々(てんてん)　自転車(じてんしゃ)
ころ**がる**	転(ころ)がる
ころ**がす**	転(ころ)がす(他)
ころ**ぶ**	転(ころ)ぶ　寝転(ねころ)ぶ
214	**田**
デン	
た	田(た)　田(た)んぼ
215	**電**
デン	電気(でんき)　電子(でんし)　電力(でんりょく)
216	**都**
ト	都(と)　都会(とかい)　都心(としん)
ツ	都合(つごう)
みやこ	都(みやこ)
217	**土**
ド	土曜(どよう)
ト	土地(とち)
つち	土(つち)
(特)	(お)土産(みやげ)
218	**度**
ド	～度(ど)　度(ど)　一度(いちど)　一度(いちど)に 高度(こうど)　年度(ねんど)　毎度(まいど)
タク	支度(したく)
たび	度(たび)
219	**冬**
トウ	
ふゆ	冬(ふゆ)
220	**東**
トウ	東洋(とうよう)
ひがし	東(ひがし)
221	**答**
トウ	回答(かいとう)　問答(もんどう)
こた**える**	答(こた)える
こた**え**	答(こた)え
222	**同**
ドウ	同(どう)～　同時(どうじ)
おな**じ**	同(おな)じ
223	**動**
ドウ	動物(どうぶつ)　動物園(どうぶつえん)　自動(じどう)
うご**く**	動(うご)く
うご**かす**	動(うご)かす(他)
224	**堂**
ドウ	食堂(しょくどう)
225	**道**
ドウ	～道(どう)　車道(しゃどう)
みち	道(みち)
226	**働**
ドウ	労働(ろうどう)
はたら**く**	働(はたら)く　働(はたら)き
227	**特**
トク	特長(とくちょう)　特定(とくてい)　特(とく)に　特急(とっきゅう)

228	**読**
ドク	読書(どくしょ)
よ**む**	読(よ)む(他)　読(よ)み
229	**内**
ナイ	～内(ない)　内科(ないか)　内線(ないせん)
うち	内(うち)
230	**南**
ナン	南北(なんぼく)
みなみ	南(みなみ)
231	**二**
ニ	二(に)
ふた**つ**	二(ふた)つ
(特)	二十(はたち)　二十歳(はたち)　二十日(はつか)　二人(ふたり) 二日(ふつか)
232	**肉**
ニク	肉(にく)
233	**日**
ニチ	～日(にち)　日(にち)　日時(にちじ)　日中(にっちゅう) 日本(にほん／にっぽん)
ジツ	～日(じつ)　先日(せんじつ)
ひ	日(ひ)　日(ひ)にち　日(ひ)の出(で)
か	～日(か)　十日(とおか)
(特)	明日(あす)　昨日(きのう)　今日(きょう)　一日(ついたち) 二十日(はつか)　二日(ふつか)
234	**入**
ニュウ	入院(にゅういん)　入学(にゅうがく)　入社(にゅうしゃ)
い**る**	入(い)(り)口(ぐち)　気(き)に入(い)る 日(ひ)の入(い)り
い**れる**	入(い)れる(他)　手入(てい)れ 取(と)り入(い)れる(他)
はい**る**	入(はい)る
235	**年**
ネン	～年(ねん)　～年生(ねんせい)　年中(ねんじゅう)　学年(がくねん)
とし	年(とし)　年月(としつき)
(特)	今年(ことし)
236	**売**
バイ	売店(ばいてん)　特売(とくばい)
う**る**	売(う)る(他)　売(う)り上(あ)げ　売(う)り場(ば)
う**れる**	売(う)れる　売(う)れ行(ゆ)き
237	**買**
バイ	売買(ばいばい)
か**う**	買(か)う(他)　買(か)い物(もの)
238	**白**
ハク	
しろ	白(しろ)　真(ま)っ白(しろ)
しろ**い**	白(しろ)い　青白(あおじろ)い
(特)	白髪(しらが)
239	**八**
ハチ	八(はち)
やっ**つ**	八(やっ)つ
よう	八日(ようか)
(特)	八百屋(やおや)
240	**半**
ハン	～半(はん)　半(はん)　半分(はんぶん)　大半(たいはん)
なか**ば**	半(なか)ば

241	**飯**
ハン	夕飯(ゆうはん)
めし	飯(めし)
242	**晩**
バン	晩(ばん)　今晩(こんばん)　毎晩(まいばん)
243	**番**
バン	～番(ばん)　～番目(ばんめ)　番(ばん)　番号(ばんごう) 番地(ばんち)
244	**非**
ヒ	非(ひ)～　非常(ひじょう)　非常(ひじょう)に
245	**疲**
ヒ	
つか**れる**	疲(つか)れる　疲(つか)れ
246	**費**
ヒ	～費(ひ)　費用(ひよう)　消費(しょうひ)
247	**百**
ヒャク	百(ひゃく)
(特)	八百屋(やおや)
248	**病**
ビョウ	～病(びょう)　病院(びょういん)　病気(びょうき)
249	**品**
ヒン	品(ひん)　作品(さくひん)　商品(しょうひん)　上品(じょうひん) 日用品(にちようひん)
しな	品(しな)　品物(しなもの)　手品(てじな)
250	**不**
フ	不(ふ／ぶ)～　不安(ふあん)　不運(ふうん)　不通(ふつう)
251	**父**
フ	父母(ふぼ)
ちち	父(ちち)　父親(ちちおや)
(特)	お父(とう)さん
252	**部**
ブ	～部(ぶ)　部長(ぶちょう)　部品(ぶひん)　学部(がくぶ)
(特)	部屋(へや)
253	**風**
フウ	～風(ふう)
かぜ	風(かぜ)
254	**服**
フク	服(ふく)
255	**物**
ブツ	～物(ぶつ)　物質(ぶっしつ)　人物(じんぶつ)
モツ	作物(さくもつ)　食物(しょくもつ)
もの	～物(もの)　物(もの)　入(い)れ物(もの)　乗(の)り物(もの)
(特)	果物(くだもの)
256	**分**
ブン	分(ぶん)　気分(きぶん)　大部分(だいぶぶん)　部分(ぶぶん)
フン	～分(ふん)　分(ふん)
ブ	大分(だいぶ)
わ**ける**	分(わ)ける(他)
わ**かれる**	分(わ)かれる
わ**かる**	分(わ)かる
257	**文**
ブン	文(ぶん)　文学(ぶんがく)　文体(ぶんたい)　人文科学(じんぶんかがく)
モン	文字(もじ／もんじ)　注文(ちゅうもん)
258	**聞**
ブン	新聞(しんぶん)　新聞社(しんぶんしゃ)
き**く**	聞(き)く(他)

き**こえる**	聞（き）こえる
259	**閉**
ヘイ	閉会（へいかい）
と**じる**	閉（と）じる（自・他）
し**める**	閉（し）める（他）
し**まる**	閉（し）まる
260	**米**
ベイ	南米（なんべい）
こめ	米（こめ）
261	**別**
ベツ	～別（べつ）　別（べつ）　別々（べつべつ）　特別（とくべつ）
わか**れる**	別（わか）れる　別（わか）れ
262	**返**
ヘン	返事（へんじ）
かえ**す**	返（かえ）す（他）
かえ**る**	返（かえ）る
263	**便**
ベン	便（べん）　便所（べんじょ）　便利（べんり）　不便（ふべん）
ビン	便（びん）　便（びん）せん
たよ**り**	便（たよ）り
264	**勉**
ベン	勉強（べんきょう）
265	**歩**
ホ	～歩（ほ）　歩道（ほどう）
ある**く**	歩（ある）く
266	**母**
ボ	父母（ふぼ）
はは	母（はは）　母親（ははおや）
（特）	お母（かあ）さん
267	**方**
ホウ	方（ほう）　方言（ほうげん）　方々（ほうぼう）　一方（いっぽう）
かた	～方（かた）　方（かた）　方々（かたがた）　見方（みかた）
（特）	行方（ゆくえ）
268	**北**
ホク	南北（なんぼく）
きた	北（きた）
269	**木**
ボク	大木（たいぼく）
モク	木曜（もくよう）
き	木（き）
（特）	木綿（もめん）
270	**本**
ホン	本（ほん）～　～本（ほん）　本（ほん）　本部（ほんぶ）　本物（ほんもの） 見本（みほん）
271	**毎**
マイ	毎（まい）～　毎週（まいしゅう）　毎月（まいげつ／まいつき） 毎年（まいとし／まいねん）　毎日（まいにち）
272	**妹**
マイ	姉妹（しまい）
いもうと	妹（いもうと）
273	**万**
マン	万（まん）　万（まん）が一（いち）
バン	万歳（ばんざい）
274	**味**
ミ	～味（み）　味方（みかた）　意味（いみ）　気味（きみ） 中味（なかみ）

あじ	味(あじ)
あじ**わう**	味(あじ)わう(他)

275	**無**
ム	無(む)　無理(むり)　無料(むりょう)
ブ	無(ぶ)～　無事(ぶじ)
な**い**	無(な)い　無(な)くす(他)　無(な)くなる 無(な)し

276	**名**
メイ	名(めい)～　～名(めい)　名作(めいさく)　名人(めいじん) 名物(めいぶつ)
ミョウ	名字(みょうじ)
な	名(な)　名前(なまえ)　あて名(な)
(特)	仮名(かな)　送(おく)り仮名(がな)　片仮名(かたかな) 平仮名(ひらがな)

277	**明**
メイ	発明(はつめい)　文明(ぶんめい)
ミョウ	明(みょう)～　明後日(みょうごにち)
あ**かり**	明(あ)かり
あか**るい**	明(あか)るい
あき**らか**	明(あき)らか
あ**ける**	明(あ)ける　明(あ)け方(がた)
あ**く**	明(あ)き
(特)	明日(あす)

278	**目**
モク	科目(かもく)
め	～目(め)　目(め)　お目(め)にかかる 目立(めだ)つ

279	**門**
モン	門(もん)　正門(せいもん)

280	**問**
モン	～問(もん)　学問(がくもん)
と**う**	問(と)う(他)　問(と)い合(あ)わせ
と**い**	問(と)い

281	**夜**
ヤ	～夜(や)　夜間(やかん)　夜行(やこう)　今夜(こんや)
よ	夜(よ)　夜明(よあ)け　夜中(よなか)
よる	夜(よる)

282	**約**
ヤク	約(やく)

283	**薬**
ヤク	薬品(やくひん)
くすり	薬(くすり)

284	**友**
ユウ	友人(ゆうじん)　親友(しんゆう)
とも	友(とも)
(特)	友達(ともだち)

285	**有**
ユウ	有名(ゆうめい)　有利(ゆうり)　有料(ゆうりょう)
あ**る**	有(あ)る

286	**郵**
ユウ	郵送(ゆうそう)　郵便(ゆうびん)

287	**用**
ヨウ	用(よう)　用紙(ようし)　用事(ようじ)　実用(じつよう)　通用(つうよう)
もち**いる**	用(もち)いる(他)

288	**洋**
ヨウ	洋品店（ようひんてん）　洋服（ようふく）　海洋（かいよう）

289	**様**
ヨウ	様（よう）　同様（どうよう）
さま	～様（さま）　様々（さまざま）

290	**曜**
ヨウ	曜日（ようび）　月曜（げつよう）　火曜（かよう）　水曜（すいよう） 木曜（もくよう）　金曜（きんよう）　土曜（どよう）　日曜（にちよう）

291	**来**
ライ	来～（らい）　来日（らいにち）　来年（らいねん）　本来（ほんらい）
く**る**	来る（く）

292	**利**
リ	利口（りこう）　利用（りよう）　不利（ふり）

293	**理**
リ	理科（りか）　地理（ちり）　物理（ぶつり）

294	**立**
リツ	国立（こくりつ）
た**つ**	立つ（た）
た**てる**	立てる（た）(他)

295	**旅**
リョ	旅館（りょかん）　旅行（りょこう）
たび	旅（たび）

296	**料**
リョウ	～料（りょう）　料金（りょうきん）　料理（りょうり）　飲料（いんりょう）

297	**力**
リョク	～力（りょく）　学力（がくりょく）　重力（じゅうりょく）
ちから	力（ちから）　力強い（ちからづよ）

298	**林**
リン	山林（さんりん）
はやし	林（はやし）

299	**六**
ロク	六（ろく）
むっ**つ**	六つ（むっ）
むい	六日（むいか）

300	**話**
ワ	会話（かいわ）　電話（でんわ）
はな**す**	話す（はな）(他)　話し中（はなちゅう）
はなし	話（はなし）

ステップ２（301～550）

第15回

301	**暗**
アン	暗記(あんき)
くら**い**	暗(くら)い
302	**以**
イ	以下(いか)　以外(いがい)　以後(いご)　以降(いこう) 以上(いじょう)　以前(いぜん)　以内(いない)　以来(いらい)
303	**位**
イ	～位(い)　地位(ちい)
くらい	位(くらい)
304	**意**
イ	意外(いがい)　意見(いけん)　意思(いし)　意地悪(いじわる) 生意気(なまいき)　用意(ようい)
305	**違**
イ	違反(いはん)
ちが**う**	違(ちが)う　違(ちが)い　違(ちが)いない 間違(まちが)う（自・他）
ちが**える**	間違(まちが)える（他）
306	**育**
イク	教育(きょういく)　体育(たいいく)　体育館(たいいくかん)
そだ**つ**	育(そだ)つ
そだ**てる**	育(そだ)てる（他）
307	**引**
イン	引用(いんよう)　引力(いんりょく)　強引(ごういん)
ひ**く**	引(ひ)く（他）　引(ひ)き受(う)ける（他） 引(ひ)き返(かえ)す　引(ひ)き止(と)める（他） 引(ひ)き分(わ)け　引(ひ)っかかる 引(ひ)っかける（他）　長引(ながび)く
308	**雲**
ウン	
くも	雲(くも)
309	**泳**
エイ	水泳(すいえい)
およ**ぐ**	泳(およ)ぐ　泳(およ)ぎ
310	**英**
エイ	英語(えいご)　英文(えいぶん)　英和(えいわ)　和英(わえい)
311	**営**
エイ	営業(えいぎょう)
312	**王**
オウ	王(おう)　王様(おうさま)　王子(おうじ)　王女(おうじょ)　国王(こくおう)
313	**央**
オウ	中央(ちゅうおう)
314	**横**
オウ	横断(おうだん)
よこ	横(よこ)　横切(よこぎ)る
315	**億**
オク	億(おく)
316	**温**
オン	温室(おんしつ)　温度(おんど)　気温(きおん)　体温(たいおん)
あたた**か**	温(あたた)か
あたた**かい**	温(あたた)かい
あたた**まる**	温(あたた)まる

あたた**める**	温(あたた)める（他）

317	**加**
カ	加速(かそく)　加速度(かそくど)
くわ**える**	加(くわ)える（他）
くわ**わる**	加(くわ)わる

318	**可**
カ	可(か)　不可(ふか)

319	**果**
カ	果実(かじつ)
は**たす**	果(は)たす（他）　果(は)たして
（特）	果物(くだもの)

320	**過**
カ	過去(かこ)　過半数(かはんすう)　通過(つうか)
す**ぎる**	過(す)ぎる　～過(す)ぎ 通(とお)り過(す)ぎる
す**ごす**	過(す)ごす（他）

321	**課**
カ	課(か)　課長(かちょう)　日課(にっか)

322	**改**
カイ	改正(かいせい)
あらた**める**	改(あらた)める（他）　改(あらた)めて

323	**絵**
カイ	絵画(かいが)
エ	絵(え)

324	**解**
カイ	解答(かいとう)　見解(けんかい)　分解(ぶんかい)　理解(りかい)
と**く**	解(と)く（他）
と**ける**	解(と)ける

325	**貝**
カイ	貝(かい)

326	**各**
カク	各(かく)～　各自(かくじ)　各地(かくち)
おのおの	各(おのおの)　（各々(おのおの)とも書(か)く）

327	**角**
カク	角度(かくど)　三角(さんかく)　四角(しかく)　四角(しかく)い 方角(ほうがく)
かど	角(かど)　四(よ)つ角(かど)

328	**格**
カク	格好(かっこう)　同格(どうかく)

329	**活**
カツ	活気(かっき)　活字(かつじ)　活動(かつどう)　活用(かつよう) 活力(かつりょく)　生活(せいかつ)

330	**完**
カン	完全(かんぜん)

331	**寒**
カン	寒帯(かんたい)
さむ**い**	寒(さむ)い

332	**感**
カン	～感(かん)　感(かん)じ　感(かん)じる / ずる（他） 感心(かんしん)　感動(かんどう)

第16回

333	**関**
カン	関係(かんけい)　関西(かんさい)　関心(かんしん)　関(かん)する 関東(かんとう)　機関(きかん)　交通機関(こうつうきかん)

334	**岩**
ガン	
いわ	岩(いわ)
335	**願**
ガン	
ねが**う**	願(ねが)う(他)　願(ねが)い
336	**記**
キ	記号(きごう)　記事(きじ)　記者(きしゃ)　記入(きにゅう) 暗記(あんき)　日記(にっき)
337	**喜**
キ	
よろこ**ぶ**	喜(よろこ)ぶ(他)　喜(よろこ)び
338	**期**
キ	～期(き)　期間(きかん)　期待(きたい)　学期(がっき) 時期(じき)　短期(たんき)　長期(ちょうき)　定期(ていき)
339	**器**
キ	～器(き)　器用(きよう)　楽器(がっき)　受話器(じゅわき) 食器(しょっき)
340	**機**
キ	～機(き)　機会(きかい)　機関車(きかんしゃ) ジェット機(き)
341	**議**
ギ	議員(ぎいん)　議会(ぎかい)　議長(ぎちょう)　会議(かいぎ) 会議室(かいぎしつ)　不思議(ふしぎ)
342	**客**
キャク	客(きゃく)　乗客(じょうきゃく)
343	**究**
キュウ	研究(けんきゅう)
344	**泣**
キュウ	
な**く**	泣(な)く
345	**級**
キュウ	～級(きゅう)　級(きゅう)　学級(がっきゅう)　高級(こうきゅう)　上級(じょうきゅう)
346	**球**
キュウ	球(きゅう)　地球(ちきゅう)　電球(でんきゅう)
たま	球(たま)
347	**共**
キョウ	共通(きょうつう)　共同(きょうどう)　公共(こうきょう)
とも	共(とも)に
348	**橋**
キョウ	鉄橋(てっきょう)
はし	橋(はし)
349	**業**
ギョウ	～業(ぎょう)　営業(えいぎょう)　休業(きゅうぎょう)　工業(こうぎょう) 作業(さぎょう)
350	**局**
キョク	局(きょく)　薬局(やっきょく)　郵便局(ゆうびんきょく)
351	**玉**
ギョク	
たま	玉(たま)
352	**具**
グ	具合(ぐあい)　具体(ぐたい)　絵(え)の具(ぐ)　家具(かぐ) 器具(きぐ)　道具(どうぐ)
353	**軍**
グン	軍(ぐん)

354	**形**
ケイ	～形(けい)　図形(ずけい)　正方形(せいほうけい)　長方形(ちょうほうけい)
ギョウ	人形(にんぎょう)
かたち	形(かたち)

355	**経**
ケイ	経営(けいえい)　経験(けいけん)　経度(けいど)

第17回

356	**軽**
ケイ	
かる**い**	軽(かる)い

357	**欠**
ケツ	欠点(けってん)
か**ける**	欠(か)ける

358	**血**
ケツ	血液(けつえき)
ち	血(ち)

359	**決**
ケツ	決(けっ)して　決心(けっしん)　決定(けってい)　解決(かいけつ) 可決(かけつ)
き**める**	決(き)める(他)
き**まる**	決(き)まる　決(き)まり

360	**結**
ケツ	結果(けっか)　結局(けっきょく)　結論(けつろん)
むす**ぶ**	結(むす)ぶ(他)

361	**件**
ケン	事件(じけん)

362	**研**
ケン	研究室(けんきゅうしつ)

363	**限**
ゲン	限界(げんかい)　限度(げんど)　期限(きげん)　無限(むげん)
かぎ**る**	限(かぎ)る(他)　限(かぎ)り

364	**原**
ゲン	原始(げんし)　原理(げんり)　原料(げんりょう)
はら	野原(のはら)

365	**現**
ゲン	現(げん)～　現金(げんきん)　現代(げんだい)　現(げん)に 現場(げんば)
あらわ**れる**	現(あらわ)れる　現(あらわ)れ
あらわ**す**	現(あらわ)す(他)

366	**減**
ゲン	加減(かげん)
へ**る**	減(へ)る
へ**らす**	減(へ)らす(他)

367	**個**
コ	～個(こ)　個人(こじん)

368	**光**
コウ	光線(こうせん)　日光(にっこう)
ひか**る**	光(ひか)る
ひかり	光(ひかり)

369	**向**
コウ	方向(ほうこう)
む**く**	向(む)く　向(む)き
む**ける**	向(む)ける(他)　～向(む)け
む**かう**	向(む)かう　向(む)かい

む**こう**	向(む)こう

370	**効**
コウ	効果(こうか)　効力(こうりょく)　有効(ゆうこう)
き**く**	効(き)く

371	**航**
コウ	航空(こうくう)

372	**黄**
コウ	
き	黄色(きいろ)　黄色(きいろ)い

373	**港**
コウ	～港(こう)　空港(くうこう)
みなと	港(みなと)

374	**合**
ゴウ	合格(ごうかく)　合計(ごうけい)　合同(ごうどう)　合理(ごうり) 会合(かいごう)　集合(しゅうごう)　都合(つごう)
あ**う**	合(あ)う　合図(あいず)　待合室(まちあいしつ) 知(し)り合(あ)い　出合(であ)い　出合(であ)う 話(はな)し合(あ)い　話(はな)し合(あ)う 間(ま)に合(あ)う
あ**わせる**	合(あ)わせる(他)　問(と)い合(あ)わせ 待(ま)ち合(あ)わせる

375	**告**
コク	広告(こうこく)　報告(ほうこく)

第18回

376	**根**
コン	
ね	根(ね)　屋根(やね)

377	**婚**
コン	婚約(こんやく)　結婚(けっこん)

378	**査**
サ	調査(ちょうさ)

379	**差**
サ	差(さ)　差別(さべつ)　交差(こうさ)　交差点(こうさてん)
さ**す**	差(さ)す(自・他)　差(さ)し上(あ)げる(他) 差(さ)し引(ひ)く(他)　日差(ひざ)し　物差(ものさ)し

380	**座**
ザ	座席(ざせき)
すわ**る**	座(すわ)る

381	**才**
サイ	才能(さいのう)

382	**済**
サイ	経済(けいざい)
す**む**	済(す)む　～済(ず)み
す**ます**	済(す)ませる(他)

383	**細**
サイ	
ほそ**い**	細(ほそ)い
こま**かい**	細(こま)かい

384	**最**
サイ	最(さい)～　最近(さいきん)　最後(さいご)　最高(さいこう) 最終(さいしゅう)　最初(さいしょ)　最中(さいちゅう)　最低(さいてい)
もっと**も**	最(もっと)も

385	**際**
サイ	際(さい)　交際(こうさい)　国際(こくさい)

386	**在**
ザイ	在学(ざいがく)　現在(げんざい)
あ**る**	在る(あ)
387	**昨**
サク	昨〜(さく)　一昨日(いっさくじつ)　一昨年(いっさくねん)
(特)	昨日(きのう)
388	**産**
サン	〜産(さん)　共産〜(きょうさん)　産業(さんぎょう)　産地(さんち) 原産(げんさん)　水産(すいさん)　生産(せいさん)
(特)	(お)土産(みやげ)
389	**算**
サン	計算(けいさん)　引き算(ひ　ざん)　予算(よさん)
390	**残**
ザン	残念(ざんねん)
のこ**る**	残る(のこ)　残らず(のこ)　残り(のこ)
のこ**す**	残す(のこ)(他)
391	**史**
シ	〜史(し)　歴史(れきし)
392	**死**
シ	死体(したい)
し**ぬ**	死ぬ(し)
393	**指**
シ	指定(してい)
さ**す**	指す(さ)(他)　目指す(め　ざ)(他)
ゆび	指(ゆび)　親指(おやゆび)　薬指(くすりゆび)　小指(こゆび)　中指(なかゆび) 人さし指(ひと　ゆび)
394	**師**
シ	医師(いし)　教師(きょうし)

395	**試**
シ	試合(しあい)　試験(しけん)
ため**す**	試す(ため)(他)　試し(ため)

第19回

396	**資**
シ	資本(しほん)　資料(しりょう)
397	**示**
ジ	指示(しじ)
しめ**す**	示す(しめ)(他)
398	**治**
ジ	政治(せいじ)
チ	自治(じち)
おさ**める**	治める(おさ)(他)
なお**る**	治る(なお)
なお**す**	治す(なお)(他)
399	**式**
シキ	〜式(しき)　式(しき)　形式(けいしき)　公式(こうしき)　正式(せいしき)
400	**失**
シツ	失業(しつぎょう)　過失(かしつ)
うしな**う**	失う(うしな)(他)
401	**実**
ジツ	実感(じっかん)　実験(じっけん)　実現(じつげん)　実行(じっこう) 実際(じっさい)　実習(じっしゅう)　実に(じつ)　実は(じつ) 実物(じつぶつ)　実力(じつりょく)　現実(げんじつ)　口実(こうじつ) 事実(じじつ)
み	実(み)
みの**る**	実る(みの)

402	**写**
シャ	写真(しゃしん)
うつ**す**	写(うつ)す(他)
うつ**る**	写(うつ)る

403	**若**
ジャク	
わか**い**	若(わか)い　若々(わかわか)しい

404	**酒**
シュ	～酒(しゅ)
さけ	(お)酒(さけ)
さか	酒場(さかば)

405	**種**
シュ	一種(いっしゅ)　人種(じんしゅ)
たね	種(たね)

406	**収**
シュウ	収入(しゅうにゅう)
おさ**める**	収(おさ)める(他)

407	**宿**
シュク	宿題(しゅくだい)　下宿(げしゅく)
やど	宿(やど)

408	**術**
ジュツ	学術(がくじゅつ)　手術(しゅじゅつ)　美術館(びじゅつかん)

409	**初**
ショ	初(しょ)～　初級(しょきゅう)　初歩(しょほ)
はじ**め**	初(はじ)め
はじ**めて**	初(はじ)めて

410	**暑**
ショ	
あつ**い**	暑(あつ)い

411	**助**
ジョ	助(じょ)～　助手(じょしゅ)
たす**ける**	助(たす)ける(他)
たす**かる**	助(たす)かる

412	**笑**
ショウ	
わら**う**	笑(わら)う　笑(わら)い
(特)	笑顔(えがお)

413	**商**
ショウ	～商(しょう)　商業(しょうぎょう)　商社(しょうしゃ)　商店(しょうてん) 商人(しょうにん)　商売(しょうばい)　商品(しょうひん)

414	**勝**
ショウ	～勝(しょう)
か**つ**	勝(か)つ　勝(か)ち　勝手(かって)

415	**情**
ジョウ	感情(かんじょう)　苦情(くじょう)　事情(じじょう)　表情(ひょうじょう) 友情(ゆうじょう)

第20回

416	**職**
ショク	職(しょく)　職業(しょくぎょう)　職人(しょくにん)　職場(しょくば)

417	**申**
シン	
もう**す**	申(もう)す(他)　申(もう)し上(あ)げる(他)

418	**身**
シン	身体(しんたい)　身長(しんちょう)　自身(じしん)　出身(しゅっしん) 心身(しんしん)　全身(ぜんしん)

み	身(み)　身分(みぶん)　中身(なかみ)
419	**信**
シン	信号(しんごう)　信(しん)じる / ずる(他)　信用(しんよう) 自信(じしん)　通信(つうしん)
420	**神**
シン	神経(しんけい)　神話(しんわ)
ジン	神社(じんじゃ)
かみ	神(かみ)　神様(かみさま)
421	**真**
シン	真空(しんくう)
ま	真(ま)っ暗(くら)　真(ま)っ黒(くろ)　真(ま)っ先(さき) 真(ま)っ白(しろ)い　真(ま)ん中(なか)
(特)	真(ま)っ赤(か)　真(ま)っ青(さお)
422	**深**
シン	深夜(しんや)
ふか**い**	深(ふか)い
ふか**まる**	深(ふか)まる
423	**進**
シン	進学(しんがく)　進歩(しんぽ)　前進(ぜんしん)
すす**む**	進(すす)む
すす**める**	進(すす)める(他)
424	**数**
スウ	数(すう)　数学(すうがく)　数字(すうじ)　回数(かいすう)　算数(さんすう) 小数(しょうすう)　分数(ぶんすう)　無数(むすう)
かず	数(かず)
かぞ**える**	数(かぞ)える(他)

425	**成**
セイ	成人(せいじん)　成長(せいちょう)　成分(せいぶん)　成立(せいりつ) 完成(かんせい)　作成(さくせい)
な**る**	成(な)る
426	**制**
セイ	制限(せいげん)　制作(せいさく)　制度(せいど)　体制(たいせい)
427	**性**
セイ	～性(せい)　性(せい)　性格(せいかく)　性質(せいしつ)　性別(せいべつ) 女性(じょせい)　男性(だんせい)　中性(ちゅうせい)
428	**政**
セイ	政治(せいじ)
429	**星**
セイ	
ほし	星(ほし)
430	**静**
セイ	冷静(れいせい)
しず**か**	静(しず)か
しず**まる**	静(しず)まる
431	**折**
セツ	
お**る**	折(お)る(他)
お**れる**	折(お)れる
432	**設**
セツ	設計(せっけい)　建設(けんせつ)
433	**雪**
セツ	
ゆき	雪(ゆき)
(特)	吹雪(ふぶき)

434	**説**
セツ	説(せつ)　説明(せつめい)　解説(かいせつ)　社説(しゃせつ)　小説(しょうせつ)

435	**洗**
セン	洗面(せんめん)
あら**う**	洗(あら)う(他)　お手洗(てあら)い　手洗(てあら)い

第21回

436	**船**
セン	～船(せん)　風船(ふうせん)
ふね	船(ふね)
ふな	船便(ふなびん)

437	**戦**
セン	～戦(せん)　大戦(たいせん)
たたか**う**	戦(たたか)う　戦(たたか)い

438	**選**
セン	選手(せんしゅ)
えら**ぶ**	選(えら)ぶ(他)

439	**然**
ゼン	自然(しぜん)　自然科学(しぜんかがく)　全然(ぜんぜん)
ネン	天然(てんねん)

440	**組**
ソ	
く**む**	組(く)む(他)　組(く)み合(あ)わせ 組(く)み立(た)てる(他)
くみ	組(くみ)　組合(くみあい)　番組(ばんぐみ)

441	**争**
ソウ	戦争(せんそう)
あらそ**う**	争(あらそ)う(他)

442	**相**
ソウ	相違(そうい)　相続(そうぞく)　相当(そうとう)
ショウ	首相(しゅしょう)
あい	相手(あいて)

443	**草**
ソウ	草原(そうげん)
くさ	草(くさ)

444	**増**
ゾウ	増加(ぞうか)　増減(ぞうげん)　増大(ぞうだい)
ま**す**	増(ま)す(自・他)
ふ**える**	増(ふ)える
ふ**やす**	増(ふ)やす(他)

445	**速**
ソク	速度(そくど)　速力(そくりょく)　急速(きゅうそく)　高速(こうそく) 早速(さっそく)　時速(じそく)
はや**い**	速(はや)い
はや**める**	速(はや)める(他)

446	**続**
ゾク	続々(ぞくぞく)
つづ**く**	続(つづ)く　～続(つづ)く　続(つづ)き　手続(てつづ)き
つづ**ける**	続(つづ)ける(他)　～続(つづ)ける

447	**卒**
ソツ	卒業(そつぎょう)

448	**他**
タ	他(た)　他人(たにん)

449	**打**
ダ	

うつ	打（う）つ(他)　打（う）ち合（あ）わせ 打（う）ち合（あ）わせる(他) 打（う）ち消（け）す(他)
450	**太**
タイ	太陽（たいよう）
ふと**い**	太（ふと）い
ふと**る**	太（ふと）る
451	**対**
タイ	対（たい）　対（たい）する　対立（たいりつ）　応対（おうたい）
452	**退**
タイ	退院（たいいん）　引退（いんたい）
453	**第**
ダイ	第（だい）～　次第（しだい）　次第（しだい）に
454	**題**
ダイ	題（だい）　題名（だいめい）　問題（もんだい）　話題（わだい）
455	**宅**
タク	(お)宅（たく）　宅配便（たくはいびん）　帰宅（きたく）　自宅（じたく） 住宅（じゅうたく）

第22回

456	**達**
タツ	達（たっ）する　上達（じょうたつ）　速達（そくたつ）　発達（はったつ）
(特)	友達（ともだち）
457	**単**
タン	単位（たんい）　単語（たんご）　単数（たんすう）　単（たん）なる 単（たん）に
458	**暖**
ダン	温暖（おんだん）
あたた**か**	暖（あたた）か
あたた**かい**	暖（あたた）かい
あたた**まる**	暖（あたた）まる
あたた**める**	暖（あたた）める(他)
459	**談**
ダン	相談（そうだん）
460	**池**
チ	電池（でんち）
いけ	池（いけ）
461	**遅**
チ	遅刻（ちこく）
おく**れる**	遅（おく）れる
おそ**い**	遅（おそ）い
462	**置**
チ	位置（いち）
お**く**	置（お）く(他)　物置（ものおき）
463	**竹**
チク	
たけ	竹（たけ）
464	**虫**
チュウ	
むし	虫（むし）
465	**注**
チュウ	注（ちゅう）　注意（ちゅうい）　注目（ちゅうもく）　注文（ちゅうもん）
そそ**ぐ**	注（そそ）ぐ(自・他)
466	**調**
チョウ	調査（ちょうさ）　調子（ちょうし）　調味料（ちょうみりょう）　強調（きょうちょう）
しら**べる**	調（しら）べる(他)

467	**直**
チョク	直後(ちょくご)　直線(ちょくせん)　直前(ちょくぜん)　直通(ちょくつう)　直角(ちょっかく)
ジキ	直(じき)(に)　正直(しょうじき)
ただ**ちに**	直(ただ)ちに
なお**す**	直(なお)す(他)　～直(なお)す　見直(みなお)す(他)
なお**る**	直(なお)る

468	**追**
ツイ	追加(ついか)
お**う**	追(お)う(他)　追(お)いかける(他)　追(お)い付(つ)く

469	**底**
テイ	
そこ	底(そこ)

470	**庭**
テイ	家庭(かてい)　校庭(こうてい)
にわ	庭(にわ)

471	**的**
テキ	～的(てき)　目的(もくてき)

472	**点**
テン	点(てん)　点数(てんすう)　点々(てんてん)　弱点(じゃくてん)　終点(しゅうてん)　重点(じゅうてん)　地点(ちてん)

473	**伝**
デン	伝記(でんき)　伝言(でんごん)
つた**わる**	伝(つた)わる
つた**える**	伝(つた)える(他)
(特)	手伝(てつだ)う　手伝(てつだ)い

474	**当**
トウ	当時(とうじ)　当日(とうじつ)　当然(とうぜん)　当番(とうばん)　見当(けんとう)　本当(ほんとう)
あ**たる**	当(あ)たる　当(あ)たり前(まえ)　心当(こころあ)たり　日当(ひあ)たり
あ**てる**	当(あ)てる(他)

475	**投**
トウ	投書(とうしょ)
な**げる**	投(な)げる(他)

第23回

476	**島**
トウ	～島(とう)　半島(はんとう)
しま	島(しま)

477	**登**
トウ	登場(とうじょう)
ト	登山(とざん)
のぼ**る**	登(のぼ)る

478	**等**
トウ	～等(とう)　等分(とうぶん)　高等(こうとう)　高等学校(こうとうがっこう)　上等(じょうとう)
ひと**しい**	等(ひと)しい

479	**頭**
トウ	～頭(とう)　先頭(せんとう)
ズ	頭痛(ずつう)
あたま	頭(あたま)

480	**得**
トク	得(とく)　得意(とくい)

え**る**	得(え)る(他)　心得(こころえ)る(他)
う**る**	得(う)る(他)
481	**難**
ナン	困難(こんなん)
かた**い**	有(あ)り難(がた)い
むずか**しい**	難(むずか)しい
482	**熱**
ネツ	熱(ねつ)　熱心(ねっしん)　熱(ねっ)する(他)　熱中(ねっちゅう)　加熱(かねつ)
あつ**い**	熱(あつ)い
483	**念**
ネン	記念(きねん)
484	**能**
ノウ	能(のう)　能力(のうりょく)　可能(かのう)　機能(きのう)　才能(さいのう)　性能(せいのう)　知能(ちのう)　有能(ゆうのう)
485	**農**
ノウ	農家(のうか)　農業(のうぎょう)　農産物(のうさんぶつ)　農村(のうそん)　農薬(のうやく)
486	**馬**
バ	競馬(けいば)
うま	馬(うま)
487	**配**
ハイ	配達(はいたつ)　気配(けはい)　心配(しんぱい)
くば**る**	配(くば)る(他)
488	**倍**
バイ	～倍(ばい)　倍(ばい)
489	**畑**
はた	

はたけ	畑(はたけ)
490	**発**
ハツ	～発(はつ)　発音(はつおん)　発見(はっけん)　発行(はっこう)　発車(はっしゃ)　発電(はつでん)　発売(はつばい)　出発(しゅっぱつ)
491	**反**
ハン	反(はん)～　反映(はんえい)　反(はん)する　反対(はんたい)
492	**比**
ヒ	比較(ひかく)
くら**べる**	比(くら)べる(他)
493	**彼**
ヒ	
かれ	彼(かれ)　彼(かれ)ら
かの	彼女(かのじょ)
494	**飛**
ヒ	飛行(ひこう)　飛行機(ひこうき)　飛行場(ひこうじょう)
と**ぶ**	飛(と)ぶ　飛(と)び出(だ)す　飛(と)び出(で)る
と**ばす**	飛(と)ばす(他)
495	**悲**
ヒ	悲劇(ひげき)
かな**しい**	悲(かな)しい
かな**しむ**	悲(かな)しむ(他)　悲(かな)しみ

第24回

496	**美**
ビ	美人(びじん)
うつく**しい**	美(うつく)しい
497	**備**
ビ	設備(せつび)

そなえる	備（そな）える(他)
498	**必**
ヒツ	必死（ひっし）
かならず	必（かなら）ず　必（かなら）ずしも
499	**表**
ヒョウ	表（ひょう）　表現（ひょうげん）　表紙（ひょうし）　公表（こうひょう）　図表（ずひょう） 代表（だいひょう）　発表（はっぴょう）
おもて	表（おもて）
あらわす	表（あらわ）す(他)
500	**夫**
フ	夫人（ふじん）
フウ	工夫（くふう）
おっと	夫（おっと）
501	**付**
フ	付近（ふきん）
つける	付（つ）ける(他)　受付（うけつけ）　日付（ひづけ） 見付（みつ）かる　見付（みつ）ける(他)
つく	付（つ）く　～付（つ）き　付（つ）き合（あ）い 付（つ）き合（あ）う
502	**府**
フ	政府（せいふ）
503	**負**
フ	勝負（しょうぶ）
まける	負（ま）ける　負（ま）け
おう	背負（せお）う(他)
504	**婦**
フ	婦人（ふじん）　主婦（しゅふ）　夫婦（ふうふ）

505	**普**
フ	普通（ふつう）
506	**平**
ヘイ	平気（へいき）　平行（へいこう）　平日（へいじつ）　公平（こうへい） 水平（すいへい）　水平線（すいへいせん）　地平線（ちへいせん）　不平（ふへい）
ビョウ	平等（びょうどう）
たいら	平（たい）ら
(特)	平仮名（ひらがな）
507	**並**
ヘイ	
なみ	並木（なみき）
ならべる	並（なら）べる(他)
ならぶ	並（なら）ぶ
508	**変**
ヘン	変（へん）　変化（へんか）　大変（たいへん）
かわる	変（か）わる
かえる	変（か）える(他)
509	**放**
ホウ	放送（ほうそう）　開放（かいほう）　解放（かいほう）
はなす	放（はな）す(他)
はなれる	放（はな）れる
510	**法**
ホウ	～法（ほう）　法（ほう）　作法（さほう）　文法（ぶんぽう）　方法（ほうほう）
511	**訪**
ホウ	訪問（ほうもん）
たずねる	訪（たず）ねる(他)
512	**報**
ホウ	情報（じょうほう）　天気予報（てんきよほう）　電報（でんぽう）　予報（よほう）

513	**忙**
ボウ	
いそが**しい**	忙(いそが)しい

514	**忘**
ボウ	
わす**れる**	忘(わす)れる(他)　忘(わす)れ物(もの)

515	**防**
ボウ	防(ぼう)～　防止(ぼうし)　消防(しょうぼう)
ふせ**ぐ**	防(ふせ)ぐ(他)

第25回

516	**望**
ボウ	失望(しつぼう)
のぞ**む**	望(のぞ)む(他)　望(のぞ)み

517	**枚**
マイ	～枚(まい)　枚数(まいすう)

518	**末**
マツ	月末(げつまつ)
すえ	末(すえ)　末(すえ)っ子(こ)

519	**未**
ミ	未(み)～　未来(みらい)

520	**民**
ミン	民主(みんしゅ)～　民間(みんかん)　国民(こくみん)　市民(しみん) 住民(じゅうみん)　農民(のうみん)

521	**務**
ム	公務(こうむ)　公務員(こうむいん)　事務(じむ)　事務所(じむしょ)
つと**める**	務(つと)める(他)　務(つと)め

522	**命**
メイ	命(めい)じる / ずる(他)　人命(じんめい)　生命(せいめい)
いのち	命(いのち)

523	**鳴**
メイ	
な**く**	鳴(な)く
な**る**	鳴(な)る
な**らす**	鳴(な)らす(他)

524	**面**
メン	面(めん)　地面(じめん)　正面(しょうめん)　水面(すいめん)　洗面(せんめん) 場面(ばめん)　表面(ひょうめん)　方面(ほうめん)
おも	面白(おもしろ)い

525	**毛**
モウ	毛布(もうふ)
け	毛(け)　毛糸(けいと)

526	**野**
ヤ	分野(ぶんや)　平野(へいや)
の	野(の)　野原(のはら)

527	**役**
ヤク	役(やく)　役者(やくしゃ)　役所(やくしょ)　役立(やくだ)つ 役人(やくにん)　役目(やくめ)　重役(じゅうやく)　主役(しゅやく)

528	**由**
ユ	経由(けいゆ)
ユウ	自由(じゆう)　不自由(ふじゆう)　理由(りゆう)

529	**油**
ユ	石油(せきゆ)
あぶら	油(あぶら)

530	**遊**
ユウ	遊園地(ゆうえんち)
あそ**ぶ**	遊ぶ(あそ)　遊び(あそ)
531	**予**
ヨ	予期(よき)　予習(よしゅう)　予定(よてい)　予備(よび) 予防(よぼう)　予約(よやく)
532	**預**
ヨ	
あず**ける**	預ける(あず)(他)
あず**かる**	預かる(あず)(他)
533	**要**
ヨウ	要するに(よう)　要点(ようてん)　重要(じゅうよう)　主要(しゅよう) 必要(ひつよう)
い**る**	要る(い)
534	**葉**
ヨウ	紅葉(こうよう)
は	葉(は)　言葉(ことば)
(特)	紅葉(もみじ)
535	**落**
ラク	落第(らくだい)
お**ちる**	落ちる(お)　落ち着く(おつ)
お**とす**	落とす(お)(他)　落とし物(おもの)

第26回～第30回

536	**流**
リュウ	～流(りゅう)　流行(りゅうこう)　一流(いちりゅう)　交流(こうりゅう) 合流(ごうりゅう)　直流(ちょくりゅう)　電流(でんりゅう)
なが**れる**	流れる(なが)　流れ(なが)
なが**す**	流す(なが)(他)
537	**留**
リュウ	留学(りゅうがく)　留学生(りゅうがくせい)
ル	留守(るす)
と**める**	留める(と)(他)　書留(かきとめ)
と**まる**	留まる(と)
538	**両**
リョウ	両～(りょう)　両親(りょうしん)　両方(りょうほう)
539	**良**
リョウ	
よ**い**	仲良し(なかよ)
540	**涼**
リョウ	
すず**しい**	涼しい(すず)
541	**類**
ルイ	種類(しゅるい)　書類(しょるい)　親類(しんるい)　人類(じんるい) 分類(ぶんるい)
542	**礼**
レイ	(お)礼(れい)　失礼(しつれい)
543	**例**
レイ	例(れい)　例外(れいがい)　実例(じつれい)
たと**える**	例える(たと)(他)　例えば(たと)
544	**歴**
レキ	歴史(れきし)
545	**連**
レン	連合(れんごう)　連続(れんぞく)　関連(かんれん)
つれる	連れる(つ)(他)　連れ(つ)

546	**練**
レン	練習(れんしゅう)
547	**路**
ロ	路線(ろせん)　線路(せんろ)　通路(つうろ)　道路(どうろ)
548	**老**
ロウ	老人(ろうじん)
549	**論**
ロン	～論(ろん)　論(ろん)じる / ずる(他)　論争(ろんそう) 論文(ろんぶん)　議論(ぎろん)
550	**和**
ワ	和(わ)～　和服(わふく)　漢和(かんわ)　平和(へいわ)

ステップ3（551～1046）

第31回

551	**愛**
アイ	愛(あい)　愛犬(あいけん)　愛情(あいじょう)　愛(あい)する(他)
552	**圧**
アツ	気圧(きあつ)　血圧(けつあつ)
553	**案**
アン	案(あん)　案外(あんがい)　案内(あんない)　答案(とうあん)
554	**衣**
イ	衣食住(いしょくじゅう)　衣服(いふく)
(特)	浴衣(ゆかた)
555	**囲**
イ	周囲(しゅうい)
かこ**む**	囲(かこ)む(他)
556	**依**
イ	依頼(いらい)
557	**委**
イ	委員(いいん)
558	**胃**
イ	胃(い)
559	**異**
イ	異常(いじょう)
こと	異(こと)なる
560	**移**
イ	移転(いてん)　移動(いどう)
うつ**る**	移(うつ)る
うつ**す**	移(うつ)す(他)

561	**偉**
イ	偉大（いだい）
えら**い**	偉い（えらい）
562	**域**
イキ	区域（くいき）　地域（ちいき）　流域（りゅういき）
563	**印**
イン	印象（いんしょう）
しるし	印（しるし）　目印（めじるし）
564	**因**
イン	原因（げんいん）
565	**隠**
イン	
かく**す**	隠す（かくす）(他)
かく**れる**	隠れる（かくれる）
566	**宇**
ウ	宇宙（うちゅう）
567	**羽**
ウ	
は	～羽（は/わ）　羽根（はね）
はね	羽（はね）
568	**永**
エイ	永遠（えいえん）
なが**い**	永い（ながい）
569	**栄**
エイ	栄養（えいよう）
さか**える**	栄える（さかえる）
570	**鋭**
エイ	
するど**い**	鋭い（するどい）
571	**易**
エキ	貿易（ぼうえき）
イ	安易（あんい）
やさ**しい**	易しい（やさしい）
572	**液**
エキ	液体（えきたい）　血液（けつえき）
573	**越**
エツ	
こ**す**	越す（こす）　追い越す（おいこす）(他)　乗り越し（のりこし） 引っ越し（ひっこし）　引っ越す（ひっこす）
こ**える**	越える（こえる）
574	**延**
エン	延期（えんき）　延長（えんちょう）
の**びる**	延びる（のびる）
の**ばす**	延ばす（のばす）(他)
575	**炎**
エン	～炎（えん）
ほのお	炎（ほのお）
576	**煙**
エン	煙突（えんとつ）　禁煙（きんえん）
けむり	煙（けむり）
けむ**い**	煙い（けむい）
577	**塩**
エン	食塩（しょくえん）
しお	塩（しお）　塩辛い（しおからい）
578	**演**
エン	演技（えんぎ）　演習（えんしゅう）　演説（えんぜつ）

579	**汚**
オ	
よご**す**	汚す(よご)(他)
よご**れる**	汚れる(よご)
きたな**い**	汚い(きたな)

580	**応**
オウ	応(おう)じる / ずる　応用(おうよう)　一応(いちおう)

581	**押**
オウ	
お**す**	押す(お)(他)　押し入れ(お・い)
お**さえる**	押さえる(お)(他)

582	**欧**
オウ	欧米(おうべい)

583	**奥**
オウ	
おく	奥(おく)　奥さん(おく)

584	**仮**
カ	仮定(かてい)
(特)	仮名(かな)　送り仮名(おく・がな)　片仮名(かた・かな) 平仮名(ひら・がな)

585	**価**
カ	価格(かかく)　高価(こうか)　定価(ていか)　物価(ぶっか)

586	**河**
カ	運河(うんが)
かわ	河(かわ)

587	**荷**
カ	
に	荷物(にもつ)

588	**菓**
カ	(お)菓子(かし)

589	**貨**
カ	貨物(かもつ)　通貨(つうか)

590	**靴**
カ	
くつ	靴(くつ)　靴下(くつした)

第32回

591	**介**
カイ	紹介(しょうかい)

592	**灰**
カイ	
はい	灰(はい)　灰色(はいいろ)

593	**快**
カイ	快晴(かいせい)　快適(かいてき)

594	**皆**
カイ	
みな	皆(みな)　皆さん(みな)

595	**械**
カイ	機械(きかい)　器械(きかい)

596	**壊**
カイ	
こわ**す**	壊す(こわ)(他)
こわ**れる**	壊れる(こわ)

597	**害**
ガイ	害(がい)　公害(こうがい)　利害(りがい)

598	**拡**
カク	拡大（かくだい）

599	**革**
カク	
かわ	革（かわ）

600	**覚**
カク	感覚（かんかく）
おぼ**える**	覚（おぼ）える（他）
さ**ます**	覚（さ）ます（他）　目覚（めざ）まし
さ**める**	覚（さ）める

601	**較**
カク	比較（ひかく）　比較的（ひかくてき）

602	**確**
カク	確実（かくじつ）　正確（せいかく）　的確（てきかく）　適確（てきかく） 明確（めいかく）
たし**か**	確（たし）か
たし**かめる**	確（たし）かめる（他）

603	**額**
ガク	額（がく）　金額（きんがく）
ひたい	額（ひたい）

604	**割**
カツ	分割（ぶんかつ）
わ**る**	割（わ）る（他）　割（わ）り算（ざん）
わり	～割（わり）　割合（わりあい）　割合（わりあい）に　割引（わりびき） 時間割（じかんわり）　役割（やくわり）
わ**れる**	割（わ）れる

605	**株**
かぶ	株（かぶ）

606	**干**
カン	
ほ**す**	干（ほ）す（他）

607	**刊**
カン	～刊（かん）　朝刊（ちょうかん）　夕刊（ゆうかん）

608	**甘**
カン	
あま**い**	甘（あま）い
あま**える**	甘（あま）える
あま**やかす**	甘（あま）やかす（他）

609	**汗**
カン	
あせ	汗（あせ）

610	**官**
カン	官庁（かんちょう）

611	**巻**
カン	～巻（かん）
ま**く**	巻（ま）く（他）
ま**き**	寝巻（ねま）き

612	**看**
カン	看板（かんばん）　看病（かんびょう）

613	**乾**
カン	乾電池（かんでんち）
かわ**く**	乾（かわ）く
かわ**かす**	乾（かわ）かす（他）

614	**換**
カン	換気（かんき）　交換（こうかん）

か**える**	換(か)える(他)　乗(の)り換(か)え 乗(の)り換(か)える(他)
615	**慣**
カン	習慣(しゅうかん)
な**れる**	慣(な)れる　見慣(みな)れる
616	**管**
カン	管理(かんり)
くだ	管(くだ)
617	**環**
カン	環境(かんきょう)
618	**簡**
カン	簡単(かんたん)
619	**観**
カン	観客(かんきゃく)　観光(かんこう)　観念(かんねん)
620	**丸**
ガン	
まる	丸(まる)
まる**い**	丸(まる)い

第33回

621	**含**
ガン	
ふく**む**	含(ふく)む(他)
ふく**める**	含(ふく)める(他)
622	**岸**
ガン	海岸(かいがん)
きし	岸(きし)
623	**机**
キ	
つくえ	机(つくえ)
624	**希**
キ	希望(きぼう)
625	**祈**
キ	
いの**る**	祈(いの)る(他)
626	**季**
キ	四季(しき)
627	**基**
キ	基地(きち)　基本(きほん)
もと	基(もと)　基(もと)づく
628	**寄**
キ	寄付(きふ)
よ**る**	寄(よ)る　近寄(ちかよ)る　年寄(としよ)り
よ**せる**	寄(よ)せる(他)
629	**規**
キ	規準(きじゅん)　規則(きそく)
630	**技**
ギ	技師(ぎし)　技術(ぎじゅつ)
631	**義**
ギ	義務(ぎむ)　意義(いぎ)　講義(こうぎ)　主義(しゅぎ)
632	**疑**
ギ	疑問(ぎもん)
うたが**う**	疑(うたが)う(他)
633	**喫**
キツ	喫茶(店)(きっさてん)

634	**詰**
キツ	
つ**める**	詰(つ)める(他)　見詰(みつ)める(他)
つ**まる**	詰(つ)まる
635	**逆**
ギャク	逆(ぎゃく)
さか	逆(さか)さ　逆(さか)さま
さか**らう**	逆(さか)らう
636	**久**
キュウ	永久(えいきゅう)
ひさ**しい**	久(ひさ)しぶり
637	**及**
キュウ	普及(ふきゅう)
およ**ぶ**	及(およ)ぶ
およ**ぼす**	及(およ)ぼす(他)
638	**旧**
キュウ	旧(きゅう)〜　旧(きゅう)
639	**吸**
キュウ	吸収(きゅうしゅう)
す**う**	吸(す)う(他)
640	**求**
キュウ	求婚(きゅうこん)　要求(ようきゅう)
もと**める**	求(もと)める(他)
641	**救**
キュウ	救助(きゅうじょ)
すく**う**	救(すく)う(他)
642	**給**
キュウ	給料(きゅうりょう)　月給(げっきゅう)　支給(しきゅう)
643	**巨**
キョ	巨大(きょだい)
644	**居**
キョ	住居(じゅうきょ)
い**る**	居(い)る　居間(いま)
645	**許**
キョ	許可(きょか)
ゆる**す**	許(ゆる)す(他)
646	**御**
ギョ	
ゴ	御(ご)〜　(朝(あさ)/昼(ひる)/晩(ばん))御飯(ごはん)
おん	御中(おんちゅう)
647	**漁**
ギョ	漁業(ぎょぎょう)
リョウ	漁師(りょうし)
648	**叫**
キョウ	
さけ**ぶ**	叫(さけ)ぶ
649	**供**
キョウ	供給(きょうきゅう)
とも	子供(こども)
650	**協**
キョウ	協力(きょうりょく)

第34回

651	**況**
キョウ	状況(じょうきょう)

652	**挟**
キョウ	
はさ**む**	挟(はさ)む(他)
はさ**まる**	挟(はさ)まる
653	**狭**
キョウ	
せま**い**	狭(せま)い
654	**恐**
キョウ	恐怖(きょうふ)
おそ**れる**	恐(おそ)れる(他)　恐(おそ)れ
おそ**ろしい**	恐(おそ)ろしい
655	**胸**
キョウ	
むね	胸(むね)
656	**境**
キョウ	境界(きょうかい)　環境(かんきょう)　国境(こっきょう)
さかい	境(さかい)
657	**競**
キョウ	競技(きょうぎ)　競争(きょうそう)
ケイ	競馬(けいば)
658	**驚**
キョウ	
おどろ**く**	驚(おどろ)く
おどろ**かす**	驚(おどろ)かす(他)
659	**極**
キョク	消極的(しょうきょくてき)　南極(なんきょく)　北極(ほっきょく)
660	**均**
キン	平均(へいきん)

661	**勤**
キン	出勤(しゅっきん)　通勤(つうきん)
つと**める**	勤(つと)める　勤(つと)め
662	**偶**
グウ	偶数(ぐうすう)　偶然(ぐうぜん)
663	**隅**
グウ	
すみ	隅(すみ)
664	**君**
クン	〜君(くん)
きみ	君(きみ)
665	**訓**
クン	訓(くん)　訓練(くんれん)
666	**群**
グン	
む**れ**	群(む)れ
667	**系**
ケイ	系統(けいとう)　体系(たいけい)
668	**型**
ケイ	〜型(けい)
かた	型(かた)
669	**恵**
ケイ	
エ	知恵(ちえ)
めぐ**む**	恵(めぐ)まれる
670	**敬**
ケイ	敬意(けいい)　敬語(けいご)
うやま**う**	敬(うやま)う(他)

671	**景**
ケイ	景気（けいき）　光景（こうけい）　風景（ふうけい）
(特)	景色（けしき）

672	**傾**
ケイ	傾向（けいこう）
かたむ**く**	傾く（かたむく）

673	**警**
ケイ	警官（けいかん）　警告（けいこく）　警備（けいび）

674	**芸**
ゲイ	芸術（げいじゅつ）　芸能（げいのう）　園芸（えんげい）　工芸（こうげい） 文芸（ぶんげい）

675	**迎**
ゲイ	
むか**える**	迎える（むかえる）(他)　迎え（むかえ）　出迎え（でむかえ） 出迎える（でむかえる）(他)

第35回

676	**劇**
ゲキ	劇（げき）　劇場（げきじょう）　演劇（えんげき）　悲劇（ひげき）

677	**券**
ケン	～券（けん）　券（けん）　回数券（かいすうけん）　定期券（ていきけん）

678	**肩**
ケン	
かた	肩（かた）

679	**軒**
ケン	～軒（けん）
のき	軒（のき）

680	**健**
ケン	保健（ほけん）

681	**検**
ケン	検査（けんさ）

682	**嫌**
ケン	
ゲン	機嫌（きげん）
きら**う**	嫌う（きらう）(他)　嫌い（きらい）　好き嫌い（すききらい）
いや	嫌（いや）　嫌がる（いやがる）

683	**権**
ケン	～権（けん）　権利（けんり）

684	**賢**
ケン	
かしこ**い**	賢い（かしこい）

685	**戸**
コ	
と	戸（と）　雨戸（あまど）

686	**呼**
コ	呼吸（こきゅう）
よ**ぶ**	呼ぶ（よぶ）(他)　呼びかける（よびかける）(他) 呼び出す（よびだす）(他)

687	**固**
コ	固体（こたい）
かた**まる**	固まる（かたまる）
かた**い**	固い（かたい）

688	**故**
コ	事故（じこ）

689	**枯**
コ	
か**れる**	枯(か)れる
690	**庫**
コ	金庫(きんこ)　車庫(しゃこ)
691	**湖**
コ	～湖(こ)
みずうみ	湖(みずうみ)
692	**雇**
コ	
やと**う**	雇(やと)う(他)
693	**互**
ゴ	相互(そうご)
たが**い**	(お)互(たが)い(に)
694	**誤**
ゴ	誤解(ごかい)
あやま**る**	誤(あやま)り
695	**護**
ゴ	看護師(かんごし)
696	**更**
コウ	変更(へんこう)
さら	更(さら)に
697	**幸**
コウ	幸運(こううん)　不幸(ふこう)
さいわ**い**	幸(さいわ)い
しあわ**せ**	幸(しあわ)せ
698	**肯**
コウ	肯定(こうてい)
699	**厚**
コウ	
あつ**い**	厚(あつ)い　厚(あつ)かましい
700	**洪**
コウ	洪水(こうずい)

第36回

701	**紅**
コウ	紅茶(こうちゃ)　紅葉(こうよう)
べに	口紅(くちべに)
(特)	紅葉(もみじ)
702	**荒**
コウ	
あら**い**	荒(あら)い
あ**れる**	荒(あ)れる
703	**郊**
コウ	郊外(こうがい)
704	**香**
コウ	香水(こうすい)
かお**り**	香(かお)り
705	**候**
コウ	気候(きこう)　天候(てんこう)
706	**康**
コウ	健康(けんこう)
707	**硬**
コウ	硬貨(こうか)
かた**い**	硬(かた)い

708	**鉱**
コウ	鉱物(こうぶつ)
709	**構**
コウ	構成(こうせい)　結構(けっこう)
かま**う**	構う(かま)(自・他)
710	**講**
コウ	講演(こうえん)　講師(こうし)　講堂(こうどう)　休講(きゅうこう)
711	**谷**
コク	
たに	谷(たに)
712	**刻**
コク	時刻(じこく)　深刻(しんこく)　遅刻(ちこく)
きざ**む**	刻む(きざ)(他)
713	**骨**
コツ	骨折(こっせつ)
ほね	骨(ほね)
714	**込**
こ**む**	込む(こ)　～込む(こ)　思い込む(おもこ) 飛び込む(とこ)　引っ込む(ひこ)　人込み(ひとご) 申し込む(もうこ)(他)
こ**める**	込める(こ)(他)
715	**混**
コン	混合(こんごう)
ま**じる**	混じる(ま)
ま**ざる**	混ざる(ま)
ま**ぜる**	混ぜる(ま)(他)
716	**砂**
サ	
すな	砂(すな)
717	**再**
サイ	再～(さい)　再三(さいさん)
サ	再来月(さらいげつ)　再来週(さらいしゅう)　再来年(さらいねん)
ふたた**び**	再び(ふたた)
718	**災**
サイ	災難(さいなん)　火災(かさい)
719	**妻**
サイ	夫妻(ふさい)
つま	妻(つま)
720	**採**
サイ	採点(さいてん)
と**る**	採る(と)(他)
721	**祭**
サイ	～祭(さい)　祭日(さいじつ)
まつ**る**	祭る(まつ)(他)
まつ**り**	(お)祭り(まつ)
722	**菜**
サイ	野菜(やさい)
723	**歳**
サイ	～歳(さい)　万歳(ばんざい)
(特)	二十歳(はたち)
724	**材**
ザイ	材木(ざいもく)　材料(ざいりょう)　木材(もくざい)
725	**財**
ザイ	財産(ざいさん)
サイ	財布(さいふ)

第37回

726	**罪**
ザイ	犯罪(はんざい)
つみ	罪(つみ)
727	**咲**
さ**く**	咲(さ)く
728	**冊**
サツ	〜冊(さつ)
729	**札**
サツ	〜札(さつ)　(お)札(さつ)　改札(かいさつ)
730	**刷**
サツ	印刷(いんさつ)
す**る**	刷(す)る(他)
731	**殺**
サツ	自殺(じさつ)
ころ**す**	殺(ころ)す(他)
732	**察**
サツ	観察(かんさつ)　警察(けいさつ)
733	**雑**
ザツ	雑音(ざつおん)　雑誌(ざっし)　雑草(ざっそう)　混雑(こんざつ)
734	**皿**
さら	(お)皿(さら)　灰皿(はいざら)
735	**参**
サン	参加(さんか)　参考(さんこう)　持参(じさん)
まい**る**	参(まい)る　お参(まい)り
736	**散**
サン	散歩(さんぽ)　解散(かいさん)
ち**る**	散(ち)る
ち**らす**	散(ち)らす(他)
ち**らかす**	散(ち)らかす(他)
ち**らかる**	散(ち)らかる
737	**賛**
サン	賛成(さんせい)
738	**士**
シ	博士(はくし)　武士(ぶし)
(特)	博士(はかせ)
739	**支**
シ	支出(ししゅつ)　支度(したく)　支店(してん)　支配(しはい)
ささ**える**	支(ささ)える(他)
740	**司**
シ	司会(しかい)
741	**伺**
シ	
うかが**う**	伺(うかが)う(他)
742	**志**
シ	意志(いし)
743	**刺**
シ	名刺(めいし)
さ**す**	刺(さ)す(他)　刺(さ)し身(み)
さ**さる**	刺(さ)さる
744	**枝**
シ	
えだ	枝(えだ)
745	**詞**
シ	形容詞(けいようし)　形容動詞(けいようどうし)　代名詞(だいめいし) 動詞(どうし)　名詞(めいし)

746	**歯**
シ	
は	歯(は)　歯医者(はいしゃ)　歯車(はぐるま)　虫歯(むしば)
747	**誌**
シ	雑誌(ざっし)
748	**似**
ジ	
に**る**	似(に)る　似合(にあ)う
749	**児**
ジ	育児(いくじ)
750	**辞**
ジ	辞書(じしょ)
や**める**	辞(や)める(他)

第38回

751	**識**
シキ	意識(いしき)　常識(じょうしき)　知識(ちしき)
752	**湿**
シツ	湿気(しっけ/しっき)　湿度(しつど)
しめ**る**	湿(しめ)る
753	**捨**
シャ	四捨五入(ししゃごにゅう)
す**てる**	捨(す)てる(他)
754	**守**
シュ	
ス	留守(るす)　留守番(るすばん)
まも**る**	守(まも)る(他)

755	**授**
ジュ	授業(じゅぎょう)　教授(きょうじゅ)
756	**州**
シュウ	～州(しゅう)　州(しゅう)
757	**舟**
シュウ	
ふね	舟(ふね)
758	**周**
シュウ	周囲(しゅうい)　円周(えんしゅう)
まわ**り**	周(まわ)り
759	**拾**
シュウ	
ひろ**う**	拾(ひろ)う(他)
760	**修**
シュウ	修正(しゅうせい)　修理(しゅうり)　研修(けんしゅう)
761	**就**
シュウ	就職(しゅうしょく)　就任(しゅうにん)
つ**く**	就(つ)く
762	**柔**
ジュウ	柔道(じゅうどう)
やわ**らかい**	柔(やわ)らかい
763	**祝**
シュク	祝日(しゅくじつ)
いわ**う**	祝(いわ)う(他)　祝(いわ)い　お祝(いわ)い
764	**述**
ジュツ	述語(じゅつご)
の**べる**	述(の)べる(他)

765	**純**
ジュン	純情（じゅんじょう）　単純（たんじゅん）
766	**順**
ジュン	順（じゅん）　順々（じゅんじゅん）　順調（じゅんちょう）　順番（じゅんばん）　道順（みちじゅん）
767	**準**
ジュン	準備（じゅんび）　基準（きじゅん）　規準（きじゅん）　水準（すいじゅん）
768	**処**
ショ	処理（しょり）
769	**署**
ショ	署名（しょめい）　消防署（しょうぼうしょ）
770	**緒**
ショ	一緒（いっしょ）
771	**諸**
ショ	諸（しょ）〜
772	**除**
ジョ	
ジ	掃除（そうじ）
のぞ**く**	除（のぞ）く(他)
773	**召**
ショウ	
め**す**	召（め）し上（あ）がる(他)
774	**床**
ショウ	起床（きしょう）
とこ	床（とこ）の間（ま）　床屋（とこや）
ゆか	床（ゆか）
775	**招**
ショウ	招待（しょうたい）
まね**く**	招（まね）く(他)

第39回

776	**承**
ショウ	承知（しょうち）
うけたまわ**る**	承（うけたまわ）る(他)
777	**昇**
ショウ	
のぼ**る**	昇（のぼ）る
778	**将**
ショウ	将来（しょうらい）
779	**症**
ショウ	症状（しょうじょう）
780	**章**
ショウ	章（しょう）　文章（ぶんしょう）
781	**紹**
ショウ	紹介（しょうかい）
782	**焼**
ショウ	
や**く**	焼（や）く(他)
や**ける**	焼（や）ける
783	**証**
ショウ	証明（しょうめい）　保証（ほしょう）
784	**象**
ショウ	印象（いんしょう）　現象（げんしょう）　対象（たいしょう）
ゾウ	象（ぞう）
785	**照**
ショウ	対照（たいしょう）
て**る**	照（て）る
て**らす**	照（て）らす(他)

786	**賞**
ショウ	賞（しょう）　賞金（しょうきん）　賞状（しょうじょう）　賞品（しょうひん）
787	**条**
ジョウ	条件（じょうけん）
788	**状**
ジョウ	～状（じょう）　状況（じょうきょう）　現状（げんじょう）
789	**城**
ジョウ	
しろ	城（しろ）
790	**畳**
ジョウ	～畳（じょう）
たた**む**	畳む（たたむ）(他)
たたみ	畳（たたみ）
791	**蒸**
ジョウ	蒸気（じょうき）　蒸発（じょうはつ）　水蒸気（すいじょうき）
む**す**	蒸す（むす）(自・他)　蒸し暑い（むしあつい）
792	**植**
ショク	植物（しょくぶつ）
う**える**	植える（うえる）(他)　植木（うえき）
793	**触**
ショク	
ふ**れる**	触れる（ふれる）
さわ**る**	触る（さわる）
794	**伸**
シン	
の**びる**	伸びる（のびる）
の**ばす**	伸ばす（のばす）(他)
795	**臣**
シン	
ジン	大臣（だいじん）
796	**辛**
シン	
から**い**	辛い（からい）
797	**針**
シン	方針（ほうしん）
はり	針（はり）
798	**震**
シン	地震（じしん）
ふる**える**	震える（ふるえる）
799	**吹**
スイ	
ふ**く**	吹く（ふく）(自・他)
(特)	吹雪（ふぶき）
800	**姓**
セイ	姓（せい）

第40回

801	**省**
セイ	反省（はんせい）
ショウ	省～（しょう）　～省（しょう）　省略（しょうりゃく）
はぶ**く**	省く（はぶく）(他)
802	**清**
セイ	清書（せいしょ）
きよ**い**	清い（きよい）

803	**勢**
セイ	大勢（おおぜい）
いきお**い**	勢（いきお）い

804	**精**
セイ	精神（せいしん）

805	**製**
セイ	～製（せい）　製作（せいさく）　製品（せいひん）　作製（さくせい）

806	**整**
セイ	整数（せいすう）　整備（せいび）　整理（せいり）　調整（ちょうせい）
ととの**う**	整（ととの）う

807	**税**
ゼイ	税（ぜい）　税関（ぜいかん）　税金（ぜいきん）　課税（かぜい）

808	**昔**
セキ	
むかし	昔（むかし）

809	**席**
セキ	席（せき）　客席（きゃくせき）　欠席（けっせき）　座席（ざせき）　出席（しゅっせき）

810	**責**
セキ	責任（せきにん）
せ**める**	責（せ）める（他）

811	**積**
セキ	積極的（せっきょくてき）　体積（たいせき）　面積（めんせき）　容積（ようせき）
つ**む**	積（つ）む（他）
つ**もる**	積（つ）もる

812	**績**
セキ	実績（じっせき）　成績（せいせき）

813	**接**
セツ	接近（せっきん）　接（せっ）する　接続（せつぞく）　応接（おうせつ） 間接（かんせつ）　直接（ちょくせつ）　面接（めんせつ）

814	**節**
セツ	節約（せつやく）　季節（きせつ）　調節（ちょうせつ）
ふし	節（ふし）

815	**絶**
ゼツ	絶対（ぜったい）
た**える**	絶（た）えず

816	**占**
セン	
し**める**	占（し）める（他）
うらな**う**	占（うらな）う（他）

817	**専**
セン	専制（せんせい）　専門（せんもん）

818	**泉**
セン	温泉（おんせん）
いずみ	泉（いずみ）

819	**浅**
セン	
あさ**い**	浅（あさ）い

820	**善**
ゼン	善（ぜん）　改善（かいぜん）

821	**祖**
ソ	祖先（そせん）　祖父（そふ）　祖母（そぼ）　先祖（せんぞ）

822	**捜**
ソウ	
さが**す**	捜（さが）す（他）

823	掃
ソウ	掃除(そうじ)　清掃(せいそう)
は**く**	掃(は)く(他)

824	窓
ソウ	
まど	窓(まど)　窓口(まどぐち)

825	装
ソウ	装置(そうち)　服装(ふくそう)

第41回

826	想
ソウ	感想(かんそう)　空想(くうそう)　思想(しそう)　発想(はっそう) 理想(りそう)　連想(れんそう)

827	層
ソウ	一層(いっそう)　高層(こうそう)

828	総
ソウ	総(そう)～　総理大臣(そうりだいじん)

829	操
ソウ	操作(そうさ)　体操(たいそう)

830	燥
ソウ	乾燥(かんそう)

831	造
ゾウ	造船(ぞうせん)　改造(かいぞう)　構造(こうぞう)　人造(じんぞう) 製造(せいぞう)
つく**る**	造(つく)る(他)

832	像
ゾウ	像(ぞう)　想像(そうぞう)

833	憎
ゾウ	
にく**む**	憎(にく)む(他)
にく**い**	憎(にく)い
にく**らしい**	憎(にく)らしい

834	蔵
ゾウ	貯蔵(ちょぞう)

835	贈
ゾウ	
おく**る**	贈(おく)る(他)　贈(おく)り物(もの)

836	臓
ゾウ	心臓(しんぞう)

837	束
ソク	約束(やくそく)
たば	束(たば)　花束(はなたば)

838	則
ソク	規則(きそく)　不規則(ふきそく)　法則(ほうそく)

839	息
ソク	休息(きゅうそく)
いき	息(いき)　ため息(いき)
(特)	息子(むすこ)

840	側
ソク	
がわ	～側(がわ)　側(がわ)　両側(りょうがわ)

841	測
ソク	測定(そくてい)　測量(そくりょう)　観測(かんそく)　予測(よそく)
はか**る**	測(はか)る(他)

842	**属**
ゾク	属する(ぞく)　金属(きんぞく)　付属(ふぞく)

843	**率**
ソツ	率直(そっちょく)
リツ	～率(りつ)　率(りつ)　確率(かくりつ)　能率(のうりつ)

844	**存**
ソン	存在(そんざい)
ゾン	存じる/ずる(他)(ぞん)　ご存じ(ぞん) 生存(せいぞん)

845	**孫**
ソン	子孫(しそん)
まご	孫(まご)

846	**尊**
ソン	尊敬(そんけい)　尊重(そんちょう)

847	**損**
ソン	損(そん)　損害(そんがい)　損得(そんとく)

848	**帯**
タイ	温帯(おんたい)　寒帯(かんたい)　地帯(ちたい)　熱帯(ねったい)
おび	帯(おび)

849	**袋**
タイ	
ふくろ	袋(ふくろ)　手袋(てぶくろ)

850	**替**
タイ	交替(こうたい)
か**える**	替える(他)(か)　着替え(きが) 着替える(他)(きが)　取り替える(他)(とか) 両替(りょうがえ)

第42回

851	**態**
タイ	態度(たいど)　事態(じたい)　状態(じょうたい)

852	**濯**
タク	洗濯(せんたく)

853	**担**
タン	担当(たんとう)　負担(ふたん)

854	**炭**
タン	石炭(せきたん)

855	**探**
タン	
さぐ**る**	探る(他)(さぐ)
さが**す**	探す(他)(さが)

856	**団**
ダン	～団(だん)　団体(だんたい)　団地(だんち)　集団(しゅうだん)
トン	布団(ふとん)

857	**段**
ダン	段(だん)　段階(だんかい)　一段と(いちだん)　階段(かいだん) 手段(しゅだん)　普段(ふだん)

858	**断**
ダン	断水(だんすい)　断定(だんてい)　横断(おうだん)　横断歩道(おうだんほどう) 油断(ゆだん)
ことわ**る**	断る(他)(ことわ)

859	**値**
チ	価値(かち)
ね	値(ね)　値段(ねだん)

860	**恥**
チ	

は**ずかしい**	恥（は）ずかしい
861	**畜**
チク	牧畜（ぼくちく）
862	**築**
チク	建築（けんちく）
863	**仲**
チュウ	
なか	仲（なか）　仲直り（なかなお）　仲間（なかま）　仲良し（なかよ）
864	**宙**
チュウ	宇宙（うちゅう）
865	**柱**
チュウ	電柱（でんちゅう）
はしら	柱（はしら）
866	**駐**
チュウ	駐車（ちゅうしゃ）
867	**著**
チョ	著者（ちょしゃ）
868	**貯**
チョ	貯金（ちょきん）
869	**庁**
チョウ	～庁（ちょう）　官庁（かんちょう）　県庁（けんちょう）
870	**兆**
チョウ	～兆（ちょう）
871	**帳**
チョウ	～帳（ちょう）　通帳（つうちょう）　手帳（てちょう）
872	**張**
チョウ	拡張（かくちょう）　主張（しゅちょう）　出張（しゅっちょう）
は**る**	張（は）る（自・他）　張（は）り切（き）る 引（ひ）っ張（ぱ）る（他）
873	**頂**
チョウ	頂上（ちょうじょう）　頂点（ちょうてん）
いただ**く**	頂（いただ）く（他）
874	**超**
チョウ	超過（ちょうか）
こ**える**	超（こ）える
こ**す**	超（こ）す
875	**沈**
チン	
しず**む**	沈（しず）む
しず**める**	沈（しず）める（他）

第43回

876	**珍**
チン	
めずら**しい**	珍（めずら）しい
877	**賃**
チン	賃貸（ちんたい）　家賃（やちん）
878	**停**
テイ	停止（ていし）　停車（ていしゃ）　停電（ていでん）　停留所（ていりゅうじょ）
879	**提**
テイ	提案（ていあん）　提出（ていしゅつ）
880	**程**
テイ	程度（ていど）　方程式（ほうていしき）　過程（かてい）　課程（かてい） 日程（にってい）
ほど	程（ほど）

881	**泥**
デイ	
どろ	泥(どろ)
882	**滴**
テキ	水滴(すいてき)
883	**適**
テキ	適(てき)する　適切(てきせつ)　適度(てきど)　適当(てきとう) 適用(てきよう)　快適(かいてき)
884	**展**
テン	展開(てんかい)　発展(はってん)
885	**殿**
デン	
どの	～殿(どの)
886	**徒**
ト	生徒(せいと)
887	**途**
ト	途中(とちゅう)　中途(ちゅうと)　用途(ようと)
888	**渡**
ト	
わた**る**	渡(わた)る
わた**す**	渡(わた)す(他)
889	**塗**
ト	
ぬ**る**	塗(ぬ)る(他)
890	**努**
ド	努力(どりょく)
つと**める**	努(つと)める

891	**怒**
ド	
おこ**る**	怒(おこ)る(自・他)
892	**灯**
トウ	灯台(とうだい)　灯油(とうゆ)　電灯(でんとう)
ひ	灯(ひ)
893	**到**
トウ	到着(とうちゃく)
894	**逃**
トウ	
に**げる**	逃(に)げる
に**がす**	逃(に)がす(他)
895	**倒**
トウ	面倒(めんどう)
たお**れる**	倒(たお)れる
たお**す**	倒(たお)す(他)
896	**凍**
トウ	冷凍(れいとう)
こお**る**	凍(こお)る
こご**える**	凍(こご)える
897	**党**
トウ	党(とう)　政党(せいとう)
898	**盗**
トウ	盗難(とうなん)　強盗(ごうとう)
ぬす**む**	盗(ぬす)む(他)
899	**塔**
トウ	塔(とう)

900	**湯**
トウ	
ゆ	(お)湯(ゆ)

第44回

901	**筒**
トウ	水筒(すいとう)
902	**統**
トウ	統一(とういつ)　統計(とうけい)　大統領(だいとうりょう)　伝統(でんとう)
903	**童**
ドウ	童話(どうわ)　児童(じどう)
904	**銅**
ドウ	銅(どう)
905	**導**
ドウ	指導(しどう)
906	**毒**
ドク	毒(どく)　気(き)の毒(どく)　消毒(しょうどく)
907	**独**
ドク	独身(どくしん)　独特(どくとく)　独立(どくりつ)
ひと**り**	独(ひと)り　独(ひと)り言(ごと)
908	**突**
トツ	突然(とつぜん)
つ**く**	突(つ)く(他)　突(つ)き当(あ)たり 突(つ)き当(あ)たる　突(つ)っ込(こ)む(自・他)
909	**届**
とど**ける**	届(とど)ける(他)
とど**く**	届(とど)く
910	**鈍**
ドン	
にぶ**い**	鈍(にぶ)い
911	**曇**
ドン	
くも**る**	曇(くも)る　曇(くも)り
912	**軟**
ナン	
やわ**らかい**	軟(やわ)らかい
913	**乳**
ニュウ	牛乳(ぎゅうにゅう)
914	**任**
ニン	責任(せきにん)
まか**せる**	任(まか)せる(他)
915	**認**
ニン	確認(かくにん)　承認(しょうにん)
みと**める**	認(みと)める(他)
916	**燃**
ネン	
も**える**	燃(も)える
も**やす**	燃(も)やす(他)
917	**悩**
ノウ	
なや**む**	悩(なや)む
918	**脳**
ノウ	脳(のう)　頭脳(ずのう)
919	**濃**
ノウ	濃度(のうど)

こ**い**	濃い(こ)

920	**波**
ハ	電波(でんぱ)
なみ	波(なみ)

921	**派**
ハ	派手(はで)　立派(りっぱ)

922	**破**
ハ	破産(はさん)
やぶ**る**	破る(やぶ)(他)　破く(やぶ)(他)
やぶ**れる**	破れる(やぶ)

923	**拝**
ハイ	拝見(はいけん)
おが**む**	拝む(おが)(他)

924	**杯**
ハイ	～杯(はい)　乾杯(かんぱい)

925	**背**
ハイ	
せ	背(せ)　背負う(せお)(他)　背中(せなか)　背広(せびろ)
せい	背(せい)

第45回

926	**敗**
ハイ	失敗(しっぱい)　勝敗(しょうはい)

927	**泊**
ハク	～泊(はく)　宿泊(しゅくはく)
と**まる**	泊まる(と)
と**める**	泊める(と)(他)

928	**博**
ハク	博士(はくし)　博物館(はくぶつかん)
(特)	博士(はかせ)

929	**薄**
ハク	
うす**い**	薄い(うす)　薄暗い(うすぐら)
うす**める**	薄める(うす)(他)

930	**麦**
バク	
むぎ	小麦(こむぎ)

931	**爆**
バク	爆発(ばくはつ)

932	**箱**
はこ	箱(はこ)

933	**肌**
はだ	肌(はだ)　肌着(はだぎ)

934	**髪**
ハツ	
かみ	髪(かみ)
(特)	白髪(しらが)

935	**抜**
バツ	
ぬ**く**	抜く(ぬ)(他)
ぬ**ける**	抜ける(ぬ)

936	**犯**
ハン	犯罪(はんざい)　犯人(はんにん)　防犯(ぼうはん)
おか**す**	犯す(おか)(他)

937	**判**
ハン	判（はん）こ　判事（はんじ）　判断（はんだん）
バン	評判（ひょうばん）

938	**坂**
ハン	
さか	坂（さか）

939	**板**
ハン	
バン	黒板（こくばん）
いた	板（いた）

940	**版**
ハン	出版（しゅっぱん）

941	**般**
ハン	一般（いっぱん）　全般（ぜんぱん）

942	**販**
ハン	販売（はんばい）

943	**皮**
ヒ	皮肉（ひにく）
かわ	皮（かわ）　毛皮（けがわ）

944	**否**
ヒ	否定（ひてい）

945	**批**
ヒ	批判（ひはん）

946	**被**
ヒ	被害（ひがい）

947	**鼻**
ビ	
はな	鼻（はな）

948	**匹**
ヒツ	
ひき	～匹（ひき）

949	**筆**
ヒツ	筆記（ひっき）　筆者（ひっしゃ）　万年筆（まんねんひつ）
ふで	筆（ふで）

950	**氷**
ヒョウ	
こおり	氷（こおり）

第46回

951	**評**
ヒョウ	評価（ひょうか）　評判（ひょうばん）　評論（ひょうろん）　批評（ひひょう）

952	**標**
ヒョウ	標識（ひょうしき）　標準（ひょうじゅん）　標本（ひょうほん）　目標（もくひょう）

953	**秒**
ビョウ	秒（びょう）

954	**猫**
ビョウ	
ねこ	猫（ねこ）

955	**貧**
ヒン	
まず**しい**	貧（まず）しい

956	**布**
フ	布団（ふとん）　財布（さいふ）　分布（ぶんぷ）　毛布（もうふ）
ぬの	布（ぬの）

957	**怖**
フ	恐怖（きょうふ）

こわ**い**	怖(こわ)い
958	**浮**
フ	
う**く**	浮(う)く
う**かぶ**	浮(う)かぶ
う**かべる**	浮(う)かべる(他)
959	**符**
フ	符号(ふごう)　切符(きっぷ)
960	**富**
フ	豊富(ほうふ)
961	**膚**
フ	皮膚(ひふ)
962	**武**
ブ	武器(ぶき)
963	**舞**
ブ	舞台(ぶたい)
ま**う**	(お)見舞(みま)い　見舞(みま)う(他)
964	**封**
フウ	封筒(ふうとう)
965	**副**
フク	副(ふく)～　副詞(ふくし)
966	**幅**
フク	
はば	幅(はば)
967	**復**
フク	復習(ふくしゅう)　回復(かいふく)
968	**福**
フク	幸福(こうふく)

969	**腹**
フク	
はら	腹(はら)
970	**複**
フク	複雑(ふくざつ)　複写(ふくしゃ)　複数(ふくすう)
971	**払**
フツ	
はら**う**	払(はら)う(他)　払(はら)い込(こ)む(他) 支払(しはら)い　支払(しはら)う(他)
972	**沸**
フツ	
わ**く**	沸(わ)く
わ**かす**	沸(わ)かす(他)
973	**仏**
ブツ	
ほとけ	仏(ほとけ)
974	**粉**
フン	
こ	～粉(こ)　粉(こ)
こな	粉(こな)
975	**兵**
ヘイ	兵隊(へいたい)

第47回

976	**壁**
ヘキ	
かべ	壁(かべ)

977	**片**
ヘン	破片(はへん)
かた	片付く(かたづく)　片付ける(かたづける)(他)　片道(かたみち) 片寄る(かたよる)
(特)	片仮名(かたかな)
978	**辺**
ヘン	辺(へん)　周辺(しゅうへん)
あた**り**	辺り(あたり)
979	**編**
ヘン	～編(へん)　編集(へんしゅう)　短編(たんぺん)
あ**む**	編む(あむ)(他)　編み物(あみもの)
980	**保**
ホ	保健(ほけん)　保存(ほぞん)
981	**捕**
ホ	
と**らえる**	捕らえる(とらえる)(他)
と**る**	捕る(とる)(他)
つか**まえる**	捕まえる(つかまえる)(他)
つか**まる**	捕まる(つかまる)
982	**補**
ホ	候補(こうほ)
おぎな**う**	補う(おぎなう)(他)
983	**募**
ボ	募集(ぼしゅう)
984	**暮**
ボ	
く**れる**	暮れる(くれる)　暮れ(くれ)
く**らす**	暮らす(くらす)(自・他)　暮らし(くらし)
985	**包**
ホウ	包装(ほうそう)　包帯(ほうたい)
つつ**む**	包む(つつむ)(他)　包み(つつみ)　小包(こづつみ)
986	**宝**
ホウ	宝石(ほうせき)
たから	宝(たから)
987	**抱**
ホウ	
だ**く**	抱く(だく)(他)
いだ**く**	抱く(いだく)(他)
かか**える**	抱える(かかえる)(他)
988	**豊**
ホウ	豊富(ほうふ)
ゆた**か**	豊か(ゆたか)
989	**亡**
ボウ	死亡(しぼう)
な**い**	亡くす(なくす)(他)　亡くなる(なくなる)
990	**坊**
ボウ	坊さん(ぼうさん)　赤ん坊(あかんぼう)　寝坊(ねぼう)
ボッ	坊ちゃん(ぼっちゃん)
991	**帽**
ボウ	帽子(ぼうし)
992	**棒**
ボウ	棒(ぼう)　泥棒(どろぼう)
993	**貿**
ボウ	貿易(ぼうえき)
994	**暴**
ボウ	乱暴(らんぼう)

あば**れる**	暴(あば)れる
995	**磨**
マ	
みが**く**	磨(みが)く(他)　歯磨(はみが)き
996	**埋**
マイ	
う**める**	埋(う)める(他)
997	**満**
マン	満員(まんいん)　満足(まんぞく)　満点(まんてん)　不満(ふまん) 未満(みまん)
み**ちる**	満(み)ちる
998	**眠**
ミン	
ねむ**る**	眠(ねむ)る　居眠(いねむ)り
ねむ**い**	眠(ねむ)い
999	**夢**
ム	夢中(むちゅう)
ゆめ	夢(ゆめ)
1000	**娘**
むすめ	娘(むすめ)

第48回

1001	**迷**
メイ	迷信(めいしん)
まよ**う**	迷(まよ)う
(特)	迷子(まいご)
1002	**綿**
メン	綿(めん)
わた	綿(わた)
(特)	木綿(もめん)
1003	**訳**
ヤク	訳(やく)　訳(やく)す / する(他)　通訳(つうやく)
わけ	訳(わけ)　言(い)い訳(わけ)　申(もう)し訳(わけ) 申(もう)し訳(わけ)ない
1004	**輸**
ユ	輸血(ゆけつ)　輸出(ゆしゅつ)　輸送(ゆそう)　輸入(ゆにゅう)
1005	**勇**
ユウ	勇気(ゆうき)
いさ**む**	勇(いさ)ましい
1006	**優**
ユウ	優勝(ゆうしょう)　女優(じょゆう)
やさ**しい**	優(やさ)しい
すぐ**れる**	優(すぐ)れる
1007	**与**
ヨ	給与(きゅうよ)
あた**える**	与(あた)える(他)
1008	**余**
ヨ	余計(よけい)　余分(よぶん)
あま**る**	余(あま)る　余(あま)り
1009	**幼**
ヨウ	幼児(ようじ)
おさな**い**	幼(おさな)い
1010	**羊**
ヨウ	羊毛(ようもう)
ひつじ	羊(ひつじ)

1011	**容**
ヨウ	容易(ようい)　容器(ようき)　内容(ないよう)　美容(びよう)
1012	**陽**
ヨウ	陽気(ようき)　太陽(たいよう)
1013	**溶**
ヨウ	
と**ける**	溶(と)ける　溶(と)け込(こ)む
と**かす**	溶(と)かす(他)
と**く**	溶(と)く(他)
1014	**腰**
ヨウ	
こし	腰(こし)
1015	**踊**
ヨウ	
おど**る**	踊(おど)る
おど**り**	踊(おど)り
1016	**養**
ヨウ	養分(ようぶん)　栄養(えいよう)　休養(きゅうよう)　教養(きょうよう)
1017	**浴**
ヨク	海水浴(かいすいよく)
あ**びる**	浴(あ)びる(他)
(特)	浴衣(ゆかた)
1018	**欲**
ヨク	欲張(よくば)り　食欲(しょくよく)
ほ**しい**	欲(ほ)しい
1019	**翌**
ヨク	翌(よく)～

1020	**頼**
ライ	依頼(いらい)　信頼(しんらい)
たの**む**	頼(たの)む(他)　頼(たの)み
たの**もしい**	頼(たの)もしい
たよ**る**	頼(たよ)る(他)
1021	**絡**
ラク	連絡(れんらく)
1022	**乱**
ラン	乱暴(らんぼう)　混乱(こんらん)
1023	**卵**
ラン	
たまご	卵(たまご)
1024	**裏**
リ	
うら	裏(うら)　裏返(うらがえ)す(他)　裏切(うらぎ)る(他) 裏口(うらぐち)
1025	**離**
リ	離婚(りこん)
はな**れる**	離(はな)れる
はな**す**	離(はな)す(他)

第49回～第53回

1026	**陸**
リク	陸(りく)　大陸(たいりく)
1027	**律**
リツ	規律(きりつ)　法律(ほうりつ)
1028	**略**
リャク	略(りゃく)す / する(他)　省略(しょうりゃく)

1029	**粒**
リュウ	
つぶ	粒(つぶ)
1030	**了**
リョウ	完了(かんりょう)　終了(しゅうりょう)
1031	**量**
リョウ	量(りょう)　重量(じゅうりょう)　分量(ぶんりょう)
はか**る**	量(はか)る(他)
1032	**領**
リョウ	～領(りょう)　領事(りょうじ)　領収(りょうしゅう)　要領(ようりょう)
1033	**療**
リョウ	医療(いりょう)
1034	**緑**
リョク	緑地(りょくち)　緑化(りょっか)
みどり	緑(みどり)
1035	**輪**
リン	車輪(しゃりん)
わ	輪(わ)　指輪(ゆびわ)
1036	**涙**
ルイ	
なみだ	涙(なみだ)
1037	**令**
レイ	命令(めいれい)
1038	**冷**
レイ	冷静(れいせい)　冷蔵庫(れいぞうこ)　冷凍(れいとう)
つめ**たい**	冷(つめ)たい
ひ**える**	冷(ひ)える
ひ**やす**	冷(ひ)やす(他)
さ**める**	冷(さ)める
さ**ます**	冷(さ)ます(他)
1039	**戻**
レイ	
もど**す**	戻(もど)す(他)　払(はら)い戻(もど)す(他)
もど**る**	戻(もど)る
1040	**齢**
レイ	年齢(ねんれい)
1041	**列**
レツ	列(れつ)　列車(れっしゃ)　列島(れっとう)　行列(ぎょうれつ)
1042	**恋**
レン	失恋(しつれん)
こい	恋(こい)　恋人(こいびと)
こい**しい**	恋(こい)しい
1043	**労**
ロウ	労働(ろうどう)　苦労(くろう)
1044	**録**
ロク	録音(ろくおん)　記録(きろく)
1045	**湾**
ワン	湾(わん)
1046	**腕**
ワン	
うで	腕(うで)

特別な読み方をする漢字の言葉

・この 39 語は、この本で扱っている漢字（1,046 字）を使う「特別な読み方をする漢字の言葉」です。
・読めるようにしましょう。

読み方	言葉
あす	明日
えがお	笑顔
おかあさん	お母さん
おとうさん	お父さん
おとな	大人
かな	仮名
きのう	昨日
きょう	今日
くだもの	果物
けさ	今朝
けしき	景色
ことし	今年
じょうず	上手
しらが	白髪
ついたち	一日
てつだう	手伝う
とけい	時計
ともだち	友達
にいさん	兄さん
ねえさん	姉さん
はかせ	博士
はたち	二十／二十歳
はつか	二十日
ひとり	一人
ふたり	二人
ふつか	二日
ふぶき	吹雪
へた	下手
へや	部屋
まいご	迷子
まっか	真っ赤
まっさお	真っ青
みやげ	土産
むすこ	息子
もみじ	紅葉
もめん	木綿
やおや	八百屋
ゆかた	浴衣
ゆくえ	行方

訓読みが二つ以上ある漢字

・本書（ほんしょ）に扱（あつか）われている漢字（かんじ）で、訓読（くんよ）みが二（ふた）つ以上（いじょう）あるものの一覧（いちらん）です。
・漢字（かんじ）の読（よ）み方（かた）が同（おな）じものは、一（ひと）つにまとめました。
・漢字（かんじ）の読（よ）み方（かた）の部分（ぶぶん）は、ゴシック体（たい）になっています。
・自動詞（じどうし）と他動詞（たどうし）は（下（さ）がる・下（さ）げる）のように表（あらわ）してあります。

ステップ1

雨

あめ　雨（あめ）
あま　雨戸（あまど）

下

した　下（した）
しも　下（しも）
さがる　下（さ）がる・下（さ）げる
くださる　下（くだ）さる　下（くだ）る　下（くだ）り
おりる　下（お）りる・下（お）ろす

何

なに　何（なに）
なん　何（なん）～　何（なん）とか

家

いえ　家（いえ）
や　家賃（やちん）　大家（おおや）

開

ひらく　開（ひら）く
あく　開（あ）く・開（あ）ける

外

そと　外（そと）
はずれる　外（はず）れる・外（はず）す

間

あいだ　間（あいだ）
ま　間（ま）　間違（まちが）い

魚

うお　魚（うお）
さかな　魚（さかな）

教

おしえる　教（おし）える
おそわる　教（おそ）わる

苦

くるしい　苦（くる）しい　苦（くる）しむ・苦（くる）しめる
にがい　苦（にが）い　苦手（にがて）

空

そら　空（そら）
あく　空（あ）く　空（あ）き
から　空（から）　空（から）っぽ

言

いう　言（い）う　言（い）い訳（わけ）
こと　言葉（ことば）　独（ひと）り言（ごと）

後

のち　後（のち）
あと　後（あと）
うしろ　後（うし）ろ

好

このむ　好（この）む　好（この）み
すき　好（す）き

行

いく　行（い）く　行（い）き
ゆく　行（ゆ）く　行（ゆ）き　売（う）れ行（ゆ）き
おこなう　行（おこな）う

降

おりる　降（お）りる・降（お）ろす
ふる　降（ふ）る

四

よ　四(時)　四日

よっ　四つ

よん　四

次

つぐ　次ぐ

つぎ　次　次々に

七

なな　七　七つ

なの　七日

重

おもい　重い

かさなる　重なる・重ねる

出

でる　出る

だす　出す

小

ちいさい　小さい　小さな

こ　小包(み)

少

すくない　少ない

すこし　少し

消

きえる　消える

けす　消す

上

うえ　上　目上

うわ　上着

かみ　上

あがる　上がる・上げる

のぼる　上る　上り

食

くう　食う

たべる　食べる　食べ物

新

あたらしい　新しい

あらた　新た

親

おや　親　親指

したしい　親しい

正

ただしい　正しい

まさ　正に

生

いきる　生きる

うまれる　生まれる

はえる　生える

き　生地

なま　生　生意気

足

あし　足　足跡

たる　足る・足す　足りる

着

きる　着る　着せる　下着

つく　着く・着ける　落ち着き

通

とおる　通る・通す　通り

かよう　通う

日

ひ　日

か　～日

入

いる　(気(き)に)入(い)る・入(い)れる　入(い)り口(ぐち)
恐(おそ)れ入(い)る　受(う)け入(い)れる

はいる　入(はい)る

八

やっつ　八(やっ)つ

よう　八日(ようか)

閉

とじる　閉(と)じる

しまる　閉(し)まる・閉(し)める

明

あかるい　明(あか)るい

あきらか　明(あき)らか

あける　明(あ)ける

夜

よ　夜明(よあ)け　夜中(よなか)

よる　夜(よる)

六

むっつ　六(むっ)つ

むい　六日(むいか)

話

はなす　話(はな)す

はなし　話(はなし)

ステップ2

光

ひかる　光(ひか)る

ひかり　光(ひかり)

細

ほそい　細(ほそ)い

こまかい　細(こま)かい

指

さす　指(さ)す　目指(めざ)す

ゆび　指(ゆび)　指(ゆび)さす　指輪(ゆびわ)

治

おさまる　治(おさ)める(他)

なおる　治(なお)る・治(なお)す

実

み　実(み)

みのる　実(みの)る

酒

さけ　(お)酒(さけ)

さか　酒場(さかば)

数

かず　数(かず)

かぞえる　数(かぞ)える

船

ふね　船(ふね)

ふな　船便(ふなびん)

組

くむ　組(く)む　組(く)み立(た)てる

くみ　組(くみ)　組合(くみあい)

増

ます　増(ま)す

ふえる　増(ふ)える・増(ふ)やす

遅

おくれる　遅(おく)れる

おそい　遅(おそ)い

直

ただちに　直(ただ)ちに

なおる　直(なお)る・直(なお)す

得

える　得(え)る

うる　得(う)る

難

かたい　有(あ)り難(がた)い

むずかしい　難(むずか)しい

彼

かれ　彼(かれ)　彼(かれ)ら

かの　彼女(かのじょ)

表

おもて　表(おもて)

あらわす　表(あらわ)す

負

まける　負(ま)ける

おう　背負(せお)う

並

ならぶ　並(なら)ぶ・並(なら)べる

なみ　並(なみ)　並木(なみき)

ステップ3

羽

は　～羽(は)　羽根(はね)

はね　羽(はね)

煙

けむい　煙(けむ)い

けむり　煙(けむり)

汚

けがらわしい　汚(けが)らわしい

よごれる　汚(よご)れる・汚(よご)す

きたない　汚(きたな)い

覚

おぼえる　覚(おぼ)える

さめる　覚(さ)める・覚(さ)ます

割

われる　割(わ)れる・割(わ)る

わり　～割(わり)　割合(わりあい)

嫌

きらい　嫌(きら)い　嫌(きら)う

いや　嫌(いや)　嫌(いや)がる

幸

さいわい　幸(さいわ)い

しあわせ　幸(しあわ)せ

荒

あらい　荒(あら)い

あれる　荒(あ)れる

床

とこ　床(とこ)の間(ま)　床屋(とこや)

ゆか　床(ゆか)

畳

たたむ　畳(たた)む

たたみ　畳(たたみ)

触

ふれる　触(ふ)れる

さわる　触(さわ)る

占

しめる　占(し)める

うらなう　占(うらな)う

探

さぐる　探(さぐ)る

さがす　探(さが)す

凍

こおる　凍(こお)る

こごえる　凍(こご)える

背

せ　背(せ)　背中(せなか)　背広(せびろ)

せい　背(せい)

そむく　背(そむ)く

粉

こ　粉(こ)

こな　粉(こな)

捕

とる　捕(と)る　捕(と)らえる

つかまる　捕(つか)まる・捕(つか)まえる

抱

だく　抱(だ)く

いだく　抱(いだ)く

かかえる　抱(かか)える

優

やさしい　優(やさ)しい

すぐれる　優(すぐ)れる

頼

たのむ　頼(たの)む　頼(たの)み　頼(たの)もしい

たよる　頼(たよ)る

冷

つめたい　冷(つめ)たい

ひえる　冷(ひ)える・冷(ひ)やす

さめる　冷(さ)める・冷(さ)ます

音読みが二つ以上ある漢字

・一つ（ひと）目（め）が基本（きほん）の音読（おんよ）みです。
・基本（きほん）の音読（おんよ）みは、1語（ご）だけ載（の）せてあります。
・二（ふた）つ目（め）の読（よ）み方（かた）は、旧（きゅう）「日本語能力試験出題基準（にほんごのうりょくしけんしゅつだいきじゅん）」2級（きゅう）に提出（ていしゅつ）されていた言葉（ことば）が載（の）せてあります。

ステップ1

一

イチ　一度（いちど）

イッ　同一（どういつ）

下

カ　下線（かせん）

ゲ　下（げ）　下車（げしゃ）　下宿（げしゅく）　下水（げすい）　下品（げひん）　上下（じょうげ）

画

ガ　映画（えいが）

カク　計画（けいかく）

外

ガイ　外国（がいこく）

ゲ　外科（げか）

楽

ガク　音楽（おんがく）

ラク　楽（らく）　気楽（きらく）

間

カン　時間（じかん）

ケン　世間（せけん）　人間（にんげん）

気

キ　天気（てんき）

ケ　気配（けはい）　湿気（しっけ）

九

キュウ　九（きゅう）

ク　九（く）(時（じ）)

去

キョ　去年（きょねん）

コ　過去（かこ）

強

キョウ　勉強（べんきょう）

ゴウ　強引（ごういん）　強盗（ごうとう）

月

ゲッ　今月（こんげつ）

ガッ　～月（がつ）　正月（しょうがつ）　生年月日（せいねんがっぴ）

元

ゲン　元気（げんき）

ガン　元日（がんじつ）

言

ゲン　言語（げんご）

ゴン　伝言（でんごん）

後

ゴ　今後（こんご）

コウ　後者（こうしゃ）

工

コウ　工事（こうじ）　工場（こうじょう）

ク　工夫（くふう）　大工（だいく）

行

コウ　行動（こうどう）

ギョウ　～行（ぎょう）　行事（ぎょうじ）　行列（ぎょうれつ）

作

サク　作文（さくぶん）

サ　作業（さぎょう）　作法（さほう）　操作（そうさ）　動作（どうさ）

子

シ　女子（じょし）

ス　様子（ようす）

次

ジ　目次（もくじ）

シ　次第（しだい）(に)

自

ジ　自分（じぶん）

シ　自然（しぜん）

十

ジュウ　十（じゅう）　十分（じゅうぶん）

ジッ　十（じっ）(本)（ぽん）　(「じゅっぽん」も可（か）)

重

ジュウ　重要（じゅうよう）

チョウ　尊重（そんちょう）

人

ジン　人生（じんせい）

ニン　～人（にん）　人気（にんき）　人間（にんげん）　他人（たにん）　犯人（はんにん）　本人（ほんにん）

図

ズ　図形（ずけい）

ト　図書(館)（としょかん）

世

セイ　中世（ちゅうせい）

セ　世界（せかい）　世間（せけん）　世話（せわ）

正

セイ　正式（せいしき）

ショウ　正午（しょうご）　正直（しょうじき）　正味（しょうみ）　正面（しょうめん）

生

セイ　生活（せいかつ）

ショウ　生（しょう）じる / ずる　一生（いっしょう）

西

セイ　西洋（せいよう）

サイ　関西（かんさい）　東西（とうざい）

大

ダイ　大学（だいがく）

タイ　大会（たいかい）　大気（たいき）　大使(館)（たいしかん）　大切（たいせつ）　大半（たいはん）
大変（たいへん）　大陸（たいりく）

台

ダイ　台所（だいどころ）

タイ　台風（たいふう）　舞台（ぶたい）

男

ダン　男性（だんせい）

ナン　長男（ちょうなん）

地

チ　地図（ちず）

ジ　地震（じしん）　地味（じみ）　地面（じめん）　地元（じもと）　意地悪（いじわる）　生地（きじ）
無地（むじ）

茶

チャ　紅茶（こうちゃ）

サ　喫茶(店)（きっさてん）

都

ト　都会（とかい）

ツ　都合（つごう）

土

ド　土曜（どよう）

ト　土地（とち）

度

ド　制度（せいど）

タク　支度（したく）

日

ニチ　毎日（まいにち）

ジツ　～日（じつ）　先日（せんじつ）

物

ブツ　動物（どうぶつ）

モツ　貨物（かもつ）　作物（さくもつ）　書物（しょもつ）　食物（しょくもつ）　荷物（にもつ）

分

ブン　自分（じぶん）

フン　（五）分（ご・ふん）

ブ　大分（だいぶ）

文

ブン　文化（ぶんか）

モン　文字（もじ）（「もんじ」も可（か））　注文（ちゅうもん）

便

ベン　便利（べんり）

ビン　便（びん）　船便（ふなびん）　郵便（局）（ゆうびん・きょく）

木

ボク　大木（たいぼく）

モク　木材（もくざい）　木曜（日）（もくよう・び）　材木（ざいもく）

万

マン　万（まん）

バン　万歳（ばんざい）

無

ム　無料（むりょう）

ブ　無〜（ぶ）　無事（ぶじ）

名

メイ　氏名（しめい）

ミョウ　名字（みょうじ）

明

メイ　説明（せつめい）

ミョウ　明〜（みょう）　明後日（みょうごにち）

ステップ2

絵

カイ　絵画（かいが）

エ　絵（え）　絵の具（えのぐ）

形

ケイ　形式（けいしき）

ギョウ　人形（にんぎょう）

治

ジ　政治（せいじ）

チ　自治（じち）

神

シン　神経（しんけい）

ジン　神社（じんじゃ）

然

ゼン　自然（しぜん）

ネン　天然（てんねん）

相

ソウ　相談（そうだん）

ショウ　首相（しゅしょう）

直

チョク　直前（ちょくぜん）

ジキ　直（に）（じき）　正直（しょうじき）

登

トウ　登場（とうじょう）

ト　登山（とざん）

頭

トウ　先頭（せんとう）

ズ　頭痛（ずつう）　頭脳（ずのう）

夫

フ　夫人（ふじん）

フウ　夫婦（ふうふ）　工夫（くふう）

平

ヘイ　平和（へいわ）

ビョウ　平等（びょうどう）

由

ユ　経由（けいゆ）

ユウ　自由（じゆう）　不自由（ふじゆう）　理由（りゆう）

留

リュウ　留学（りゅうがく）

ル　留守（るす）

ステップ3

易

エキ　貿易（ぼうえき）

イ　安易（あんい）　容易（ようい）

漁

ギョ　漁業（ぎょぎょう）

リョウ　漁師（りょうし）

競

キョウ　競争（きょうそう）

ケイ　競馬（けいば）

再

サイ　再三（さいさん）

サ　再来月（さらいげつ）　再来週（さらいしゅう）　再来年（さらいねん）

財

ザイ　財産（ざいさん）

サイ　財布（さいふ）

象

ショウ　印象（いんしょう）

ゾウ　象（ぞう）

省

セイ　反省（はんせい）

ショウ　省（しょう）〜　〜省（しょう）　省略（しょうりゃく）

率

ソツ　率直（そっちょく）

リツ　率（りつ）　確率（かくりつ）　能率（のうりつ）

存

ソン　存在（そんざい）

ゾン　存（ぞん）じる / ずる　ご存（ぞん）じ　生存（せいぞん）　保存（ほぞん）

団

ダン　団体（だんたい）

トン　布団（ふとん）

判

ハン　判断（はんだん）

バン　評判（ひょうばん）

坊

ボウ　寝坊（ねぼう）

ボッ　坊（ぼっ）ちゃん

新完全マスター漢字
日本語能力試験 N2

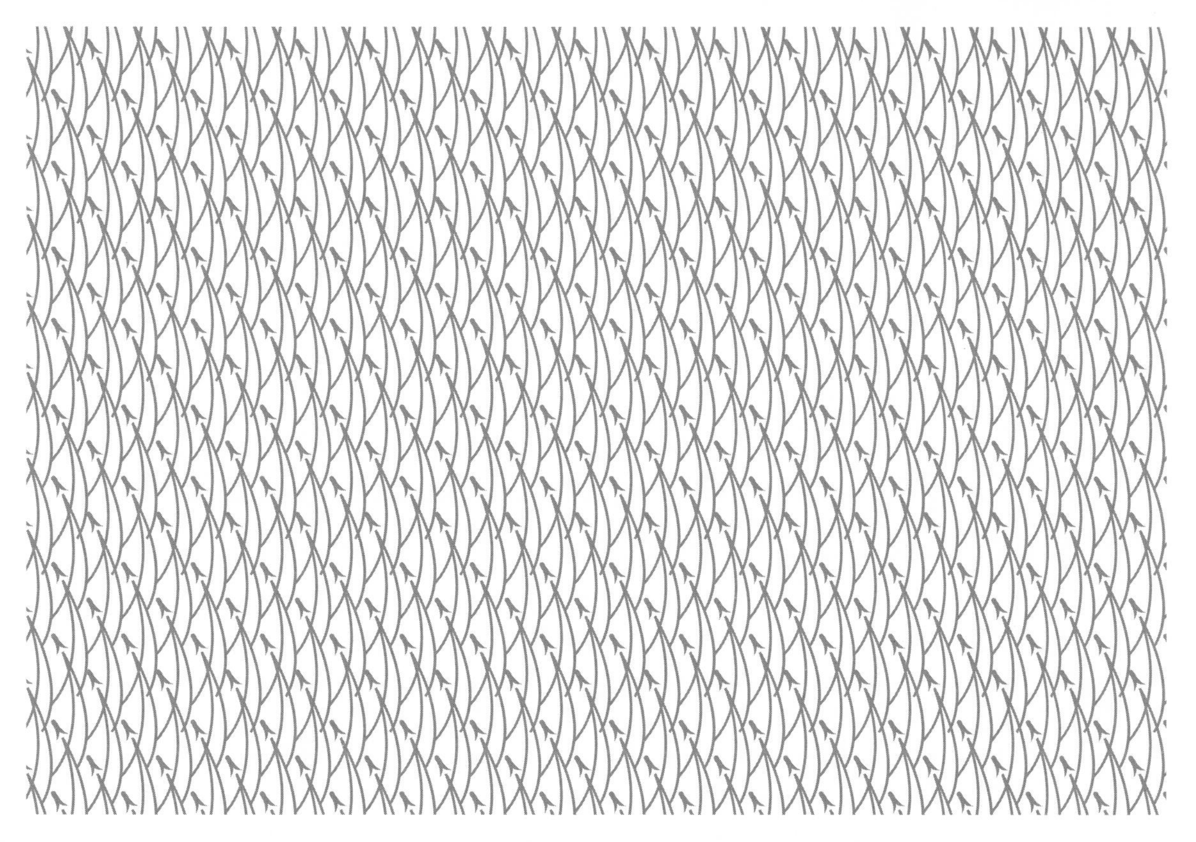

石井怜子・鈴木英子・青柳方子・大野純子・木村典子・斎藤明子・塩田安佐
杉山ますよ・松田直子・峯村康代・村上まさみ・守屋和美・山崎洋子 著

スリーエーネットワーク

Published by 3A Corporation.
Trusty Kojimachi Bldg., 2F, 4, Kojimachi 3-Chome, Chiyoda-ku, Tokyo 102-0083, Japan

ISBN978-4-88319-547-3 C0081

First published 2010
Printed in Japan

はじめに

本書は、『完全マスター漢字日本語能力試験２級レベル』の改訂版です。中級以降の学習者を対象に、①造語力のある基本漢字を学習し、バランスのよい漢字力を養成する、②漢字を語彙として文の中で使えるようにすることを目指す、③学習者の負担をできるだけ減らしてかつ楽しく勉強できるように工夫するという三つの方針は、本書においても踏襲しています。

日本語能力試験が改定され出題基準が公開されなくなったことをきっかけに、本書を次のように改善しました。一つめは、Ｎ２レベルの学習漢字の範囲の見直しです。本書では原則として旧「日本語能力試験出題基準」の２級漢字をＮ２レベルの漢字としていますが、さらに旧１級漢字の中で使用頻度が高く基本的な語を構成する28字をＮ２レベルとしました。二つめは、漢字の知識をより応用の利くものにするための練習を加えたことです。この練習には、持てる漢字の知識を使って、未知の漢字の言葉を読んだり意味を理解したりする力、既知の漢字の言葉に接辞的に働く漢字を加えて新しい言葉を作ったり意味を理解したりする力、さらには読む活動で漢字と漢字の言葉を上手に利用してより速く全体をとらえる力などを伸ばす練習が含まれています。

一つめの改善点は、時代とともに必要とされる語彙が変わってきていることを考慮したものです。このような漢字の運用力は、現実の言語活動においては、未知の漢字の言葉に出合うことが避けられず、それに対処できる力の養成を目指したものです。この二つは、新しい日本語能力試験が求める「課題遂行のための言語コミュニケーション能力」の基礎となることはもちろんですが、何よりも現実の言語活動を支えるのに不可欠の能力です。

学習者の背景も日本語学習の目的も多様化する現在、それに対応した必要な語彙と漢字も当然多様なものとなるでしょうが、その基礎となる部分は、本書で形成できると考えています。したがって、日本語能力試験を目指す学習者だけではなく、日本留学試験を目指す人、漢字の運用力をつけたいと考えている人、漢字が苦手なのでやり直したいと思っている人にも、ぜひ使っていただきたいと思っています。

本書の作成にあたっては、細井和代さんに温かい助言と励ましをいただきました。この場を借りてお礼を申し上げます。

著者代表　石井怜子

目次

この本を使う方へ

この本は、「漢字に興味を持ち、合理的に、能率よく勉強する」ことができるように考えて作りました。この本の学習を終えた時、漢字の力がついたことが実感できるでしょう。

目的

・日本での生活に必要な基本的な漢字 1,046 字の使い方と読み方をしっかり身につけるための問題集です。

・日本語能力試験Ｎ５～Ｎ３レベルの漢字の復習と、Ｎ２レベルの漢字の学習に役に立ちます。

対象

・中級中ごろの人（日本国内の日本語学校で日本語を 500 時間ぐらい勉強した人）を対象にしていますが、中級の初め（日本語を 400 時間ぐらい勉強した人）から使うことができます。

使用期間

・1 日 15 分から 30 分の練習で、53 回で完成します。

この本の特色

①漢字を本当に使える力がつきます。

・文を耳で聞いて漢字で書いたり、文の中に入れて使ったりする練習によって、漢字の実際の使い方が分かります。

・文脈の中でどの漢字を使うか考える問題で、楽しみながら漢字が使えるようになります。

② 1,046 字の漢字を、全 53 回で無理なく学習できるように工夫してあります。

⑴ 1,046 字を三つのステップに分けて学習します。

ステップ	漢字の数	回　数	漢字の種類	問　題
ステップ 1	300	第 1 回～第 14 回 (14 回)	・最も基本になる漢字 ・自由に、読めたり書けたりできるようにしたい漢字 (日本語能力試験 N 4 N 5 相当)	・文を聞いて書く問題が中心 ・基本の 300 字の復習
ステップ 2	250	第 15 回～第 30 回 (16 回)	・言葉を作る基礎の漢字 ・読んだり書いたりできるようにしたい漢字	・文を聞いて書く問題 ・考えて熟語を作る問題 ・文の意味から漢字の言葉を考える問題
ステップ 3	496	第 31 回～第 53 回 (23 回)	・読んだり書いたりできるようにしたい漢字と、読み方と使い方を覚える漢字	・ステップ 2 同様の問題 (知っている知識から、未知の漢字の言葉を推測する問題もあります。)

⑵ 別冊１の「学習漢字リスト」で予習ができます。

「学習漢字リスト」には、Ｎ２レベル相当の 1,046 字の「漢字」と「音読み・訓読み・特別な読み方」がすべて載っています。

⑶ 問題はその回までに学習した漢字から作られています。

問題文に、まだ勉強していない回の漢字が出てくる場合は振り仮名をつけてあります。問題文の言葉もできるだけＮ２レベルの言葉を使っています。

③「広がる広げる漢字の知識」と、それに続く「チャレンジ」で、漢字の運用力が伸ばせます。

「広がる広げる漢字の知識」では「接辞」「読み方と意味」「言葉の構成」「読み方の変化」について学びます。

「チャレンジ」で、「広がる広げる漢字の知識」を使う練習をします。

最後の「チャレンジ」は読解問題です。学習した漢字語をキーワードにして、全体の意味を大きくとらえる読み方が体験できます。

この本の使い方

①第１回から順番に学習してください。

②別冊１の「学習漢字リスト」でその回の言葉を予習をしてから問題を解いてください。

Ｎ２の総復習に使いたい人は、各回の問題を先にして、後で「学習漢字リスト」で確認することもできます。

③次のページの「CD を聞いて書く問題の書き方」「漢字を選んで入れる問題の書き方」をよく読んでから始めてください。

④答え合わせをして、間違ったものは必ず正しい答えを書いておきましょう。

⑤別冊１の最後に、「特別な読み方をする漢字の言葉」「訓読みが二つ以上ある漢字」「音読みが二つ以上ある漢字」のリストがありますから、参考にしてください。

⑥別冊２の「解説」も参考にしてください。

凡例

名：名詞	自：自動詞	参：参照
動：動詞	他：他動詞	特：特別な読み方をする漢字の言葉
形：形容詞	慣：慣用句	□：中の数字は学習する回
副：副詞	類：類義語	

ＣＤを聞いて書く問題の書き方　CD1

Ｉ番の問題は、ＣＤを聞いて文を書く練習です。文は２回読みます。できるだけ最初から漢字を使って書きましょう。

例）

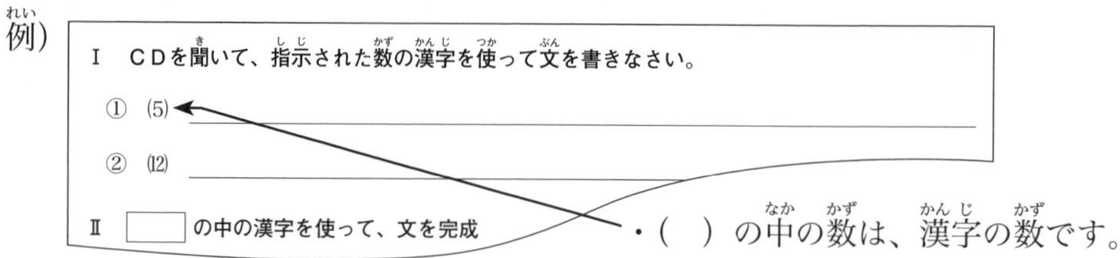

Ｉ　ＣＤを聞いて、指示された数の漢字を使って文を書きなさい。
①　(5)
②　(12)
Ⅱ　の中の漢字を使って、文を完成

・（　）の中の数は、漢字の数です。

・例のように５と書いてあったら、五つの漢字を使って文を書いてください。

・同じ字がもう一度出てきたら、２回と数えます。

①書き方の順序

(1) ＣＤを聞く　　例）ＣＤ　いちにちいっかいはてきすとをみてください。

(2) 解答を書く　　(5) 一日一回はテキストを貝てください。（１ ２ ３ ４ ５）

(3) 間違いを直す　　消しゴムで消さないで、線で消して、正しい字を書きましょう。

(5) 一日一回はテキストを~~貝~~見てください。

②書き方の注意

(1)「漢字」「平仮名」「片仮名」を使って文を書きます。数字は漢字で書きます。(一二三……)

(2) 次のようなものは、平仮名で書きます。

・「～て―」	～てください、～ていく、～てくる、～てみる、～てあげる　など
・「こと」	～ことがある、～ことにする　など
・「いう」	～という、～からといって　など
・「ほう」	～たほうがいい　など

(3)「わたし」は「私」と漢字で書きます。

漢字を選んで入れる問題の書き方

次のような問題は、必ず漢字で答えを書いてください。文の中で実際に書くことが大切です。

例）

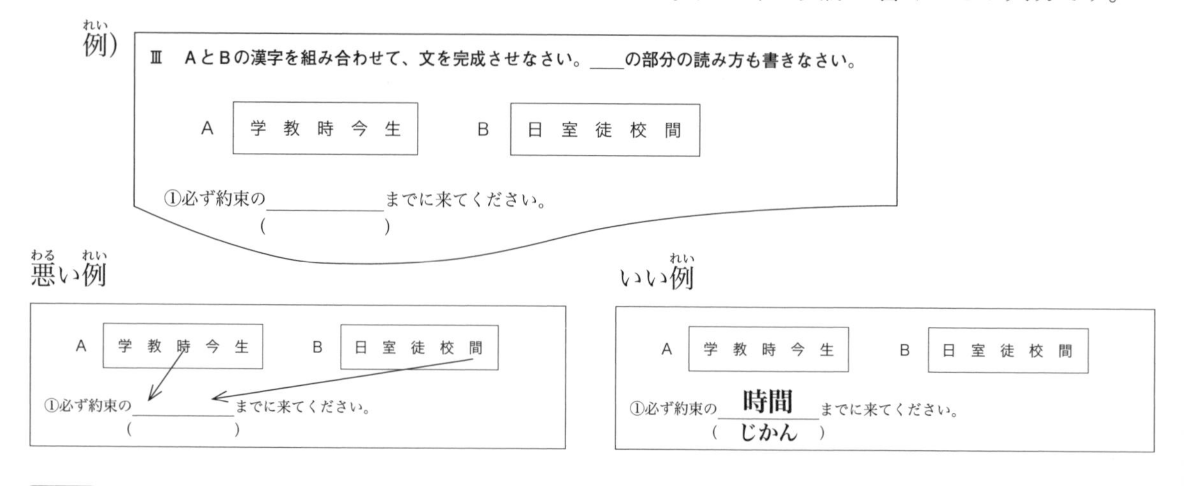

①必ず約束の＿＿＿＿までに来てください。

①必ず約束の＿＿＿＿までに来てください。

①必ず約束の時間までに来てください。

指導される方へ

本書では、系統的な学習を通じて、語彙としての理解を伴った中級レベルの漢字力の養成を目指し、特に「漢字仮名交じり文がスムーズに読める・書ける」ことを到達目標としている。以下、学習の範囲と改定の要点について述べる。

学習範囲

2010年から実施の日本語能力試験では、具体的な漢字と語彙の出題の基準は公開されておらず、各レベル認定の目安のみ公開されている。

本書ではＮ２レベルが対象とする漢字を次のように定めた。

①漢字

・「日本語能力試験 出題基準」（2002年改訂）の２級漢字に次の漢字を加減したものをＮ２レベルの漢字とする。

基になる漢字	「日本語能力試験出題基準」（1994年公開、2002年改訂）２級の漢字	1,023字
１級漢字のうち、Ｎ２レベルで学習したほうがいいと考えられる漢字	隠 炎 壊 株 義 及 驚 系 嫌 洪 護 災 士 氏 就 症 証 属 態 帳 提 統 派 博 訳 羊 養 離	28字追加
２級漢字のうち、Ｎ１レベルで学習したほうがいいと考えられる漢字	掘 耕 脂 双 零	５字削除
	本書で学習する漢字	1,046字

②読み

・上記「1,046字の漢字」の読み方のうち、Ｎ２レベルまでの語[1]を表記するのに必要な音・訓・熟字訓。ただし、Ｎ２レベルの語であっても、それを構成する漢字にＮ１レベルの漢字が含まれている場合は、その読みは扱わない。

例：悪　アク：　扱わない

（Ｎ２レベルの語は「悪魔」１語のみで、「魔」はＮ１レベル漢字のため）

オ：　扱わない（Ｎ２レベルの語に、「オ」の読みを使った語がないため）

わるい：扱う（「悪い」「悪口」がＮ２レベルまでの語であるため）

③表記

・表記については、武部良明編『現代国語表記辞典第二版』（三省堂、1992）で「標準的な現代表記」とされているもの、及び「公用文」「新聞」での書き表し方とされているものに従う[2]。

改訂の要点

本書では、学習漢字の範囲を見直すとともに、漢字と漢字語彙の運用力を伸ばすためのページを充実させた。

①「広がる広げる漢字の知識」

1「接辞」：接辞的に働いて新たな語が作り出せる漢字について知る。

2「読み方と意味」：知らない漢字語の読み方と意味を既習の知識から類推する。

3「言葉の構成」：漢字語の構成の基本的な型について知る。

4「音の変化」：漢字語の音変化の基本的なルールを知る。

②最後の「チャレンジ」の読解問題は、実際の言語活動で漢字力を生かすことを意図した。漢字語をキーワードにして全体の意味を大きくとらえる読み方へのチャレンジを目的にしている。

1　本書では「日本語能力試験 出題基準」（1994年公開、2002年改定）の２級語彙表をもとに、必要度や難易度の調査に基づいて調整を加えたものを、Ｎ２レベルの語彙としている。

2　「私」のみ「わたし」の読みを許容している。

ステップ１

第１回 ～ 第14回

この本には、CDを聞いて文を書く問題があります。各回を始める前に、送り仮名のルールを覚えましょう。
問題の解き方はviiiページを見てください。

◆動詞

①グループ1の動詞辞書形は　**1字送る。**　例）書く　話す　帰る

②-1　グループ2の動詞辞書形は　**2字送る。**　例）考える　起きる　変える

②-2　グループ2の2音の動詞辞書形は　**1字送る。**　例）着る　見る　出る　寝る

③自動詞と他動詞のある動詞は　**音が変わるところから送る。**

自動詞　　～が	＊止まる	＊伝わる	＊助かる	冷える
他動詞　　～を	止める	伝える	助ける	＊冷やす

＊は送り仮名2字のグループ1の動詞

◆い形容詞

①「～しい」で終わる言葉は　**「しい」を送る。**　例）美しい　新しい

②「～い」で終わる言葉は　**「い」を送る。**　例）高い　重い　近い

例外：大きい　小さい　少ない　冷たい

◆な形容詞

①「～かな」で終わる言葉は　**「かな」を送る。**　例）静かな　確かな

②「～らかな」で終わる言葉は　**「らかな」を送る。**　例）柔らかな

◆派生語

①基本になっている語の送り仮名に基づく。

基本語	悲しい	楽しい	強い	頼む	憎む
派生語	悲しむ	楽しみ	強まる	頼もしい	憎らしい

【クイズ】次の言葉の送り仮名を書いてみましょう。

①はたらく →(働)	②たべる →(食)	③くる →(来)
④あつまる →(集)	⑤あつめる →(集)	⑥さむい →(寒)
⑦むずかしい→(難)	⑧あたたかな→(暖)	⑨ひろい →(広)
⑩ひろがる →(広)	⑪よろこぶ →(喜)	⑫よろこび→(喜)

答え

①働く ②食べる ③来る ④集まる ⑤集める ⑥寒い ⑦難しい ⑧暖かな ⑨広い ⑩広がる ⑪喜ぶ ⑫喜び

第１回　300まで

Ｉ　ＣＤを聞いて、指示された数の漢字を使って文を書きなさい。数字も漢字で書きます。CD2

① (5) ____________________

② (8) ____________________

③ (5) ____________________

④ (5) ____________________

⑤ (7) ____________________

⑥ (7) ____________________

⑦ (12) ____________________

第２回　300まで

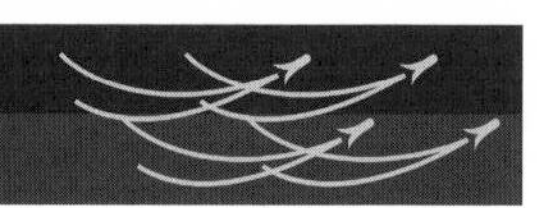

Ｉ　ＣＤを聞いて、指示された数の漢字を使って文を書きなさい。数字も漢字で書きます。CD3

① (9) ____________________

② (7) ____________________

③ (6) ____________________

④ (8) ____________________

⑤ (6) ____________________

⑥ (6) ____________________

⑦ (7) ____________________

第３回 300まで

I　ＣＤを聞いて、指示された数の漢字を使って文を書きなさい。数字も漢字で書きます。CD4

① ⑻ ____________________

② ⑹ ____________________

③ ⑼ ____________________

④ ⑺ ____________________

⑤ ⑹ ____________________

⑥ ⑽ ____________________

⑦ ⑻ ____________________

⑧ ⑻ ____________________

第４回 300まで

Ⅰ　ＣＤを聞いて、指示された数の漢字を使って文を書きなさい。数字も漢字で書きます。CD5

①　⒂ ______________________

②　⒁ ______________________

③　(6) ______________________

④　(4) ______________________

⑤　⑽ ______________________

⑥　(6) ______________________

⑦　(6) ______________________

⑧　(8) ______________________

Ⅱ　＿＿＿の部分の漢字には読み仮名を、平仮名には漢字を（送り仮名も）書きなさい。

①夜の湖に、丸い月が**映って**(a)いる。

②新しい**大学**(b)の**屋上**(c)には、**だいしょう**(d) **二つ**(e)のプールがある。

③先生が**下さる**(f)手紙には、いつも心温まる言葉が書いてある。

④妹は、**外科**(g)医になるために大学で**医学**(h)を**学んで**(i)いる。

⑤みんなあの二人が結婚するだろうと思っていたが、**見事に**(j) **外れた**(k)。

⑥あの人が話すことは、**世間**(l)のうわさと人の**わるくち**(m)ばかりだ。

⑦友達に**あう**(n)ために、**いそいで**(o)駅に向かった。

a　　って	b	c	d	e　　つ
f　　さる	g	h	i　　んで	j　　に
k　　れた	l	m	n	o

第5回　300まで

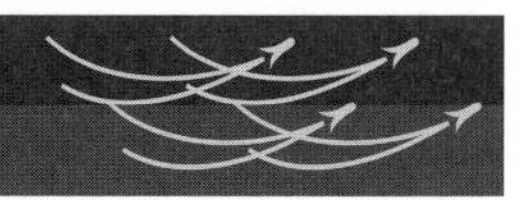

Ⅰ　ＣＤを聞いて、指示された数の漢字を使って文を書きなさい。数字も漢字で書きます。CD6

①　(7)　＿＿＿＿＿＿＿＿＿＿＿＿＿＿＿＿＿＿＿＿

②　(7)　＿＿＿＿＿＿＿＿＿＿＿＿＿＿＿＿＿＿＿＿

③　(9)　＿＿＿＿＿＿＿＿＿＿＿＿＿＿＿＿＿＿＿＿

④　(6)　＿＿＿＿＿＿＿＿＿＿＿＿＿＿＿＿＿＿＿＿

⑤　(9)　＿＿＿＿＿＿＿＿＿＿＿＿＿＿＿＿＿＿＿＿

⑥　(4)　＿＿＿＿＿＿＿＿＿＿＿＿＿＿＿＿＿＿＿＿

⑦　(8)　＿＿＿＿＿＿＿＿＿＿＿＿＿＿＿＿＿＿＿＿

Ⅱ　＿＿＿の部分の漢字には読み仮名を、平仮名には漢字を（送り仮名も）書きなさい。

①土地の値段がたかくなったため、**魚**(a) **市場**(b)は郊外に移転することになった。

②子供たちは**金魚**(c)を捕まえるのに夢中だった。　③選手は試合に向けて**集中力**(d)を**たかめて**(e)いった。

④その大会には、若い人に**交ざって**(f)お年寄りも多く参加していた。

⑤オリンピックの五輪のマークは**五つ**(g)の大陸を意味している。

⑥洋服についていた**糸**(h)を、**しんせつな**(i)人が取ってくれた。

⑦**寺院**(j)の前に**くろくて**(k)大きな車が**とまって**(l)いる。

⑧子供たちは**て**(m)をつないで、大きな**えん**(n)を作った。　⑨この家の**大家さん**(o)は、今ロンドンにいる。

a	b	c	d	e
f　ざって	g　つ	h	i	j
k	l	m	n	o　さん

第6回 300まで

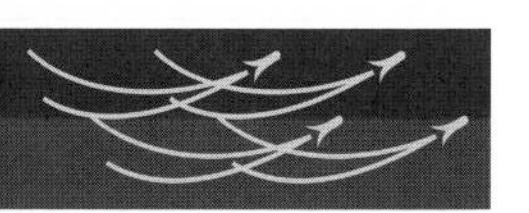

Ⅰ　ＣＤを聞いて、指示された数の漢字を使って文を書きなさい。数字も漢字で書きます。CD7

① ⒀ ______________________

② ⑻ ______________________

③ ⑼ ______________________

④ ⑹ ______________________

⑤ ⑼ ______________________

⑥ ⑿ ______________________

⑦ ⑻ ______________________

Ⅱ　＿＿＿の部分の漢字には読み仮名を、平仮名には漢字を（送り仮名も）書きなさい。

①テニスは**上手**(a)だが、スキーは**下手**(b)だ。　②夜はまだ冷えるので、**上着**(c)が必要だ。

③**きんいろ**(d)の**かみ**(e)に、**三色**(f)のペンでメッセージを書いた。

④敬語には尊敬語と謙譲語がある。例えば「いらっしゃる」は**前者**(g)の、「まいる」は**後者**(h)の例である。

⑤やっと解決したと思ったら、**新たな**(i)問題が**生じた**(j)。

⑥日本には**生**(k)の**さかな**(l)を食べる習慣がある。

⑦これこそ**正に**(m)今年最高の映画だ。　⑧**中世**(n)は専制政治が**行われて**(o)いた。

a	b	c	d	e
f	g	h	i　　たな	j　　じた
k	l	m　　に	n	o　　われて

第７回 300まで

Ⅰ　ＣＤを聞いて、指示された数の漢字を使って文を書きなさい。数字も漢字で書きます。CD8

①　(9)　＿＿＿＿＿＿＿＿＿＿

②　(8)　＿＿＿＿＿＿＿＿＿＿

③　(9)　＿＿＿＿＿＿＿＿＿＿

④　(10)　＿＿＿＿＿＿＿＿＿＿

⑤　(8)　＿＿＿＿＿＿＿＿＿＿

⑥　(9)　＿＿＿＿＿＿＿＿＿＿

⑦　(12)　＿＿＿＿＿＿＿＿＿＿

Ⅱ　＿＿＿の部分の漢字には読み仮名を、平仮名には漢字を（送り仮名も）書きなさい。

①仕事が忙しい母に**かわって**(a)、家の仕事は**主に**(b)私がしている。

②ボールが当たった**手首**(c)が、今でも**いたむ**(d)。

③**兄弟**(e)だが**長所**(f)も**短所**(g)も違う。

④ 1,200 年前、日本の**都**(h)は京都であった。

⑤あいにく**ふつか**(i)の**にちようび**(j)は**都合**(k)が悪くて行けません。**ここのか**(l)だったらいいのですが。

⑥**あかい**(m) **つち**(n)が溶け込んで**かわ**(o)の水があかく見える。

a	b　　に	c	d	e
f	g	h	i	j
k	l	m	n	o

第８回　300まで

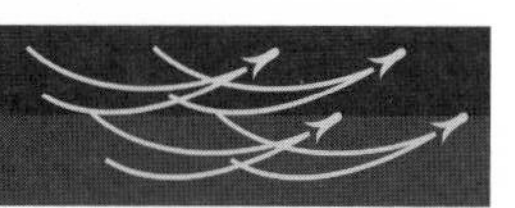

Ｉ　ＣＤを聞いて、指示された数の漢字を使って文を書きなさい。数字も漢字で書きます。CD9

① (8) ______

② (8) ______

③ (8) ______

④ (9) ______

⑤ (7) ______

⑥ (8) ______

⑦ (10) ______

Ⅱ　＿＿＿の部分の漢字には読み仮名を、平仮名には漢字を（送り仮名も）書きなさい。

①アンケートの**回答**(a)は**どようび**(b)までに**だして**(c)ください。

②名前は**おなじ**(d)でも、**同一**(e)人物だとは限らない。

③彼は、**赤道**(f)付近の国で生まれたのに暑さには弱い。

④次の**特急**(g)で**上京**(h)するつもりだ。

⑤日本は**なんぼく**(i)に**ながい**(j)形をしている。

⑥母は、「**おとうさん**(k)、運動不足だから一つ**てまえ**(l)の駅から歩いたら。」と**いった**(m)。

⑦あの店の**ぎゅうにく**(n)は、**やすくて**(o)おいしいと評判だ。

a	b	c	d	e
f	g	h	i	j
k	l	m	n	o

第９回　300まで

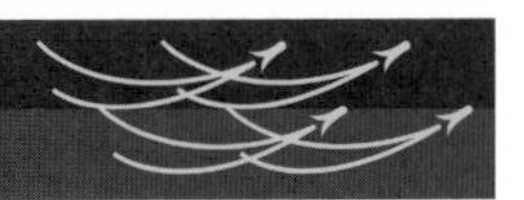

Ⅰ　ＣＤを聞いて、指示された数の漢字を使って文を書きなさい。数字も漢字で書きます。CD10

① (8) ____________________

② (10) ____________________

③ (7) ____________________

④ (11) ____________________

⑤ (9) ____________________

⑥ (5) ____________________

⑦ (9) ____________________

Ⅱ　＿＿の部分の漢字には読み仮名を、平仮名には漢字を（送り仮名も）書きなさい。

①今月の**よっか**(a)が試験日で、**むいか**(b)が発表だ。

②弟は**中古車**(c)の**売買**(d)をしています。

③**大半**(e)の人はその事件を**全く**(f)知らなかった。

④新しい製品の**売れ行き**(g)は**ひじょうに**(h)いいということだ。

⑤あの**上品な**(i)女の人は、どなたですか。

⑥**せんじつ**(j)は、結構な**品**(k)をありがとうございました。

⑦日本人は、**内**(l)と**外**(m)で言葉や態度を**つかいわける**(n)と言われている。

⑧この本棚には歴史に関する**書物**(o)が並べられている。

a	b	c	d	e
f　　　く	g　　れ　き	h	i　　　な	j
k	l	m	n	o

第10回 300まで

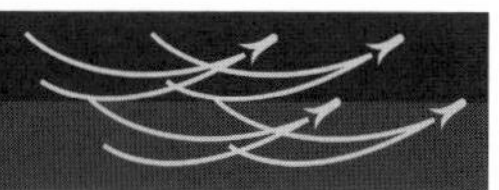

Ⅰ　CDを聞(き)いて、指示(しじ)された数(かず)の漢字(かんじ)を使(つか)って文(ぶん)を書(か)きなさい。数字(すうじ)も漢字(かんじ)で書(か)きます。CD11

① (8) ______________________________

② (7) ______________________________

③ (6) ______________________________

④ (11) ______________________________

⑤ (10) ______________________________

⑥ (9) ______________________________

⑦ (8) ______________________________

Ⅱ　＿＿＿の部分(ぶぶん)の漢字(かんじ)には読(よ)み仮名(がな)を、平仮名(ひらがな)には漢字(かんじ)を（送(おく)り仮名(がな)も）書(か)きなさい。

①８時(じ)に駅(えき)の**にしぐち**(a)に集合(しゅうごう)してください。

②**五十音**(b)を覚(おぼ)えるのには、２週間(しゅうかん)もあれば**十分**(c)だ。　③経験(けいけん)よりも、**本人**(d)のやる気(き)が大切(たいせつ)だ。

④いなくなった**こいぬ**(e)の**行方**(f)を一晩中捜(ひとばんじゅうさが)した。

⑤最後(さいご)に**うた**(g)を**うたって**(h) **へいかい**(i)した。

⑥年(とし)が**明けたら**(j)、**はやし**(k)の木(き)が全部(ぜんぶ)切(き)られてしまうといううわさが広(ひろ)がった。

⑦**こうつう**(l)の**便**(m)が悪(わる)いので、新(あたら)しい家(いえ)からは車(くるま)でしか通(かよ)えない。

⑧彼(かれ)は収入(しゅうにゅう)が多(おお)い**一方**(n)で、**借金**(o)もかなりある。

a	b	c	d	e
f	g	h	i	j　　けたら
k	l	m	n	o

第11回 300まで

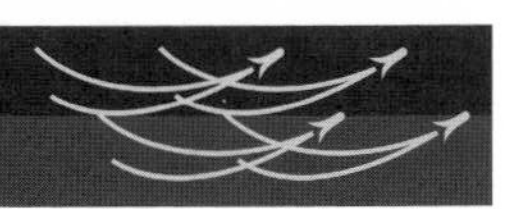

Ⅰ　ＣＤを聞いて、指示された数の漢字を使って文を書きなさい。数字も漢字で書きます。CD12

① (6) ____________________

② (8) ____________________

③ (10) ____________________

④ (8) ____________________

⑤ (7) ____________________

⑥ (13) ____________________

⑦ (8) ____________________

Ⅱ　＿＿＿の部分の漢字には読み仮名を、平仮名には漢字を（送り仮名も）書きなさい。

①薬を飲んだら熱が**さんじゅうななど**(a)まで**下がって**(b)、気分がよくなった。

②雨のため、**本日**(c)の運動会は**ちゅうし**(d)します。　③彼は**二十**(e)の春に、一人暮らしを始めた。

④３月**三日**(f)には、女の子の成長を願う**行事**(g)が行われてきた。

⑤この**た**(h)で取れた**お米**(i)は世界一おいしい。

⑥ふろから上がって飲むビールの**あじ**(j)は最高だ。

⑦**いたみ**(k)を**とる**(l) **強力な**(m)薬を使ったので、**苦痛**(n)は**無かった**(o)。

a	b がって	c	d	e
f	g	h	i お	j
k	l	m な	n	o かった

第12回 300まで

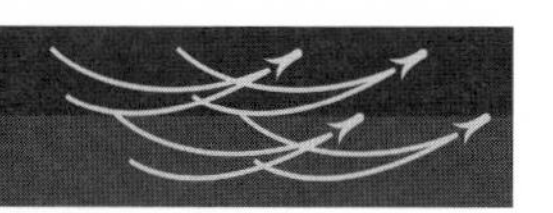

Ⅰ　ＣＤを聞いて、指示された数の漢字を使って文を書きなさい。数字も漢字で書きます。CD13

① (6) ______

② (6) ______

③ (6) ______

④ (11) ______

⑤ (4) ______

⑥ (6) ______

⑦ (10) ______

Ⅱ　______の部分の漢字には読み仮名を、平仮名には漢字を（送り仮名も）書きなさい。

①今朝(a)は暖かかったが、よる(b)は気温がひくく(c)なるらしい。

②家内(d)と話をして、明後日(e)までにお返事(f)させていただきます。

③ここに、おなまえ(g)を書いてください。名字(h)だけで結構です。

④上野駅でおりて(i)、下町(j)の名所(k)を歩いて回った。

⑤き(l)を見てもり(m)を見ないというのは、ぶぶん(n)だけ見てぜんたい(o)を見ないことのたとえだ。

a	b	c	d	e
f お	g お	h	i	j
k	l	m	n	o

第13回 300まで

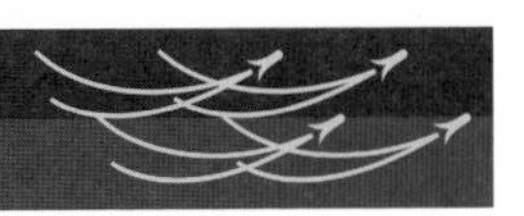

Ⅰ　ＣＤを聞いて、指示された数の漢字を使って文を書きなさい。数字も漢字で書きます。CD14

① (7) ________

② (11) ________

③ (10) ________

④ (8) ________

⑤ (8) ________

⑥ (9) ________

⑦ (10) ________

Ⅱ　＿＿の部分の漢字には読み仮名を、平仮名には漢字を（送り仮名も）書きなさい。

①秋のスーツを作りたいのですが、**無地**(a)の**生地**(b)を**みせて**(c)ください。

②私たちは**夜明け**(d)を待って出発した。

③毎月**八日**(e)は角の**八百屋**(f)で**やすうり**(g)がある。

④**ゆうしょく**(h)は、その地方の**とくべつな**(i)料理を味わった。

⑤信号が**あお**(j)でも**左右**(k)をよく見てから道を渡ってください。

⑥運動会は**らいげつ**(l)の**一日**(m)に開かれる。

⑦海外旅行では、パスポートは**常に**(n) **用心**(o)して持っていなければならない。

a	b	c	d　　け	e
f	g	h	i	j
k	l	m	n　　に	o

第14回 300まで

Ⅰ　ＣＤを聞いて、指示された数の漢字を使って文を書きなさい。数字も漢字で書きます。CD15

①　(8)　＿＿＿＿＿＿＿＿＿＿

②　(5)　＿＿＿＿＿＿＿＿＿＿

③　(11)　＿＿＿＿＿＿＿＿＿＿

④　(11)　＿＿＿＿＿＿＿＿＿＿

⑤　(9)　＿＿＿＿＿＿＿＿＿＿

⑥　(5)　＿＿＿＿＿＿＿＿＿＿

⑦　(6)　＿＿＿＿＿＿＿＿＿＿

Ⅱ　＿＿＿の部分の漢字には読み仮名を、平仮名には漢字を（送り仮名も）書きなさい。

①**見送り**(a)に来てくれた**とも**(b)との**わかれ**(c)は、私の心に深く残っている。

②**明かり**(d)を**けして**(e)目を**とじる**(f)と、今日１日の**出来事**(g)が思い起こされる。

③３人**姉妹**(h)は、上が**ここのつ**(i)、真ん中が**むっつ**(j)、一番下が**よっつ**(k)になる。

④女の子が**無事**(l)家に帰ったという**はなし**(m)を聞いて安心した。

⑤イタリア語も話せば、ロシア語も話す。あの人はいったい**何人**(n)なのだろう。

⑥犬や猫は生まれた時から歯が**生えて**(o)いる。

a　　り	b	c	d　　かり	e
f	g	h	i	j
k	l	m	n	o　　えて

ステップ 2 第 15 回 ～ 第 30 回

第15回　332まで

Ⅰ　CDを聞いて、指示(しじ)された数(かず)の漢字を使って文を書きなさい。CD16

① (4) ＿＿＿＿＿＿＿＿＿＿＿＿＿＿＿＿

② (8) ＿＿＿＿＿＿＿＿＿＿＿＿＿＿＿＿

③ (7) ＿＿＿＿＿＿＿＿＿＿＿＿＿＿＿＿

Ⅱ　□の中の漢字を使って、文を完成(かんせい)させなさい。＿＿部分の読み方も書きなさい。

~~帰~~	温	返	加	解	過

（例(れい)）今日は妻(つま)の誕生日(たんじょうび)なので、早く家へ＿**帰ろう**＿。
　　　　　　　　　　　　　　　　（かえろう）

①勉強不足で、こんな易(やさ)しい問題(もんだい)も＿＿＿＿ことができない。
　　　　　　　　　　　　　　（　　　　）

②この料理は酒(さけ)を＿＿＿＿と、もっとおいしくなります。
　　　　　　　　（　　　　）

③寒かったでしょう。今、スープを＿＿＿＿ますから。
　　　　　　　　　　　　（　　　　ます）

④約束(やくそく)の時間を＿＿＿＿たのに、まだ友達(ともだち)は来ない。
　　　　　　　（　　　　た）

⑤電車に忘(わす)れたかばんの中には、先生に＿＿＿＿大切な本が入っていた。
　　　　　　　　　　　　　　　　（　　　　）

Ⅲ　□には同じ漢字が入ります。解答欄(らん)に漢字と＿＿の部分の読み方を書きなさい。

（例(れい)）手術(しゅじゅつ)のため、近くの**病□**(a)に**入□**(b)した。

①昼食は**□自**(c)、持参(じさん)のこと。／全国**□地**(d)を旅行する。

②雨が降っていたので、**体□館**(e)でバスケットをした。／
　国の発展(はってん)を支(ささ)えるのは**教□**(f)だ。

(例) 院	a	びょういん
	b	にゅういん
①	c	
	d	
②	e	
	f	

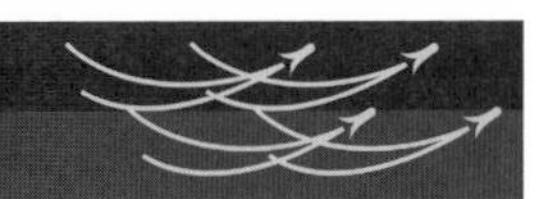

③彼(かれ)は、遅刻(ちこく)も欠席(けっせき)も一度もない□**心な**(g)学生だ。／

映画を見て□**動した**(h)のは、久(ひさ)しぶりだ。

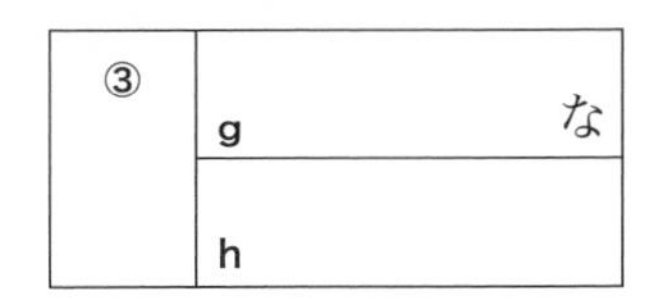

③	g　　　　　な
	h

Ⅳ ＿＿＿の部分の漢字には読(よ)み仮名(がな)を、平仮名(ひらがな)には漢字を（送(おく)り仮名(がな)も）書きなさい。

①父は**絵画**(a)を集めるのが趣味(しゅみ)です。　②取ったばかりの**かい**(b)を**生**(c)で食べた。

③これは**とり**(d)に変(か)えられてしまった**王子**(e)の**物語**(f)です。

④駅前にできるマンションは**いちおくえん**(g)するらしい。　⑤机(つくえ)の**角**(h)にぶつけた腕(うで)が痛い。

⑥書類(しょるい)のサインが本人のものであることは**あきらか**(i)だ。

⑦そちらの**様子**(j)が分かったらメールで知らせてください。

a	b	c	d	e
f	g	h	i	j

Ⅴ ＿＿＿の部分の漢字、または読み方を選(えら)びなさい。

①私には無理な仕事なのに、**ごういんに**頼(たの)まれてしまった。

1　号引に　　2　強引に　　3　強飲に　　4　合員に

②A：田中(たなか)はただ今、外出しておりますが。B：それでは、日を**あらためて**参(まい)ります。

1　改めて　　2　変めて　　3　新めて　　4　更めて

③あの人は、いつもおかしな**かっこう**をしている。

1　格好　　2　活行　　3　格行　　4　活好

④「席(せき)は必(かなら)ず取れる。約束(やくそく)する。」と言っていたが、**果たして**取れたのだろうか。

1　かたして　　2　はてたして　　3　はたして　　4　くだたして

⑤彼女(かのじょ)は「**自ら**学ぶことの楽しさが分かりました。」と言った。

1　じから　　2　わたしから　　3　しから　　4　みずから

第16回 355まで

Ⅰ　ＣＤを聞いて、指示(しじ)された数(かず)の漢字を使って文を書きなさい。CD17

①　(8)　＿＿＿＿＿＿＿＿＿＿＿＿＿＿＿＿＿＿＿＿

②　(8)　＿＿＿＿＿＿＿＿＿＿＿＿＿＿＿＿＿＿＿＿

Ⅱ　ＡとＢの漢字を組(く)み合(あ)わせて、文を完成(かんせい)させなさい。＿＿＿部分の読み方も書きなさい。

A	~~学~~　意　以　日　活　経	B	~~校~~　外　気　課　営　降

(例(れい))日本へ来てから日本語＿**学校**＿で日本語を勉強しています。
(がっこう)

①私は朝のランニングを＿＿＿＿＿にしている。
(　　　　　)

②この村は若者(わかもの)が都会に出てしまったので、＿＿＿＿＿がなくなった。
(　　　　　)

③思いもしなかった＿＿＿＿＿な結果(けっか)となった。
(　　　　　な)

④私の父は会社を＿＿＿＿＿している。
(　　　　　)

⑤明日は胃(い)の検査(けんさ)がありますから、夜８時＿＿＿＿＿は何も食べないでください。
(　　　　　)

Ⅲ　□には同じ漢字が入ります。解答欄(らん)に漢字と＿＿＿の部分の読み方を書きなさい。

①**三□形**(a)の三つの**□度**(b)を合(あ)わせると、180度になる。

②年に１度、**お正□**(c)には家族が集まる。／「**□日**(d)の流(なが)れるのは早いものだ。」とよく言う。

③ここに、あなたの名前と住所を**□入して**(e)ください。／今朝の新聞に、昨日の列車事故(れっしゃじこ)の**□事**(f)が載(の)っている。

①	a
	b
②	c　お
	d
③	e
	f

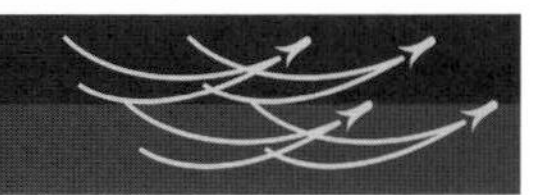

④彼とは□通の話題が多く、話が合う。／
学生寮はふろとトイレが□同だ。

(g: □**通**, h: □**同**)

④	g
	h

Ⅳ ＿＿の部分の漢字には読み仮名を、平仮名には漢字を（送り仮名も）書きなさい。

①今回の計画を進めるに当たっては、**各々**(a)の**長所**(b)を発揮してほしい。

②**過去**(c)のことはもう思い出したくない。

③**会議**(d)が**長引いて**(e)パーティーに出席できなかった。

④父は、電気**きぐ**(f)の修理の仕事をしている。

⑤**お住まい**(g)はどちらですか。**無料**(h)で配達させていただきます。

⑥**体温計**(i)で熱を測ると、38度もあった。

⑦時計は時を**計る**(j)機械だ。

a	b	c	d	e　　　いて
f	g　お　　まい	h	i	j　　　る

Ⅴ ＿＿の部分の漢字、または読み方を選びなさい。

①この人形の目は、ガラスの**たま**でできている。

1　円　　2　丸　　3　球　　4　玉

②台風が**過ぎ去った**(1)あと、風で倒された**大木**(2)が何本も**転がって**(3)いた。

(1) 1　すぎさった　　2　すぎいった　　3　すぎきった　　4　すぎちった
(2) 1　たいぼく　　2　だいぼく　　3　たいもく　　4　だいもく
(3) 1　ごろがって　　2　ころがって　　3　こどがって　　4　ことがって

③国民の代表として信頼するに**足る**人物が首相に選ばれるべきだ。

1　たする　　2　たりる　　3　たる　　4　そくる

第17回 375まで

I　ＣＤを聞いて、指示(しじ)された数(かず)の漢字を使って文を書きなさい。CD18

① (6) ________________

② (5) ________________

③ (10) ________________

II　□の中の漢字を使って、文を完成(かんせい)させなさい。＿＿部分の読み方も書きなさい。

結	育	改	用	光

①この規則(きそく)は現状(げんじょう)に合わないので、＿＿＿＿ことになった。
(　　　　)

②生活は苦しかったが、子供(こども)たちは明るく＿＿＿＿てくれた。
(　　　　て)

③短いひもを何本も＿＿＿＿で長いひもを作る。
(　　　　で)

④北の空に明るく＿＿＿＿ているのが北極星(ほっきょくせい)です。
(　　　　て)

⑤この公式(こうしき)を＿＿＿＿と問題(もんだい)が簡単(かんたん)に解けますよ。
(　　　　)

III　□には同じ漢字が入ります。解答欄(らん)に漢字と＿＿の部分の読み方を書きなさい。

①弟は**水□**(a)大会で500メートルを**□いだ**(b)。

②北の**方□**(c)に**□かって**(d)、まっすぐ2キロほど進(すす)んでください。

③彼(かれ)は「留学(りゅうがく)は十分考えて**□めた**(e)ことだから。」と言って、両親(りょうしん)が反対(はんたい)しても**□心**(f)を変(か)えようとしなかった。

④いいお返事が頂(いただ)けることを**期□して**(g) **□って**(h)います。

①	a	
	b	いだ
②	c	
	d	かって
③	e	めた
	f	
④	g	
	h	って

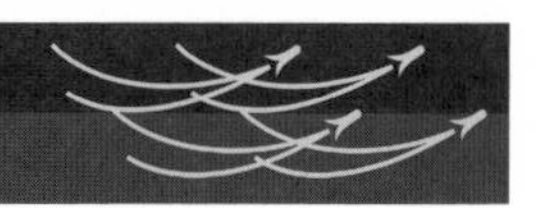

Ⅳ ＿＿＿の部分の漢字には読み仮名(よみがな)を、平仮名(ひらがな)には漢字を（送り仮名(おくりがな)も）書きなさい。

①はがきのような**形**(a)を、**長方形**(b)という。

②夏休みを海外で**すごした**(c)。

③学校はここから北の**方角**(d)にある。

④その**じけん**(e)について、知っている**かぎり**(f)のことを話してほしい。

⑤賛成多数(さんせい たすう)により**かけつ**(g)します。

⑥**私鉄**(h)の労働者(ろうどうしゃ)の組合(くみあい)がストを**おこした**(i)。

⑦十の**位**(j)で四捨五入(ししゃごにゅう)してください。

a	b	c	d	e
f	g	h	i	j

Ⅴ ＿＿＿の部分の漢字、または読み方を選(えら)びなさい。

①好(す)き嫌(きら)いがあまりなく、チーズ**いがい**なら何でも食べられる。

1　位外　　2　以外　　3　意外　　4　移外

②親友の田中(たなか)さんと私は、学生時代、**ともに**スポーツをした仲(なか)です。

1　友に　　2　供に　　3　緒に　　4　共に

③メンバーのうちの一人が**欠けても**、試合(しあい)には出場できない。

1　かけても　　2　ぬけても　　3　さけても　　4　とけても

④遠くまで飛(と)んでいったゴルフの**球**を見失(みうしな)ってしまった。

1　きゅう　　2　あな　　3　たま　　4　だま

⑤明日の天気は、晴れ**後** 曇(くも)りとなるでしょう。

1　あと　　2　のち　　3　うしろ　　4　ご

第18回 395まで

Ⅰ　ＣＤを聞いて、指示(しじ)された数(かず)の漢字を使って文を書きなさい。CD19

①　(5)　＿＿＿＿＿＿＿＿＿＿＿＿＿＿＿＿＿＿＿＿

②　(7)　＿＿＿＿＿＿＿＿＿＿＿＿＿＿＿＿＿＿＿＿

Ⅱ　ＡとＢの漢字を組(く)み合(あ)わせて、文を完成(かんせい)させなさい。＿＿部分の読み方も書きなさい。

A	生　目　国　空　山	B	際　次　林　産　港

①＿＿＿＿のロビーは、出迎(でむか)えや見送りの人で込(こ)んでいた。
（　　　　）

②この県は面積(めんせき)の大部分が＿＿＿＿で平野(へいや)がないため、米はあまり取れない。
（　　　　）

③本の内容(ないよう)は＿＿＿＿を見れば大体分かります。
（　　　　）

④この工場では、１日に1,000台の車が＿＿＿＿されている。
（　　　　）

⑤世界の学者が集まって＿＿＿＿会議が開かれた。
（　　　　）

Ⅲ　□には同じ漢字が入ります。解答欄(らん)に漢字と＿＿の部分の読み方を書きなさい。

①社会に出て自分の能力(のうりょく)の**□界**(a)を知る。／
資源(しげん)は**無□**(b)ではありません。大切にしましょう。

②私がＡ大学に**□学中**(c)、お世話になったＢ教授(きょうじゅ)は、**現□**(d)は作家として活躍(かつやく)している。

③問題(もんだい)の**□答**(e)を見たけれど、**理□**(f)できなかった。

①	a
	b
②	c
	d
③	e
	f

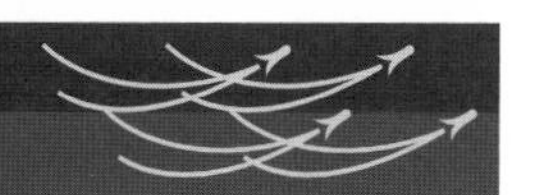

④専門学校が□**同**で説明会を開く。／
g
今のやり方は無駄が多いので、もっと□**理化**したい。
h
⑤この商品は今までの物にはない**特**□があります。／
i
町□と町の予算について話し合う。
j

④	g
	h
⑤	i
	j

Ⅳ ＿＿＿の部分の漢字には読み仮名を、平仮名には漢字を（送り仮名も）書きなさい。

①植物は**根**から**土**の中の水や養分を**取り入れる**。
a b c

②**今学期**の**試験**は、教科書の始めから５**か**までです。
d e f

③**痛い**と思ったら、**指**から**血**が出ていた。
g h i

④この事は**決して**人には言わないでください。
j

a	b	c り れる	d	e
f	g い	h	i	j して

Ｖ ＿＿＿の部分の漢字、または読み方を選びなさい。

①**港**へ行く道を聞くと、駅員は地図を**さして**説明してくれた。
(1) (2)

(1) 1 こう 2 うみ 3 みなと 4 わん
(2) 1 示して 2 差して 3 目して 4 指して

②この薬はお茶と一緒に飲むと**きかない**から、必ず水かお湯で飲んでください。

1 聞かない 2 利かない 3 働かない 4 効かない

③鉄道や電話が**通じ**、ヨーロッパの**文明**を取り入れたことで、日本の近代化が進んだ。
(1) (2)

(1) 1 つうじ 2 とおじ 3 かよいじ 4 とうじ
(2) 1 もんめい 2 ぶんめい 3 ふんみょう 4 ぶんみょう

第19回 415まで

Ⅰ　ＣＤを聞いて、指示された数(かず)の漢字を使って文を書きなさい。CD20

①　(8)　＿＿＿＿＿＿＿＿＿＿＿＿＿＿＿＿＿＿＿＿

②　(3)　＿＿＿＿＿＿＿＿＿＿＿＿＿＿＿＿＿＿＿＿

Ⅱ　□の中の漢字を使って、文を完成(かんせい)させなさい。＿＿＿部分の読み方も書きなさい。

示	試	失	死	効

①彼(かれ)は仕事で大きなミスをして、社長の信頼(しんらい)を＿＿＿＿た。
（　　　　た）

②具体的(ぐたいてき)な数字(すうじ)や図を＿＿＿＿て説明(せつめい)すると分かりやすい。
（　　　　て）

③生(せい)あるものは、必(かなら)ず＿＿＿＿。
（　　　　）

④この薬は、頭痛(ずつう)によく＿＿＿＿。
（　　　　）

⑤エンジンがちゃんと動くかどうか＿＿＿＿てみよう。
（　　　　て）

Ⅲ　□には同じ漢字が入ります。解答欄(らん)に漢字と＿＿＿の部分の読み方を書きなさい。

①500万円を**□本**(a)にして小さな会社を始めた。／
明日の会議の**□料**(b)を用意しておいてください。

②伝統的(でんとうてき)な**形□**(c)を重視した**結婚□**(d)は、今の若者に人気がない。

③日本人は喜びや悲(かな)しみなどの**感□**(e)をあまり表(あらわ)さないと言われている。／家庭(かてい)の**事□**(f)で進学(しんがく)をあきらめた。

④品物は安くていいし、客には親切だし、あの店の主人は本当(ほんとう)に**□売**(g)が上手だ。／姉は会社で新しい**□品**(h)を開発(かいはつ)する仕事をしている。

①		a
		b
②		c
		d
③		e
		f
④		g
		h

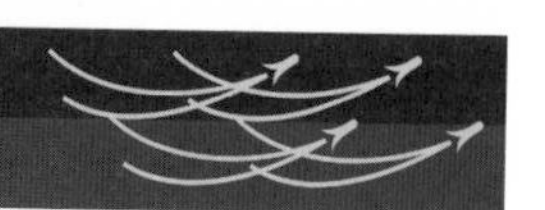

⑤ナイロンは石油(せきゆ)を□料(i)として作られている。／水道もガスもない山の中での□始(j)的(てき)な生活もいいものだ。

⑤	i
	j

Ⅳ ＿＿＿の部分の漢字には読み仮名(よみがな)を、平仮名(ひらがな)には漢字を（送り仮名(おくりがな)も）書きなさい。

①世界には**おう**(a)のいる国がいくつかある。

②**きょうし**(b)になることが私の夢(ゆめ)でした。

③**長年**(c)の**けんきゅう**(d)が**実**(e)を**結んだ**(f)。

④このゲームは先に**三勝**(g)したほうが**勝ち**(h)です。

⑤何とか**しゅじゅつ**(i)をしないで薬だけで**治したい**(j)。

a	b	c	d	e
f　　んだ	g	h　　ち	i	j　　したい

Ⅴ ＿＿＿の部分の漢字、または読み方を選(えら)びなさい。

①**向こう**(1)に見える**四つ角**(2)は車が多くて危ない。

(1) 1　むっこう　　2　むうこう　　3　むこう　　4　むきこう

(2) 1　よつかど　　2　よっつかど　　3　よつかく　　4　よっつかく

②フランス語は**初歩**を勉強しただけです。

1　しょうほ　　2　しょほ　　3　しょほう　　4　しょうほう

③私たちは**険しい**(1)山道を、頂上(ちょうじょう)を**目指して**(2)進(すす)んだ。

(1) 1　けんしい　　2　きびしい　　3　あやしい　　4　けわしい

(2) 1　もくしして　　2　もくさして　　3　めさして　　4　めざして

第20回 435まで

Ⅰ　ＣＤを聞いて、指示された数の漢字を使って文を書きなさい。CD21

①　⑷ ______________________________

②　⑿ ______________________________

Ⅱ　ＡとＢの漢字を組(く)み合(あ)わせて、文を完成させなさい。＿＿＿部分の読み方も書きなさい。

Ａ　政　助　社　身　果　　Ｂ　説　分　実　手　治

①彼(かれ)は民主的(みんしゅてき)で清潔(せいけつ)な＿＿＿＿家を目指している。
（　　　　）

②新聞の＿＿＿＿には、新聞社の主張(しゅちょう)が表(あらわ)れている。
（　　　　）

③資料の整理(せいり)を手伝(てつだ)ってくれる＿＿＿＿を求(もと)めている。
（　　　　）

④いちごやレモンの＿＿＿＿酒が若い女性に人気だ。
（　　　　）

⑤昔(むかし)は、愛(あい)し合(あ)っていても＿＿＿＿が違うと結婚できなかった。
（　　　　）

Ⅲ　□に漢字を入れて、文の意味を表(あらわ)す言葉を完成させなさい。読み方も書きなさい。

（例(れい)）学校で、勉強する所＝ 教 室
（きょうしつ）

①去年のその前の年＝□□年
（　　　　）

②文字などに書いたものを見なくても言えるように覚(おぼ)えること＝□記
（　　　　）

③試験などにパスすること＝合□
（　　　　）

④法律(ほうりつ)や規則(きそく)を直(なお)してよくすること＝□正

（　　　　　）

⑤空気などの物質が全く存在(そんざい)しない状態(じょうたい)＝□空

（　　　　　）

Ⅳ ＿＿の部分の漢字には読(よ)み仮名(がな)を、平仮名(ひらがな)には漢字を（送(おく)り仮名(がな)も）書きなさい。

①**ゆき**(a)を見るのは**はじめて**(b)だ。**やね**(c)にも地面(じめん)にも積(つ)もっている。

②日本でも進んで育児(いくじ)をする**男性**(d)が増(ふ)えている。

③「初(はつ)もうで」というのは、その年１年の家族の健康(けんこう)を**ねがって**(e)、**元日**(f)に**てら**(g)や**神社**(h)にお参(まい)りすることです。

④**しずかな**(i)秋の夜は読書を楽しむ。

⑤前のほうの方は、どうか**おすわり**(j)ください。

a	b	c	d	e
f	g	h	i	j

Ⅴ ＿＿の部分の読み方を選(えら)びなさい。

①親の**笑顔**は子供(こども)を安心させる。

1　わらいがお　　2　えみがお　　3　えがお　　4　えかお

②ニューヨークには、様々な**人種**の人々がいる。

1　じんしゅ　　2　じんしゅう　　3　じんじゅ　　4　にんしゅ

③この植物(しょくぶつ)は**日光**(1)に当(あ)てるとよくないので、日の**差さない**(2)所に移(うつ)そう。

(1) 1　じつこう　　2　じっこう　　3　にちこう　　4　にっこう

(2) 1　かさない　　2　ささない　　3　いさない　　4　ほさない

④一人で**酒場**で飲むのも、またいいものだ。

1　さけば　　2　さかば　　3　さけじょう　　4　さかじょう

第21回 455まで

Ⅰ　ＣＤを聞いて、指示された数の漢字を使って文を書きなさい。CD22

①　(8)　＿＿＿＿＿＿＿＿＿＿＿＿＿＿＿＿＿＿＿＿

②　(7)　＿＿＿＿＿＿＿＿＿＿＿＿＿＿＿＿＿＿＿＿

③　(9)　＿＿＿＿＿＿＿＿＿＿＿＿＿＿＿＿＿＿＿＿

Ⅱ　ＡとＢの漢字を組(く)み合(あ)わせて、文を完成させなさい。＿＿＿部分の読み方も書きなさい。

A　勝　相　身　相　対　成　　B　違　手　立　分　続　長

①外国語の勉強には、文化の＿＿＿＿＿を理解することも大切だ。
(　　　　　)

②断(ことわ)りなく＿＿＿＿＿に書類(しょるい)の場所を変(か)えられたら困る。
(　　　　　)

③父の死後、兄だけがその財産(ざいさん)を＿＿＿＿＿した。
(　　　　　)

④進路(しんろ)をめぐって、父親と意見が＿＿＿＿＿している。
(　　　　　)

⑤分析(ぶんせき)の結果、この物質の＿＿＿＿＿が明らかになった。
(　　　　　)

⑥150センチの＿＿＿＿＿で体重80キロなら、健康(けんこう)のためにダイエットをしたほうがいい。
(　　　　　)

Ⅲ　□には同じ漢字が入ります。解答欄(らん)に漢字と＿＿＿の部分の読み方を書きなさい。

①この家は有名な建築家(けんちくか)が**□計した**。／
(a: □計した)

ビルの**建□**現場では、安全が第一だ。
(b: 建□)

②明日は一日中**自□**におります。／最近忙(いそが)しくて、**帰□**は毎晩11時過ぎですよ。
(c: 自□　d: 帰□)

③ここは交通事故(じこ)が多いので**□号機**をつけてほしい。／
(e: □号機)

私はどんな困難(こんなん)にも負(ま)けない**自□**がある。
(f: 自□)

①	a
	b
②	c
	d
③	e
	f

④この**問□**は難しくて分からない。／
g

今朝聞いた歌の**□名**が思い出せない。
h

⑤来年から入試**□度**が変わるそうだ。／
i

父は血圧が高いので、一日に取る塩を**□限されて**いる。
j

④	g
	h
⑤	i
	j

Ⅳ ＿＿＿の部分の漢字には読み仮名を、平仮名には漢字を（送り仮名も）書きなさい。

①**ちきゅう**の**しぜん**を守るために、京都で**かいぎ**が開かれた。
a b c

②**きのう**は一晩中**ほし**を観察していました。
d e

③課長は仕事を頼む時、**細かい**ことまで**しじ**する。
f g

④「遠くの親せきより近くの**たにん**」ということわざがある。
h

⑤**戦争**は、たとえ勝っても**戦った**者の心に深い傷を残す。
i j

a	b	c	d	e
f かい	g	h	i	j った

Ⅴ ＿＿＿の部分の漢字、または読み方を選びなさい。

①戦いに勝ってこの地方を**治めた**のは、農民**出身**の一人の男だった。
(1) (2)

(1) 1 おさめた 2 なおめた 3 いさめた 4 からめた

(2) 1 しゅつじん 2 しゅうじん 3 すいしん 4 しゅっしん

②これは謝れば**すむ**というものではない。

1 住む 2 済む 3 終む 4 解む

③具体的に**数字**を挙げて、説明してください。

1 すんじ 2 すいじ 3 すうじ 4 すじ

④古代日本人は、身の回りのものすべてに**かみ**が存在すると考えた。

1 社 2 守 3 神 4 祝

第22回 475まで

Ⅰ　ＣＤを聞いて、指示された数の漢字を使って文を書きなさい。CD23

①　(8)　＿＿＿＿＿＿＿＿＿＿＿＿＿＿＿＿＿＿＿＿＿＿＿＿＿＿＿＿

②　(5)　＿＿＿＿＿＿＿＿＿＿＿＿＿＿＿＿＿＿＿＿＿＿＿＿＿＿＿＿

Ⅱ　□の中の漢字を使って、文を完成させなさい。＿＿＿部分の読み方も書きなさい。

折　助　追　調　注　達

①神戸（こうべ）の大地震（じしん）では、死亡（しぼう）者は6,400人に＿＿＿＿た。
（　　　　た）

②荒川（あらかわ）は関東平野（かんとうへいや）を流（なが）れて、東京湾（とうきょうわん）に＿＿＿＿でいる。
（　　　　で）

③毎日忙（いそが）しいですが、子供（こども）たちが手伝ってくれるので＿＿＿＿ています。
（　　　　て）

④このごろ仕事に＿＿＿＿れて休む暇（ひま）がない。
（　　　　れて）

⑤強い風で、木の枝（えだ）が＿＿＿＿てしまった。
（　　　　て）

⑥若者言葉（ことば）について＿＿＿＿て、レポートにまとめなければならない。
（　　　　て）

Ⅲ　□には同じ漢字が入ります。解答欄（らん）に漢字と＿＿＿の部分の読み方を書きなさい。

①サッカーの試合の代表（だいひょう）には、若い**□手**(a)が**□ばれた**(b)。

②日本語の勉強がなかなか**□まない**(c)とあなたは言うけれど、

ずいぶん**□歩しました**(d)よ。

③結婚式のことは、**□手**(e)の両親（りょうしん）とも**□談して**(f)決める。

④引（ひ）っ越（こ）しの前に、家具を**□く**(g)　**位□**(h)を決めておこう。

①	a	
	b	ばれた
②	c	まない
	d	
③	e	
	f	
④	g	く
	h	

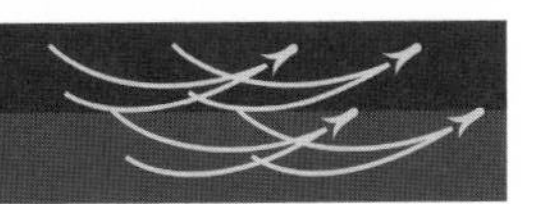

⑤車は**時□**(i)200キロという、ものすごい**□さ**(j)で走(はし)り抜(ぬ)けた。

⑥今日はこの夏**□も**(k)暑い１日となり、**□高**(l)気温は熊谷(くまがや)市で43度を記録(きろく)した。

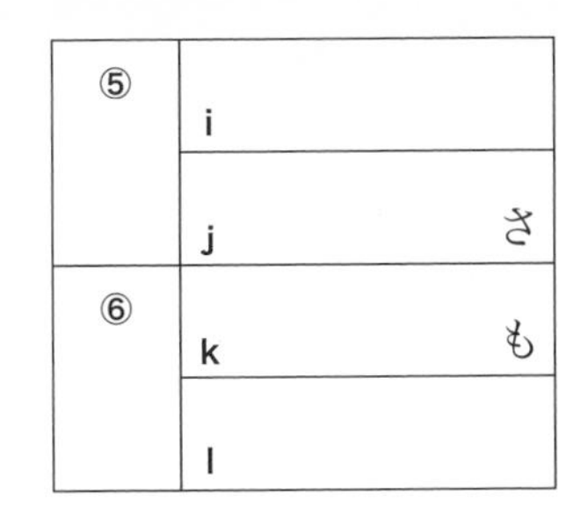

⑤	i
	j　　　さ
⑥	k　　　も
	l

Ⅳ ＿＿＿の部分の漢字には読(よ)み仮名(がな)を、平仮名(ひらがな)には漢字を（送(おく)り仮名(がな)も）書きなさい。

①**ぐん**(a)の**かんけい**(b)者は、戦争の責任(せきにん)を問われた。　②田中(たなか)さんに**伝言**(c)をお願いします。

③苦労(くろう)した人の言葉(ことば)は人の心を**うつ**(d)。　④この**しゃしん**(e)は**実物**(f)よりよく**うつって**(g)いる。

⑤Ａ：木村(きむら)さん、**遅い**(h)ね。Ｂ：事故(じこ)があって、電車が**遅れて**(i)いるらしいよ。

⑥ＡさんとＢさんの日本語の力は、ほとんど**さ**(j)がない。

a	b	c	d	e
f	g	h　　　い	i　　　れて	j

Ｖ ＿＿＿の部分の読み方を選びなさい。

①テレビの**深夜**(1) **番組**(2)を見ていたら、つい寝るのが遅くなってしまった。

(1) 1　しんや　　2　しんよ　　3　ふかや　　4　ふかよ

(2) 1　ばんそ　　2　はんそ　　3　ばんぐみ　　4　ばんくみ

②この宝石(ほうせき)は、海の**底**から拾(ひろ)い上(あ)げたものだそうです。

1　そこ　　2　てい　　3　とこ　　4　した

③友達３人に引(ひ)っ越(こ)しを**手伝って**もらった。

1　しゅでって　　2　しゅだって　　3　てつでって　　4　てつだって

④この部屋は大きすぎて、なかなか**暖まらない**。

1　あたまらない　　2　あだたまらない

3　あたたまらない　　4　あかたまらない

第23回 495まで

Ⅰ　ＣＤを聞いて、指示された数の漢字を使って文を書きなさい。CD24

①　(8)　＿＿＿＿＿＿＿＿＿＿＿＿＿＿＿＿＿＿＿＿

②　(7)　＿＿＿＿＿＿＿＿＿＿＿＿＿＿＿＿＿＿＿＿

Ⅱ　□の中の漢字を使って、(動詞(どうし)で) 文を完成させなさい。＿＿部分の読み方も書きなさい。

直	静	熱	深	争	比

①すみませんが、漢字に間違いがあったら＿＿＿＿ていただけませんか。
(　　　　て)

②うるさかった会場が、彼の一言で＿＿＿＿た。
(　　　　た)

③兄弟が相続をめぐって長年＿＿＿＿ている。
(　　　　て)

④水を＿＿＿＿と水蒸気(すいじょうき)になり、冷(ひ)やすと再(ふたた)び水に戻(もど)る。
(　　　　)

⑤去年に＿＿＿＿と、今年の夏は涼(すず)しかった。
(　　　　)

⑥実際に日本で生活したことによって、日本文化に対する理解が＿＿＿＿た。
(　　　　た)

Ⅲ　□には同じ漢字が入ります。解答欄(らん)に漢字と＿＿の部分の読み方を書きなさい。

①入院したばかりで、いつ**□院できる**(a)か分からない。／
あの選手はこの試合を最後に**引□する**(b)そうですよ。

②父はたんすを作る**□人**(c)でした。／
仕事の忙(いそが)しさより、**□場**(d)の人間関係に疲れてしまう。

③眠(ねむ)れない時は、一つ二つと**□**(e)を**□える**(f)と眠(ねむ)れるそうだ。

④夏休み中に、文法(ぶんぽう)の**弱□**(g)を集中して勉強しよう。／
電車の中で眠(ねむ)ってしまい、**終□**(h)で車掌(しゃしょう)に起こされた。

①	a	
	b	
②	c	
	d	
③	e	
	f	える
④	g	
	h	

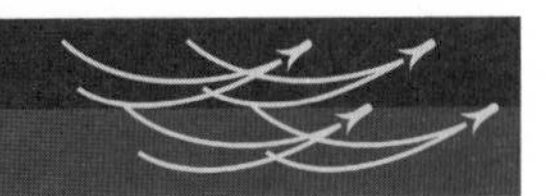

⑤毎年、この**時□**(i)は、仕事が忙(いそが)しくて日曜も休めない。／
短□間(j)でこれほど日本語が上手になるとは思わなかった。

⑤	i
	j

Ⅳ ＿＿＿の部分の漢字には読(よ)み仮名(がな)を、平仮名(ひらがな)には漢字を（送(おく)り仮名(がな)も）書きなさい。

①**彼女**(a)は、**はつおん**(b)がきれいだと言われて**とくいげ**(c)だった。

②あの選手は速い球を**投げる**(d)ので、今一番人気がある。

③松(まつ)と**たけ**(e)と梅(うめ)は、日本ではおめでたい植物(しょくぶつ)だと考えられています。

④今年こそ富士山(ふじさん)に**登りたい**(f)。

⑤少年はかわいがっていた犬が**しんで**(g)、**かなしそう**(h)だった。

⑥地球の**温暖化**(i)についての意見を新聞に**投書**(j)した。

a	b	c	d　　げる	e
f　　りたい	g	h	i	j

Ⅴ ＿＿＿の部分の漢字、または読み方を選びなさい。

①**かいかいしき**(1)で、きれいな色の**ふうせん**(2)を2,000個**とばす**(3)予定(よてい)だ。

(1) 1　解会式　　2　開会式　　3　会解式　　4　会開式
(2) 1　風線　　2　風栓　　3　風船　　4　風扇
(3) 1　跳ばす　　2　飛ばす　　3　突ばす　　4　浮ばす

②このところ**失業**(1)者が**ふえて**(2)いる。

(1) 1　しつぎょう　　2　しっきょう　　3　しっぎょう　　4　しつごう
(2) 1　殖えて　　2　植えて　　3　増えて　　4　憎えて

第24回 515まで

Ⅰ　ＣＤを聞いて、指示された数の漢字を使って文を書きなさい。CD25

①　(9) ＿＿＿＿＿＿＿＿＿＿＿＿＿＿＿＿＿＿＿＿

②　(9) ＿＿＿＿＿＿＿＿＿＿＿＿＿＿＿＿＿＿＿＿

Ⅱ　AとBの漢字を組み合わせて、文を完成させなさい。＿＿＿部分の読み方も書きなさい。

A 解　美　普　電　開　付　　B 近　池　人　放　放　通

①無事合格して、やっと受験勉強から＿＿＿＿された。
（　　　　　）

②＿＿＿＿が切れて時計が止まってしまった。
（　　　　　）

③冷房(れいぼう)中ですから、このドアは＿＿＿＿しないでください。
（　　　　　）

④この大学は、特別優秀(ゆうしゅう)でなくても＿＿＿＿の成績(せいせき)で入学できます。
（　　　　　）

⑤化学工場で事故(じこ)があったので、＿＿＿＿の住民(じゅうみん)は不安に思っている。
（　　　　　）

⑥お兄さんもハンサムなら、妹さんも＿＿＿＿だね。
（　　　　　）

Ⅲ　□には同じ漢字が入ります。解答欄(らん)に漢字と＿＿＿の部分の読み方を書きなさい。

①心配していた事が**□実**(a)となって**□れて**(b)、たくさんの失業者が出た。

②もう少しこの国に**□って**(c)いたかったのに、帰国しなければならず**□念**(d)です。

③**日本□**(e)はウイスキーほどではないが、ビールよりも強い**お□**(f)だ。

④「絶対(ぜったい)勝つぞ。**□ける**(g)ものか。」という強い気持ちがこの**勝□**(h)を決めた。

①	a	
	b	れて
②	c	って
	d	
③	e	
	f	お
④	g	ける
	h	

⑤額(ひたい)に触(さわ)ってみると**□かった**(i)ので、**□**(j)があるかもしれないと思った。

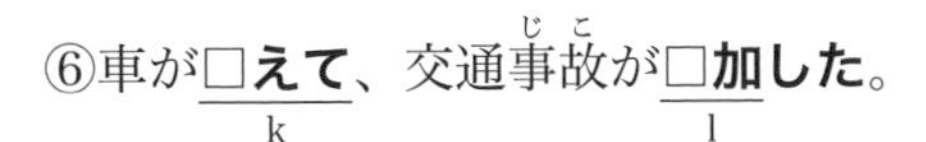

⑥車が**□えて**(k)、交通事(じ)故(こ)が**□加した**(l)。

⑤	i	かった
	j	
⑥	k	えて
	l	

Ⅳ　＿＿＿の部分の漢字には読(よ)み仮(が)名(な)を、平(ひら)仮(が)名(な)には漢字を（送(おく)り仮(が)名(な)も）書きなさい。

①仕事のことは**わすれて**(a)、今は病気を**なおす**(b)ことだけ考えなさい。

②この子には**絵**(c)の**さいのう**(d)があるようだ。　③**ふじんふく**(e)売り場は５階です。

④会社での**ちい**(f)が上がれば仕事も**いそがしく**(g)なる。

⑤この紙は、どちらが**表**(h)か分かりにくい。

⑥この時計は目の玉が**飛び出る**(i)くらい高かった。

⑦二人の話し合いはどこまでいっても**へいこう**(j)線で一(いっ)致(ち)しなかった。

a	b	c	d	e
f	g	h	i　び　る	j

Ⅴ　＿＿＿の部分の漢字、または読み方を選びなさい。

①**首相**(1)は、５日間の予(よ)定(てい)でヨーロッパ諸(しょ)国(こく)を**ほうもん**(2)するそうだ。

(1) 1　しゅそう　　2　しゅしょう　　3　しゅうしょう　　4　しゅうそう

(2) 1　訪問　　2　防問　　3　訪門　　4　防門

②地(じ)震(しん)の場合は**直ちに**机(つくえ)の下に入ってください。

1　ただちに　　2　すぐちに　　3　たちまちに　　4　ちょくちに

③この地方の家は、夏の暑さを**ふせぐ**ために窓(まど)が小さく作られている。

1　倣ぐ　　2　妨ぐ　　3　坊ぐ　　4　防ぐ

④新しい仕事は数名でチームを**くんで**やってほしい。

1　協んで　　2　緒んで　　3　組んで　　4　共んで

第25回 535まで

Ⅰ　ＣＤを聞いて、指示された数の漢字を使って文を書きなさい。CD26

① ⑽ ＿＿＿＿＿＿＿＿＿＿＿＿＿＿＿＿

② ⑺ ＿＿＿＿＿＿＿＿＿＿＿＿＿＿＿＿

Ⅱ　□の中の漢字を使って、文を完成させなさい。＿＿部分の読み方も書きなさい。

表　在　信　伝　望　増

①仏教(ぶっきょう)はインドから中国に、そして朝鮮(ちょうせん)半島を渡(わた)って日本に＿＿＿＿た。
（　　　　た）

②テストは大変難しかったので、合格したとは＿＿＿＿られない思いだ。
（　　　　）

③秋になると食欲(しょくよく)が＿＿＿＿。　④彼女は思ったことをすぐに顔に＿＿＿＿。
（　　　　）　（　　　　）

⑤家族は手術を＿＿＿＿でいるが、患者(かんじゃ)本人は嫌(いや)がっている。
（　　　　で）

⑥私が今日(こんにち)＿＿＿＿のは、すべてあなたのおかげです。
（　　　　）

Ⅲ　□には同じ漢字が入ります。解答欄(らん)に漢字と＿＿の部分の読み方を書きなさい。

①**次□に**(a)順(じゅん)位(い)が上がって、とうとう**□一位**(b)になった。

②写真は必ず**正□**(c)から撮(と)ったものをはってください。／
雨が降ったのかな。**地□**(d)がぬれている。

③これは**人□**(e)にかかわる重大な問題だ。／こんな事件を起こした以上、彼の政治家としての**生□**(f)はもう終わりだ。

④秋には**□村**(g)で**□民**(h)たちが作物の収穫(しゅうかく)を祝(いわ)う祭(まつ)りがある。

⑤この事件の犯人(はんにん)は分からず、今も**□解決**(i)のままだ。／
人類(じんるい)の**□来**(j)はだれにも分からない。

①	a　　　　に
	b
②	c
	d
③	e
	f
④	g
	h
⑤	i
	j

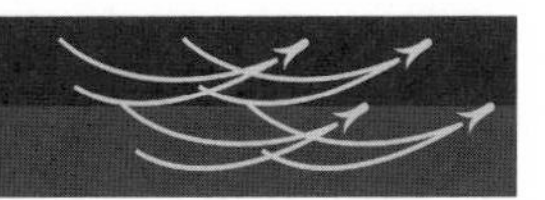

⑥グラムやトンは重さを量(はか)る**□位**(k)である。／
語学は、文法と**□語**(l)の両方(りょうほう)を勉強するひつようがある。

⑥	k
	l

Ⅳ ＿＿＿の部分の漢字には読(よ)み仮名(がな)を、平仮名(ひらがな)には漢字を（送(おく)り仮名(がな)も）書きなさい。

①サッカーの試合を見ようという人々が前の日から**ならんで**(a)いる。

②**さむい**(b)日の外出には、手袋(てぶくろ)や帽子(ぼうし)が**ひつよう**(c)だ。　③母は**神経質な**(d)ところがある。

④彼が今度のドラマで**主役**(e)を**務める**(f)。

⑤きれいな色の**けいと**(g)でマフラーを編(あ)んだ。

⑥**野原**(h)に**寝転んで**(i)空を見上げると白い**くも**(j)が浮(う)かんでいた。

⑦山から**落ちてきた**(k)石に**当たって**(l)、**あたま**(m)に大けがをした。

a	b	c	d　　な	e
f　　める	g	h	i　　んで	j
k　　ちてきた	l　　たって	m		

Ⅴ ＿＿＿の部分の読み方を選びなさい。

①今日(こんにち)の産業は、**石油**(1)の利用により**大いに**(2)発展(はってん)した。

(1) 1　いしゅ　　2　いしゆう　　3　せきゆ　　4　せきゆう
(2) 1　だいいに　　2　おおきいに　　3　だいに　　4　おおいに

②人生という道はいつも**平らな**わけではない。

1　たいらな　　2　へいらな　　3　ひらな　　4　ひょうらな

③最近日本でも**夫婦**がそろってパーティーに出ることが多くなった。

1　ふうふ　　2　ふふう　　3　ふっぷ　　4　ふうふう

④牧場(ぼくじょう)では夏の間、一日中牛が**放して**ある。

1　ほうして　　2　ほどして　　3　はなして　　4　ほうっして

第26回 550まで

Ⅰ　ＣＤを聞いて、指示された数の漢字を使って文を書きなさい。CD27

① (9) ＿＿＿＿＿＿＿＿＿＿＿＿＿＿＿＿＿＿

② (8) ＿＿＿＿＿＿＿＿＿＿＿＿＿＿＿＿＿＿

③ (9) ＿＿＿＿＿＿＿＿＿＿＿＿＿＿＿＿＿＿

Ⅱ　ＡとＢの漢字を組み合わせて、文を完成させなさい。＿＿部分の読み方も書きなさい。

A | 草　知　月　分　困　予 |　B | 原　備　能　難　末　類 |

①銀行は＿＿＿＿から翌月(よくげつ)の初めにかけては、大変込(こ)んでいます。
(　　　　)

②旅行に行く時は、必要なお金のほかに多少＿＿＿＿のお金があると安心だ。
(　　　　)

③生物は一般(いっぱん)に動物と植物(しょくぶつ)に＿＿＿＿される。
(　　　　)

④猿(さる)は人間の３歳(さい)ぐらいの＿＿＿＿を持つという。
(　　　　)

⑤どんな＿＿＿＿にも負けない強い心を持とう。
(　　　　)

⑥モンゴルの＿＿＿＿が砂漠化(さばくか)している原因(げんいん)を調査した。
(　　　　)

Ⅲ　□には同じ漢字が入ります。解答欄(らん)に漢字と＿＿の部分の読み方を書きなさい。

①事件の**□後**(a)、一人の男が現場から走り去った。／
東京(とうきょう)から奈良(なら)へは**□通**(b)の電車がないから、乗(の)り換(か)えが必要だ。

②旅行のお土産に**人□**(c)を買った。／
文の**□式**(d)は気にせず、自由に書いてください。

③**実□**(e)を挙(あ)げて説明します。／**□外**(f)のない規則(きそく)はない。

①	a
	b
②	c
	d
③	e
	f

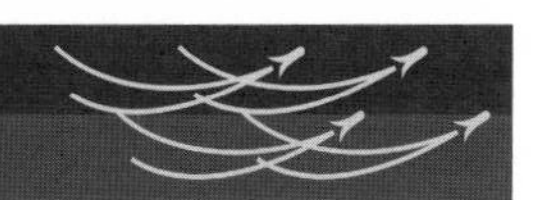

④戦争のない平□な世の中を願っている。／父はいつも「お母さんは□服が似合う。」と言っていた。
（平□な：g、□服：h）

⑤新入社員を代□して、彼が入社の決意を述べた。／この辞書はよく使ったので、□紙が破れてしまった。
（代□して：i、□紙：j）

⑥大きな荷物が通□をふさいでいる。／大学へ行くには、２番乗り場から出るバス□線を利用する。
（通□：k、□線：l）

④	g　　　　な
	h
⑤	i
	j
⑥	k
	l

Ⅳ　＿＿＿の部分の漢字には読み仮名を、平仮名には漢字を（送り仮名も）書きなさい。

①あの人はアメリカで育ったので、考え方がアメリカ**流**(a)だ。

②旅行に持っていく**洗面**(b)道具を買った。　③窓から**涼しい**(c)風が入ってきた。

④旅行客が**へって**(d)いるので、**こうくう**(e)会社はいろいろなサービスを**くふう**(f)している。

⑤**過半数**(g)の賛成が**得られる**(h)かどうかは分からない。　⑥日中は暑いが朝夕は**大分**(i)涼しくなった。

⑦秋になると、森や林に様々な木の実が**実る**(j)。

a	b	c　　しい	d	e
f	g	h　　られる	i	j　　る

Ⅴ　＿＿＿の部分の漢字、または読み方を選びなさい。

①ここの桜の**並木**は、お花見の季節は本当にきれいですよ。

1　ならびき　　2　なみき　　3　へいぼく　　4　へいもく

②どうしても月曜日までに100万円**いる**のです。どうか貸してください。

1　要る　　2　入る　　3　欲る　　4　用る

③**真っ赤な**(1) **登山**(2)電車が**鉄橋**(3)を渡っていくのが見える。

(1) 1　まっあかな　　2　まっかかな　　3　まっかな　　4　まっかいな
(2) 1　とうさん　　2　とうざん　　3　とさん　　4　とざん
(3) 1　てつはし　　2　てつぎょ　　3　てっきょう　　4　てっきょ

第27回 550まで

I　ＣＤを聞いて、指示された数の漢字を使って文を書きなさい。CD28

①　(11) ________________

②　(9) ________________

③　(7) ________________

II　□の中の漢字を使って、文を完成させなさい。＿＿部分の読み方も書きなさい。

務	論	連	洗	太	放

①彼は初めてにしては、うまく会議の議長を＿＿＿＿た。
（　　　　た）

②手を＿＿＿＿と危ないですよ。しっかり捕（つか）まっていてください。
（　　　　）

③近所の奥（おく）さんは散歩（さんぽ）する時、いつも大きい犬を＿＿＿＿ています。
（　　　　て）

④ニュースによると犯人（はんにん）は少し＿＿＿＿ていて、黒い服を着ていたそうだ。
（　　　　て）

⑤この社説は日本の未来について＿＿＿＿ている。
（　　　　て）

⑥外から帰ったら、必ず手を＿＿＿＿なさい。
（　　　　なさい）

III　□には同じ漢字が入ります。解答欄（らん）に漢字と＿＿の部分の読み方を書きなさい。

①父は郵便□達（a）の仕事をしている。／
天気の悪い日に、新聞を１軒（けん）ずつ□る（b）のは大変な仕事だ。

②大雨の後の川は流れが□く（c）、泳ぐのは危険だ。／
急いでいる手紙は、□達（d）にするといいですよ。

③今度の日曜日は□園地（e）で思い切り□ぶ（f）つもりだ。

①	a
	b　　る
②	c　　く
	d
③	e
	f　　ぶ

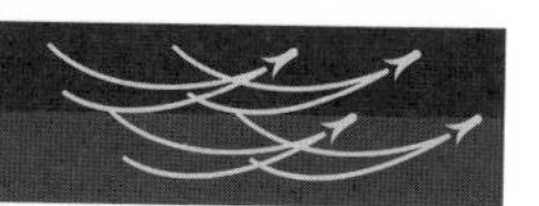

④□第する(g)と決まったわけではないのだから、そんなに慌(あわ)てないで□ち着き(h)なさい。

⑤この寮(りょう)は各部屋にふろとエアコンを□えて(i)いるなど、設□(j)がいいという評判(ひょうばん)です。

④	g
	h　　　ち　　き
⑤	i　　　　　えて
	j

Ⅳ ＿＿＿の部分の漢字には読(よ)み仮名(がな)を、平仮名(ひらがな)には漢字を（送(おく)り仮名(がな)も）書きなさい。

①お札(さつ)を受け取ったら、**まいすう**(a)をよく確(たし)かめてください。

②A銀行は、**しんよう**(b)をなくし、お金を**あずける**(c)人も少なくなった。

③ちょうどいい**きかい**(d)ですから、友人の山田(やまだ)さんを紹介(しょうかい)しておきましょう。

④先生とも**そうだん**(e)した結果、**りゅうがく**(f)して勉強を**つづける**(g)ことにした。

⑤私は**果物**(h)の中では**水分**(i)の多いもの、**たとえば**(j)すいかやメロンなどが好きです。

a	b	c	d	e
f	g	h	i	j

Ⅴ ＿＿＿の部分の読み方を選びなさい。

①長時間の列車(れっしゃ)の旅で、**寝台**(1)車の**乗客**(2)たちは皆(みな)疲れた顔をしている。

(1) 1　しんだい　　2　しんたい　　3　ねるだい　　4　ねだい

(2) 1　ぞうかく　　2　じょきゃやく　　3　しょかく　　4　じょうきゃく

②**発売**(1)されたばかりの商品について、**問い合わせ**(2)の電話がかかってきた。

(1) 1　はつうり　　2　はっぱい　　3　はつばい　　4　はつぱい

(2) 1　どいあわせ　　2　とういあわせ　　3　といあわせ　　4　とんいあわせ

③この小説は本当に**面白い**。友人にもすすめてみよう。

1　めんしろい　　2　おもしろい　　3　めんじらい　　4　おもじらい

第28回 550まで

Ⅰ　ＣＤを聞いて、指示された数の漢字を使って文を書きなさい。CD29

①　⑹ ＿＿＿＿＿＿＿＿＿＿＿＿＿＿＿＿＿＿＿＿

②　⑻ ＿＿＿＿＿＿＿＿＿＿＿＿＿＿＿＿＿＿＿＿

③　⑿ ＿＿＿＿＿＿＿＿＿＿＿＿＿＿＿＿＿＿＿＿

Ⅱ　ＡとＢの漢字を組み合わせて、文を完成させなさい。＿＿部分の読み方も書きなさい。

Ａ　卒　登　論　合　注　強　　Ｂ　調　目　争　場　業　流

①３世紀(せいき)ごろの日本国家の位置について、学者たちが＿＿＿＿ている。
（　　　　て）

②あの歌手は新人ながら実力があって、今大変＿＿＿＿れている。
（　　　　れて）

③電気自動車が＿＿＿＿たことにより、ガソリンの消費量(りょう)が変化した。
（　　　　た）

④私たちは二つのグループに分かれて別の道を行き、目的地で＿＿＿＿ことにした。
（　　　　）

⑤彼は、環境(かんきょう)を守(まも)ろうという個人の意識(いしき)の大切さを、特に＿＿＿＿て訴(うった)えた。
（　　　　て）

⑥みんなで集まったのは大学を＿＿＿＿てから初めてだ。
（　　　　て）

Ⅲ　□には同じ漢字が入ります。解答欄(らん)に漢字と＿＿の部分の読み方を書きなさい。

①丸(まる)いケーキを５人に**平□**(a)になるように**□分する**(b)のは難しい。

②今日、首相から**□大な**(c)発表があるそうだ。／
無駄(むだ)を省(はぶ)くことに**□点**(d)を置いた政策(せいさく)が発表された。

③もっとまじめで信用できる男だと思っていたのに、彼には
すっかり**□望した**(e)。／
今回の電車事故(じこ)の原因(げんいん)は、運転手の**過□**(f)だと考えられる。

①		a
		b
②		c　　な
		d
③		e
		f

④あなたは何の**不自□**(g)もない暮(く)らしをしているというのに、満足(まんぞく)できない**理□**(h)が分かりません。

⑤体の**□合**(i)が悪いので、帰らせていただきます。／この品物の特長について、**□体的**(j)に話してください。

④	g
	h
⑤	i
	j

Ⅳ ＿＿＿の部分の漢字には読(よ)み仮(が)名(な)を、平(ひら)仮(が)名(な)には漢字を（送(おく)り仮(が)名(な)も）書きなさい。

①**正直な**(a)人間が**不利**(b)にならない**世の中**(c)にしたい。

②毎月**多少**(d)の**増減**(e)はあるが、**大体**(f)20万円の**収入**(g)がある。

③友人が頭が痛いと言うので、**薬屋**(h)で**頭痛薬**(i)を買ってきてあげた。

④私は会社で**じむ**(j)の仕事をしています。

a な	b	c の	d	e
f	g	h	i	j

Ⅴ ＿＿＿の部分の読み方を選びなさい。

①正方形は四つの辺(へん)の長さが**等しい**。

1 おなしい　2 とうしい　3 ひとしい　4 いとしい

②あの社員は人の**倍**も働く。

1 べい　2 ぶい　3 ぱい　4 ばい

③彼は新しいコンピューターゲームを開発し、大成功(せいこう)を**収めた**。

1 しゅうめた　2 おさめた　3 つとめた　4 きわめた

④山田(やまだ)**夫人**は、あちらの青いドレスの方です。

1 ふにん　2 ふうにん　3 ふじん　4 ふうじん

⑤荷物(にもつ)を**船便**で送ったので、1か月もかかってしまった。

1 ふなびん　2 ふねびん　3 ふなべん　4 ふねべん

第29回 550まで

Ⅰ　ＣＤを聞いて、指示された数の漢字を使って文を書きなさい。CD30

① ⑽ ____________________

② ⑸ ____________________

③ ⑹ ____________________

Ⅱ　□の中の言葉を使って、文を完成させなさい。＿＿部分の読み方も書きなさい。

上げる	直す	合わせる	合う	返す

①旅行の日程(にってい)について、担当者(たんとう)と詳(くわ)しく**打ち**＿＿＿＿た。
（　　　　　た）

②１日で10ページのレポートを**書き**＿＿＿＿た。
（　　　　　た）

③テストの答えは、書いた後、もう一度**見**＿＿＿＿なさい。
（　　　　　なさい）

④忘れ物をしたのを思い出して、途中(とちゅう)から**引き**＿＿＿＿た。
（　　　　　た）

⑤彼と私は友人のパーティーで**知り**＿＿＿＿ました。
（　　　　　ました）

Ⅲ　□に漢字を入れて、文の意味を表す言葉を完成させなさい。読み方も書きなさい。

①人の手が加わらない自然のままの状態(じょうたい)＝**天**□
（　　　　　）

②その分野で最も優(すぐ)れた地位にあること（例：□流の音楽家、□流のホテル）＝□**流**
（　　　　　）

③目的地に行くのにある地点を通っていくこと（例：成田(なりた)発シカゴ経□ニューヨーク行き）
＝**経**□
（　　　　　）

④土曜、日曜や祝日(しゅくじつ)でない日＝□□
(　　　　)

⑤塩(しお)や砂糖(さとう)など、食品に味を付けるもの＝□□**料**
(　　　　)

⑥考えたり議論したりした後で、出される判断(はんだん)や意見＝**結**□
(　　　　)

Ⅳ ＿＿＿の部分の漢字には読(よ)み仮名(がな)を、平(ひら)仮名(がな)には漢字を（送(おく)り仮名(がな)も）書きなさい。

①冬になると、この**半島**(a)にはたくさんの鳥が渡(わた)ってくる。

②どうしましたか。顔が**真っ青**(b)ですよ。

③米を作る所を田、野菜(やさい)や果物を作る所を**畑**(c)と言います。

④もっといい**かいけつほう**(d)があるはずだ。

⑤こんなに親切にしていただいて、**有り難く**(e)存(ぞん)じます。

⑥最近の女性の中には、男か女か分からないような**ことば**(f)を話す人もいる。

⑦**品物**(g)が届(とど)いたので、**早速**(h)代金を**書留**(i)で送った。　⑧京都(きょうと)で有名な**宿**(j)に泊(と)まった。

a	b　つ	c	d	e　り　く
f	g	h	i	j

Ⅴ ＿＿＿の部分の漢字、または読み方を選びなさい。

①弟はとても**きよう**(1)だ。ちょっとした故障(こしょう)なら**なおして**(2)くれるし、**手品**(3)の腕(うで)もプロ**級**(4)だ。

(1) 1　起用　　2　機用　　3　器用　　4　記用
(2) 1　治して　　2　直して　　3　修して　　4　正して
(3) 1　しゅひん　　2　しゅほん　　3　てしな　　4　てじな
(4) 1　きゅう　　2　くらす　　3　なみ　　4　くみ

②**かなしみ**は、人を成長させる。

1　苦しみ　　2　痛しみ　　3　悲しみ　　4　辛しみ

第30回 550まで

Ⅰ　ＣＤを聞いて、指示された数の漢字を使って文を書きなさい。CD31

① ⑹ ______________________________

② ⑻ ______________________________

③ ⑾ ______________________________

Ⅱ　ＡとＢから適当な動詞(どうし)を選んで、例のように文を完成させなさい。言葉は１回しか使えません。

A	~~降る~~	飛ぶ	打つ	組む	差す	通る	引く
B	~~続く~~	消す	引く	出す	受ける	過ぎる	立てる

（例）おとといからずっと雨が＿降り続いて＿います。
（ふりつづいて）

①社長は、破産(はさん)のうわさを強く＿＿＿＿＿＿た。
（　　　　　　た）

②自分の能力以上の仕事を＿＿＿＿＿＿てしまった。
（　　　　　　て）

③給料(きゅうりょう)からいろいろ＿＿＿＿＿＿れるといくらも残らない。
（　　　　　　れる）

④目立たない店だったので、気が付かずに＿＿＿＿＿＿てしまった。
（　　　　　　て）

⑤このオートメーション工場では、１分間に１台の車が＿＿＿＿＿＿られる。
（　　　　　　られる）

⑥あっ、危ない。道路に急に＿＿＿＿＿＿てはいけないよ。
（　　　　　　て）

Ⅲ　□には同じ漢字が入ります。解答欄(らん)に漢字と＿＿＿の部分の読み方を書きなさい。

①**気□**(a)の差が激(はげ)しいので昼は汗(あせ)が出るほどですが、夜になると冷(ひ)えますね。**□かい**(b)コーヒーはいかがですか。

②テレビの**連□**(c)ドラマの**□き**(d)が楽しみだ。

①	a	
	b	かい
②	c	
	d	き

③日本**経□**(e)は少しもよくならない。／企業(きぎょう)は**使用□み**(f)封筒(ふうとう)の再(さい)利用などの節約(せつやく)運動を進めている。

④日本は戦後**□第に**(g)発展(はってん)した。現在ＧＤＰはアメリカ・中国に**□いで**(h)世界第３位である。

⑤**□死に**(i)勉強すれば、**□ず**(j)医者になれる。

③	e	
	f	み
④	g	に
	h	いで
⑤	i	に
	j	ず

Ⅳ ＿＿＿の部分の漢字には読(よ)み仮名(がな)を、平仮名(ひらがな)には漢字を（送(おく)り仮名(がな)も）書きなさい。

①ピストルの**合図**(a)で選手は一斉(いっせい)にスタートした。　②**末っ子**(b)の就職(しゅうしょく)が決まって安心した。

③彼は**出来得る**(c)限りの努力(どりょく)を重ね、会社の**重役**(d)になった。

④今日のダンス大会では、六**くみ**(e)のペアが優勝(ゆうしょう)を争った。⑤もっと**ちゅうもん**(f)を**ついか**(g)しよう。

⑥**十頭**(h)の馬が走り出すと、すぐに真っ白い馬が**先頭**(i)に出て**一着**(j)になった。

a	b　　つ	c　　る	d	e
f	g	h	i	j

Ⅴ ＿＿＿の部分の読み方を選びなさい。

①大学の**自治**(1)は学問の**自由**(2)を守(まも)るためにある。

(1) 1　じじ　　2　じち　　3　しじ　　4　しち

(2) 1　じゆ　　2　じゆう　　3　しゆ　　4　しゆう

②食事の**作法**ばかり気にしていると、味がよく分からない。

1　さっぽう　　2　さぼう　　3　さくほう　　4　さほう

③少年の犯罪(はんざい)を**防止**するためには、家庭と学校の協力(きょうりょく)が大切だ。

1　ぼうし　　2 ぼうじ　　3　ほうし　　4　ほうじ

④映画が始まりそうな時間だったので、思わず足を**速めた**。

1　ゆるめた　　2　おそめた　　3　はやめた　　4　いそめた

総合問題 1

I　（　　）の同じ記号のところには共通する漢字が入ります。解答欄（らん）に漢字と＿＿＿の部分の読み方を書きなさい。

（例）日本の夏の**花(①)**（a）は有名だ。

近所で**(①)(②)**（b）があって、私の家も焼（や）けるところだった。

仕(②)（c）は大変ですが、面白いです。

① 火	② 事

a はなび	b かじ	c しごと

（1）

私にも分かるように易（やさ）しく**(①)明**（a）してください。

難しい本だが、**(②)(①)**（b）を読めば分かる。

この問題についてのあなたの**(③)(②)**（c）を聞かせてください。

(④)験（d）をしている時、偶然（ぐうぜん）新しい物質を**発(③)**（e）した。

私の夢（ゆめ）がやっと**(④)現**（f）する。

①	②	③	④

a	b	c	d	e	f

（2）

(①)別（a）や国籍（こくせき）にかかわらず、だれでもこの職に就（つ）ける。

この車は消費者の声を**(②)映**（b）して、**(①)能**（c）がよくなっている。

交通**違(②)**（d）で捕（つか）まって、親に**(③)配**（e）をかけた。

私はその問題にあまり**関(③)**（f）がない。

ずいぶん**熱(③)**（g）に**(④)論**（h）していますね。

その話はあまりにも**不思(④)**（i）で、信じられなかった。

①	②	③	④

a	b	c	d	e
f	g	h	i	

Ⅱ　次の二つの文の＿＿＿に、同じ漢字を入れ、（　　　）に読み方も書きなさい。

（例）完成までに＿一月＿かかります。（ひとつき）／来年の＿一月＿に国へ帰る。（いちがつ）

①一月＿＿＿＿（　　　　）のことを、元日という。／今年は忙しくて＿＿＿＿（　　　　）も仕事を休んでいない。

②あなたの生年＿＿＿＿（　　　　）はいつですか。／＿＿＿＿（　　　　）のたつのは速いものだ。

③彼はいつも５時＿＿＿＿（　　　　）前になると帰る支度（したく）を始めて、５時になったとたんに会社を飛び出す。／結論は急がずに、＿＿＿＿（　　　　）考えてから出しなさい。

④＿＿＿＿（　　　　）は午後から雨が降るそうなので、傘（かさ）を持っていったほうがいいですよ。／過去から＿＿＿＿（　　　　）に至（いた）るまでの宇宙開発（うちゅうかいはつ）の歴史の講義（こうぎ）を受けた。

Ⅲ　□々は同じ漢字を繰（く）り返（かえ）す言葉です。□の中から漢字を選んで入れ読み方も書きなさい。

別	広	続	点	着	様	~~少~~	若	次

（例）□々お待ちください。

①新しい空港の工事が□々と進んでいる。

②燃（も）えるごみと燃（も）えないごみを□々に分けて出す。

③地震（じしん）で被害（ひがい）を受けた地域（ちいき）に□々と救援（きゅうえん）の物資（ぶっし）が届（とど）けられた。

④おいしい料理が□々に運ばれてきた。

⑤子供（こども）は外の□々とした所で思い切り遊ばせたい。

⑥４月、大学のキャンパスには、□々な夢（ゆめ）と希望（きぼう）を持った新入生が入学してくる。

⑦雪の上に小さな動物の足跡（あしあと）が□々と続いていた。

（例）少	しょうしょう
①	
②	に
③	
④	に
⑤	
⑥	な
⑦	

Ⅳ ＿＿＿部分の漢字は読み仮名を、平仮名は漢字を（送り仮名も）書きなさい。

①火と**どうぐ**(a)を用いることによって、**じんるい**(b)は多くの**のうりょく**(c)を手に**いれた**(d)。それから長い年月を経て、じんるいの歴史を大きく変えたのはまず蒸気機関の**はつめい**(e)であった。そして、20世紀になって石油が登場し、**さんぎょう**(f)の姿は大きく変わって重化学**こうぎょう**(g)が中心となった。更に**げんだい**(h)はといえば、**じょうほう**(i)が**しゅよう**(j)なさんぎょうとなったのである。

a	b	c	d	e
f	g	h	i	j

②久しぶりに先生のお宅を**たずねた**(a)。今は仕事を辞められて、のんびり暮らしていらっしゃる先生は、「雨の日は家で本を読み、天気のいい日は**の**(b)や山を歩いているんだよ。楽しみは昼食の後の昼寝かな。」と笑われた。なるほど山に生えている**くさ**(c)や花の**たね**(d)を取ってきては植えられているのだろう、**にわ**(e)のあちこちに珍しい花が咲いている。**いけ**(f)の辺りでは虫が**ないて**(g)いて、秋の**気配**(h)が感じられる。「一緒に**飯**(i)でも**食って**(j)けよ。」と言ってくださったので、にわからの涼しい風に吹かれながら夕食をごちそうになった。お元気そうで何よりだった。

a	b	c	d	e
f	g	h	i	j　　　　って

③医学が**はったつ**(a)していなかった昔は、赤ん坊が生きる上で多くの危険があった。そのため子供の**せいちょう**(b)を**ねがう**(c)いろいろな**行事**(d)があった。日本の「七五三」というのは、**七つ**(e)と五つと**三つ**(f)になった子供のせいちょうを祝う行事である。３歳まで育てばまず一安心、７歳になれば一応大丈夫ということであろう。「こどもの日」として**こくみん**(g)の祝日になっている五月**五日**(h)もやはり昔は男の子のお祝いの日であった。更に、一月の「**せいじん**(i)の日」は無事に**二十**(j)になったことを祝う日であった。

a	b	c	d	e　　つ
f　　つ	g	h	i	j

④昨日中国の**友達**(a)から、来週日本へ来るという**速達**(b)が届いた。彼は昔同じ大学で**けいえいがく**(c)を学んだ友達だ。私が宿題で困っていた時、助けてくれたことがきっかけで、親しくなった。彼は度々私の**げしゅく**(d)を訪ねてきては、いろいろな話をした。専門の**分野**(e)の話から始まり、**命**(f)の大切さ、**せいふ**(g)に対する不満まで、夜が明けるまで話し込んだ。大きな声なので大家さんによく**ちゅうい**(h)されたことや、彼の**笑顔**(i)と低くて**太い**(j)声が思い出される。10年ぶりに会えるその日を今から楽しみにしている。

a	b	c	d	e
f	g	h	i	j　　い

広がる広げる漢字の知識

1 接辞（せつじ）

古新聞の回収

他社に先駆け新発売

急停車にご注意ください

ヨーロッパから直輸入

優先席

営業中

生野菜を食べよう

超美人！

新生活を応援します

想像力が育っていない

「大問題」って何？　「営業中」って何？

言葉を分けて、考えてみましょう。分かりますよ。

◆分けると、分かる

■＋□□

大　＋　問題	新　＋　発売
(大きい)+(問題)	(新しく)+(発売する)

□□＋■

想像（そうぞう）　＋　力	営業　＋　中
(想像する)＋(力)	(営業)＋(している)

【クイズ1】言葉を分けて意味を考えましょう。

①新学期→（　　　　）＋（　　　　）　②物価高→（　　　　）＋（　　　　）

③古新聞→（　　　　）＋（　　　　）　④禁煙席→（　　　　）＋（　　　　）

【クイズ2】次の漢字は、いろいろな言葉に付けることができます。どんな言葉に付きますか。

（例）大＋問題・事件・災害（さいがい）・発見・爆発（ばくはつ）・失敗（しっぱい）

①　急＋（　　　・　　　・　　　）

②　（　　　・　　　・　　　）＋人

答え

クイズ1①新しい＋学期　②物価が＋高い　③古い＋新聞　④禁煙の＋席　クイズ2①停車、展開、成長、ブレーキ、接近など　②国際、社会、有名、料理、外国など（「ニン」「ジン」両方可）

チャレンジ　接辞①

Ⅰ　次の漢字をつけることができない言葉はどれですか。○を付けなさい。

（例）新 …	1　発売	2　事実	3　商品	④　未来
①　急 …	1　消化	2　停車	3　成長	4　展開
②　名 …	1　勝負	2　場面	3　料理	4　演技
③　好 …	1　社会	2　条件	3　人物	4　印象
④　全 …	1　人口	2　世界	3　部分	4　人類
⑤　低 …	1　増加	2　賃金	3　所得	4　成長

Ⅱ　□に入る共通の漢字を、［　　］から選んで（　　　）の中に書きなさい。

~~館~~	生	中	食	者

（例）（　館　）…	1　映画□	2　図書□	3　美術□
①（　　　）…	1　非常□	2　美容□	3　宇宙□
②（　　　）…	1　訓練□	2　高校□	3　留学□
③（　　　）…	1　会議□	2　営業□	3　工事□
④（　　　）…	1　発見□	2　開発□	3　教育□

Ⅲ　［　　］の言葉の意味を考えて、三つのグループに分けなさい。

~~運転手~~	運動場	入学金	~~政治家~~	大使館
生活費	電車賃	有名人	大学生	案内所
研究室	観光地	銀行員	~~売上金~~	~~入場料~~

①（　運転手　）（　政治家　）（　　　　）（　　　　）（　　　　）
②（　入場料　）（　売上金　）（　　　　）（　　　　）（　　　　）
③（　　　　）（　　　　）（　　　　）（　　　　）（　　　　）

Ⅳ　（　　　）に入る漢字を、［　　］から選んで書きなさい。

不	無	非	未

①（　　　）欠席　　学校を休んだ日が一日もないこと。
②（　　　）完成　　まだ完成していないこと。
③（　　　）親切　　親切ではないこと。
④（　　　）現実的　　現実から離れていて、実現しそうにないこと。

広がる広げる漢字の知識

2 読み方と意味

◆読み方のヒント　知っている言葉の読み方を思い出そう。

（例）　郵 ◇送　料 ◇金
（ゆう　そう）（りょう　きん）
◇送 ◇金
（そう　きん）

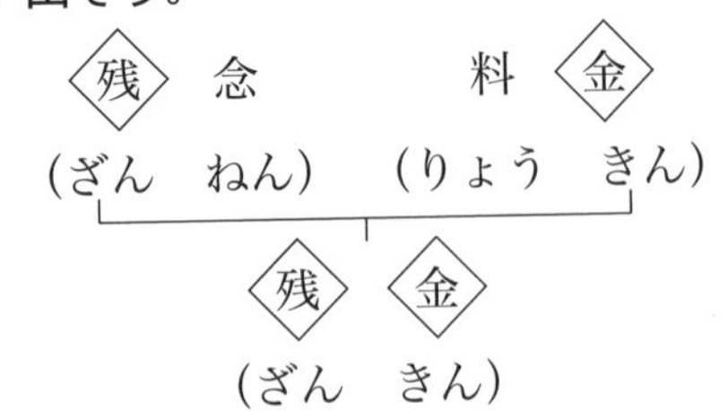

◆意味のヒント　漢字の意味を思い出そう。

（例）入学金を払（はら）うために、国から**送金して**もらった。
［お金］を［送っ］て

10万円もらったが、家賃（やちん）の6万円を払ったので、**残金**は4万円だ。
［残っ］ている［お金］

【クイズ】 意味が同じになるように［　　］に適当な言葉を書きましょう。
（　　）に読み方を書きましょう。

（例）この高校は、男女**共学**（きょうがく）の学校です。
［とも、一緒（いっしょ）］に［学ぶ］

読み方のヒント
共通＋**学**生

①　この提案（ていあん）には**同意**（　　　　）できません。
［　　　　］［　　　　］ではありません。

読み方のヒント
同時＋**意**見

②　**外観**（　　　　）がおしゃれなビルが並んでいる。
［　　　　］から［　　　　］た様子

読み方のヒント
外出＋**観**光（かんこう）

答え

①どうい＜同じ、意見＞　②がいかん＜外、見＞

チャレンジ　読み方と意味

Ⅰ　（　　　）に読み方を書きなさい。

①連休（　　　　　）　②再会（　　　　　）　③多様（　　　　　）

④配置（　　　　　）　⑤前例（　　　　　）　⑥開始（　　　　　）

Ⅱ　（　　　）の中に、Ⅰの言葉から適当(てきとう)な言葉を選んで入れて、意味が通る文にしなさい。

①小学校の時の先生と 10 年ぶりに（　　　　　）した。

②お客様の（　　　　　）なご希望(きぼう)に合わせた旅行プランを用意しております。

③試合の（　　　　　）時間は、２時です。

④気分を変えるために、家具の（　　　　　）を変えてみた。

⑤いつも（　　　　　）の通りにしていたら、進歩がありません。

⑥来週の月曜日は祝日(しゅくじつ)なので、土曜から３日間の（　　　　　）になる。

Ⅲ　［　　　］から適当(てきとう)な字を選んで□に入れて、意味が通る文にしなさい。＿＿＿の読み方も書きなさい。

~~痛~~　反　気　予　同

（例）みんなと一緒(いっしょ)に仕事をして、協力(きょうりょく)することの大切さを<u>□感</u>**しました**。

①私はあなたのご意見に全く<u>□感</u>です。

②あしたの面接(めんせつ)はうまくいきそうな<u>□感</u>がする。

③彼はいつもみんなの意見を全然聞こうとしないから、<u>□感</u>を持たれている。

(例)**痛**	つうかん
①	
②	
③	

確　制　未　固

④講演(こうえん)会の日時は決まりましたが、会場は<u>□定</u>です。

⑤地震(じしん)でたんすが倒(たお)れないように、くぎなどで<u>□定</u>**した**ほうがいい。

⑥環境保護(かんきょうほご)のための法律(ほうりつ)が新しく<u>□定</u>**された**。

④	
⑤	
⑥	

ステップ 3

第 31 回 ～ 第 53 回

第31回 590まで

I　ＣＤを聞いて、指示された数の漢字を使って文を書きなさい。CD32

① ⑹ ＿＿＿＿＿＿＿＿＿＿＿＿＿＿＿＿＿＿＿＿

② ⑾ ＿＿＿＿＿＿＿＿＿＿＿＿＿＿＿＿＿＿＿＿

II　□の中の漢字を使って、文を完成させなさい。＿＿部分の読み方も書きなさい。（すべて形容詞(けいようし)です）

易　汚　暖　鋭　偉　永

①口には出さなくても、子供(こども)の観察(かんさつ)力には＿＿＿＿ものがある。
（　　　　）

②去年の春、祖父(そふ)は＿＿＿＿眠(ねむ)りについた。
（　　　　）

③このノートは眠(ねむ)い時に書いたので、字が＿＿＿＿て読めない。
（　　　　て）

④親に頼(たよ)らずに大学に行くなんて、君(きみ)は＿＿＿＿よ。
（　　　　）

⑤見ていると＿＿＿＿そうに思えるが、自分でやってみると大変だ。
（　　　　そう）

III　□には同じ漢字が入ります。解答欄(らん)に漢字と＿＿部分の読み方を書きなさい。

①野球の試合が**□びた**(a)ため、放送時間が30分**□長された**(b)。

②事務所を郊外(こうがい)に**□した**(c)ので、**□転**(d)の通知を送った。

③アジアは雨の多い**地□**(e)だ。／ここからは危険**区□**(f)ですから入らないでください。

④人間は**血□**(g)の３分の１を失うと死んでしまう。／これは、普通の温度で**□体**(h)になる金属(きんぞく)です。

①	a	びた
	b	
②	c	した
	d	
③	e	
	f	
④	g	
	h	

⑤ドルは世界で通用する**通□**(i)だ。／
現在、**□物**(j)の輸送(ゆそう)には主にトラックが使われている。

⑤	i
	j

Ⅳ ＿＿部分の漢字は読み仮名を、平仮名は漢字を（送り仮名も）書きなさい。

①地図帳(ちょう)を開いて、四大文明の発生した大きな**河**(a)に**印**(b)を付けた。

②ストレスによる**胃炎**(c)で１週間入院した。　③遠くに見えるあの黒い**煙**(d)は何だろう。

④私の母は**お菓子**(e)作りが得意だ。

⑤**衣食住**(f)が足りているからといって、文化的な生活だとは限らない。

⑥大きな荷物を持って通るので、ドアを**押さえて**(g)いてください。

⑦二人は神の前で**えいえん**(h)の**あい**(i)を誓(ちか)った。

⑧廊下(ろうか)の**奥**(j)は祖母(そぼ)の部屋になっている。

a	b	c	d	e　お
f	g　さえて	h	i	j

Ⅴ ＿＿部分の漢字、または読み方を選びなさい。

①ピカソは20世紀(せいき)の**いだいな**(1) **画家**(2)だ。

(1) 1　違大な　2　偉大な　3　緯大な　4　韋大な
(2) 1　かくや　2　がや　3　かくか　4　がか

②日本人と**欧米**人の感情表現は異なると言われている。

1　おうべ　2　おうべい　3　おおべえ　4　おおべい

③1,000年前京都(きょうと)は日本の都として**さかえて**いた。

1　栄えて　2　営えて　3　和えて　4　盛えて

④この**運河**が開通して、船での運送が便利になった。

1　うんが　2　うんこう　3　うんか　4　うんごう

第32回 620まで

Ⅰ　ＣＤを聞いて、指示された数の漢字を使って文を書きなさい。CD33

①　(8)　＿＿＿＿＿＿＿＿＿＿＿＿＿＿＿＿＿＿＿＿＿＿＿＿

②　(11)　＿＿＿＿＿＿＿＿＿＿＿＿＿＿＿＿＿＿＿＿＿＿＿＿

Ⅱ　□の中の漢字を使って、文を完成させなさい。＿＿部分の読み方も書きなさい。（すべて訓読(くんよ)みの動詞(どうし)です）

隠	異	汚	割	換

①彼はいい所だけ見せて弱点を＿＿＿＿うとする傾向(けいこう)がある。
（　　　　う）

②その大会には、＿＿＿＿文化を持つたくさんの人々が参加(さんか)した。
（　　　　）

③転んで、洗濯(せんたく)したばかりの服を＿＿＿＿てしまった。
（　　　　て）

④目覚まし時計の電池が切れたので、＿＿＿＿てください。
（　　　　て）

Ⅲ　□には同じ漢字が入ります。解答欄(らん)に漢字と＿＿部分の読み方を書きなさい。

①外国の生活**習□**(a)に**□れる**(b)には時間がかかる。

②この競技場(きょうぎじょう)には５万人の**□客**(c)が入れます。／
こちらへは**□光**(d)ではなく仕事で参(まい)りました。

③もう一度、**正□な**(e)出発時間を**□かめて**(f)おきたい。

④植木(うえき)の土が**□いて**(g)いたので、たっぷり水をやった。／
□電池(h)は普通のごみと一緒(いっしょ)に捨(す)ててはいけません。

①	a	
	b	れる
②	c	
	d	
③	e	な
	f	かめて
④	g	いて
	h	

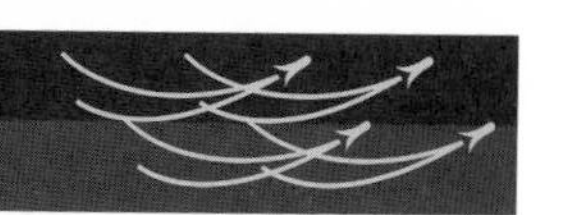

⑤20年後には、65歳(さい)以上の人の**□合**(i)が20パーセントを超(こ)えるという。／彼は家庭での自分の**役□**(j)を全く理解していない。

⑤	i
	j

Ⅳ ＿＿＿部分の漢字は読み仮名を、平仮名は漢字を（送り仮名も）書きなさい。

①花の**株**(a)を分けて庭に植(う)えた。　②**皆さん**(b)の率直(そっちょく)なご意見をお聞かせください。

③１羽の鳥が**羽**(c)を広げて飛び立とうとしている。

④台風が去って明日は朝から**快晴**(d)らしい。　⑤このケーキには**干した**(e)果物が入っている。

⑥父は**血圧**(f)が高いので、**食塩**(g)の取り過ぎに注意している。

⑦質のいい**革**(h)で作られた**靴**(i)は、履(は)きやすい。

⑧**灰色**(j)の目をした女性の絵が壁(かべ)に飾(かざ)ってある。

a	b　さん	c	d	e　した
f	g	h	i	j

Ⅴ ＿＿＿部分の漢字、または読み方を選びなさい。

①病気の重い患者(かんじゃ)には、鼻(はな)から**管**を通して栄養(えいよう)を取らせることもある。

1　くだ　　2　ぐだ　　3　つづ　　4　つつ

②熱があるかどうか、**額**に手を当ててみた。

1　ひたい　　2　のど　　3　がく　　4　ほお

③きれいな**羽根**のついた帽子(ぼうし)を買った。

1　うね　　2　はね　　3　ばね　　4　けね

④１週間あれば、**平仮名**は完全に覚えられるでしょう。

1　ひらかな　　2　ひらがな　　3　ひらかめい　　4　ひらがめい

⑤カメラを落として**壊して**しまった。

1　くずして　　2　こわして　　3　いたして　　4　ならして

第33回 650まで

I　CDを聞いて、指示された数の漢字を使って文を書きなさい。CD34

①　(9)　＿＿＿＿＿＿＿＿＿＿＿＿＿＿＿＿＿＿＿＿

②　(8)　＿＿＿＿＿＿＿＿＿＿＿＿＿＿＿＿＿＿＿＿

II　□の中の漢字を使って、文を完成させなさい。＿＿部分の読み方も書きなさい。

叫	救	吸	割	祈	居

①近くの神社で、生まれたばかりの赤(あか)ん坊(ぼう)の成長を＿＿＿＿た。
（　　　　た）

②雨が降ったので、日曜日は一日中家に＿＿＿＿た。
（　　　　た）

③突然(とつぜん)だれかが「キャー、助けて」と＿＿＿＿だ。
（　　　　だ）

④朝の新鮮(しんせん)な空気を胸一杯(むねいっぱい)に＿＿＿＿た。
（　　　　た）

⑤病気の小鳥を世話していたが、結局＿＿＿＿てやれなかった。
（　　　　て）

⑥手が滑(すべ)って、花瓶(かびん)を落として＿＿＿＿てしまった。
（　　　　て）

III　□には同じ漢字が入ります。解答欄(らん)に漢字と＿＿部分の読み方を書きなさい。

①入国管理局で入国□**可**(a)を取った。／
両親に結婚を□**して**(b)もらった。

②当時、彼は犯人(はんにん)ではないかと□**われた**(c)。／
この記事が確かかどうか□**問**(d)だ。

③裁判(さいばん)で住民側(がわ)の**要**□(e)はすべて認(みと)められた。／卒業前の学生は職を□**めて**(f)就職(しゅうしょく)活動を開始した。

④この俳優(はいゆう)は□**技**(g)がうまい。／
彼の□**説**(h)は感動的で、聞いている人の心を打った。

①	a
	b　　して
②	c　　われた
	d
③	e
	f　　めて
④	g
	h

⑤石油の**供□**が不足すると、ガソリンの価格が上がる。／
i

□料は月末に支払(しはら)われることになっている。
j

⑤	i
	j

Ⅳ ＿＿部分の漢字は読み仮名を、平仮名は漢字を（送り仮名も）書きなさい。

①届(とど)いた**にもつ**(a)を開けてみると、**甘そうな**(b)お菓子がいっぱい**詰まって**(c)いた。

②３か月でコンピューターの**きほん**(d)から**おうよう**(e)まで学んだ。

③カルシウムを**含んだ**(f)食品は体にいい。

④台風の被害(ひがい)を受けた地域に**寄せられた**(g) **寄付**(h)金の合計は3,000万円を超(こ)えた。

⑤この**きんがく**(i)は、**ぶっか**(j)が上昇(じょうしょう)したと**かてい**(k)して計算したものだ。

⑥**換気**(l)装置(そうち)に**いじょう**(m)がないかを調べるために、**旧館**(n)を**あんない**(o)してもらった。

a	b　そうな	c　まって	d	e
f　んだ	g　せられた	h	i	j
k	l	m	n	o

Ⅴ ＿＿部分の漢字、または読み方を選びなさい。

①大きな青い看板を**目印**に、目的の店を探(さが)した。

1　めしるし　　2　めじるし　　3　もくいん　　4　めど

②軽いスポーツで**あせ**を流した。

1　液　　2　汁　　3　泣　　4　汗

③黄河(こうが)は向こうの**岸**が見えないくらい大きな河だ。

1　かわ　　2　きし　　3　しぎ　　4　がん

④テストで答えが正しい時は**まる**を付ける。

1　円　　2　球　　3　玉　　4　丸

⑤授業料(じゅぎょう)は前期と後期に**分割**して支払(しはら)うことができます。

1　ふんわり　　2　ぶんわり　　3　ぶんかつ　　4　ふんかつ

第34回 675まで

Ⅰ　ＣＤを聞いて、指示された数の漢字を使って文を書きなさい。CD35

①　(9) ______________________________

②　(12) ______________________________

Ⅱ　[　]の中の漢字を使って、文を完成させなさい。＿＿部分の読み方も書きなさい。

押	寄	驚	愛	恐	越

①このボタンを＿＿＿＿と、信号が青になる。
（　　　　）

②友人が結婚すると聞いて＿＿＿＿た。
（　　　　た）

③とうとう私たちの＿＿＿＿ていた事件が起きてしまった。
（　　　　て）

④その一言で彼が故郷(こきょう)をどんなに＿＿＿＿ているかが分かった。
（　　　　て）

⑤学校の帰りに、喫茶店に＿＿＿＿てコーヒーを飲んだ。
（　　　　て）

Ⅲ　□には同じ漢字が入ります。解答欄(らん)に漢字と＿＿部分の読み方を書きなさい。

①**□語**(a)は、目上の人に**□意**(b)を表す時や、初めて会った人と話す時などに使う。

②**□気**(c)が回復(かいふく)せず、失業者が増えた。／
美しい山の**□色**(d)を写真に撮(と)る。

③朝夕の**通□**(e)時間を利用して本を読む。／
６年**□めた**(f)会社を辞(や)めた。

④**□しぶりに**(g)学生時代の友達に会った。／
私たちは平和が**永□**(h)に続くことを望んでいる。

①	a	
	b	
②	c	
	d	
③	e	
	f	めた
④	g	しぶりに
	h	

⑤困難でも**意□**のある仕事がしたい。／
　　　　　　i
教授(きょうじゅ)の都合で午後の**講□**はなくなった。
　　　　　　　　　　　j

⑤	i
	j

Ⅳ ＿＿部分の漢字は読み仮名を、平仮名は漢字を（送り仮名も）書きなさい。

①猿(さる)は**群れ**(a)で生活している。　②**安易な**(b)方法を選んだために、予想(よそう)と**逆**(c)の結果になった。

③**看病**(d)してくれた彼女に**求婚**(e)する夢(ゆめ)を見て、**胸**(f)がどきどきした。

④**国境**(g)の近くで発生した山火事の被害(ひがい)は、次第に**かくだい**(h)している。

⑤鉛筆(えんぴつ)が**つくえ**(i)から床(ゆか)に落ちる音で目が**さめた**(j)。　⑥国際大会のための**競技**(k)場が完成した。

⑦各国の**漁業**(l)をする人の割合を**比較**(m)した。　⑧昨日覚えた日本語の**文型**(n)が**偶然**(o)役に立った。

a　　　れ	b　　　な	c	d	e
f	g	h	i	j
k	l	m	n	o

Ⅴ ＿＿部分の漢字、または読み方を選びなさい。

①この映画の時間は４時間にも**及ぶ**長いものです。

1　あやぶ　　2　きゅうぶ　　3　およぶ　　4　きょうぶ

②読み終わった新聞が部屋の**隅**に積(つ)んである。

1　かど　　2　すみ　　3　わき　　4　そと

③中学生のころは、よく親に**さからって**怒(おこ)られた。

1　反らって　　2　逆らって　　3　否らって　　4　対らって

④昔(むかし)は、年上の人を**敬い**、大切にしたものだ。

1　とうとい　　2　そこない　　3　うやまい　　4　おもい

⑤私はいい友達に**恵まれて**幸(しあわ)せだ。

1　めぐまれて　　2　けいまれて　　3　えまれて　　4　したしまれて

第35回 700まで

Ⅰ　ＣＤを聞いて、指示された数の漢字を使って文を書きなさい。CD36

① ⑽ ______________________________

② ⑽ ______________________________

Ⅱ　□の中の漢字を使って、文を完成させなさい。＿＿部分の読み方も書きなさい。（すべて形容詞(けいようし)です）

温	煙	賢	恐	固	狭

①＿＿＿＿道路を運転する時は、歩いている人に十分注意しよう。
（　　　　）

②＿＿＿＿人は同じ失敗(しっぱい)を繰(く)り返(かえ)さない。
（　　　　）

③最近は＿＿＿＿事件が多いので、暗い道を一人で歩く時は気をつけよう。
（　　　　）

④魚を焼(や)く時は部屋が＿＿＿＿くなるから必ず窓(まど)を開けてください。
（　　　　く）

⑤この高層(こうそう)ビルは、＿＿＿＿地盤(じばん)の上に建てられているので安心だ。
（　　　　）

Ⅲ　＿＿は「○○する」という漢字２字の言葉の一部分です。もう一つの漢字を考えて□に入れ、解答欄(らん)に漢字と＿＿部分の読み方を書きなさい。

（例）毎日学校で日本語を**勉□**しています。

①胃の調子が悪いので、病院で**□査して**もらった。

②すみません。あなたのことを**誤□して**いたようです。

③急に都合が悪くなりましたので、お約束(やくそく)の時間を**変□して**いただけませんか。

④住みやすい社会にするには、人々が互いに**□力し**合える関係を作ることが大切だ。

⑤スーパーではコンピューターを使って商品を**□理して**いる。

⑥この問題、どちらが早くできるか**□争しよう**。

(例)**強**	べんきょう
①	
②	
③	
④	
⑤	
⑥	

⑦インターネットが**普□した**ことにより、生活は大きく変化した。

⑦	

Ⅳ ＿＿部分の漢字は読み仮名を、平仮名は漢字を（送り仮名も）書きなさい。

①現在、地球は温暖化の**けいこう**(a)にある。 ②その**じこ**(b)のニュースを、今朝の**朝刊**(c)で知った。

③個人の**けんり**(d)を守(まも)ることは**簡単な**(e)ことではない。

④外は、手足の**感覚**(f)がなくなるほど寒かった。 ⑤田沢(たざわ)**湖**(g)は日本で一番深い**湖**(h)だ。

⑥世界の**住居**(i)を見ると、その土地の気候(きこう)に合った生活の**知恵**(j)が感じられる。

⑦この公園は**四季**(k)を通じて様々な花が咲(さ)く。 ⑧避難(ひなん)**訓練**(l)中に壁(かべ)に**肩**(m)をぶつけてしまった。

⑨**愛犬家**(n)の友達の家には、犬の写真がたくさん飾(かざ)ってある。

⑩私たちは、イギリスの有名な**悲劇**(o)について語り合った。

a	b	c	d	e な
f	g	h	i	j
k	l	m	n	o

Ⅴ ＿＿部分の漢字、または読み方を選びなさい。

①デパートが火事になったが、**幸いな**ことにけが人はいなかった。

1 さちいな　2 さいわいな　3 こういな　4 わざわいな

②何かいいことがあったとみえて、彼は朝から**機嫌**がいい。

1 きげん　2 ぎけん　3 きけん　4 ぎけん

③桜(さくら)の花びらを拾(ひろ)って、本の間に**挟んだ**。

1 はさんだ　2 きざんだ　3 つまんだ　4 ころんだ

④この間の台風で大雨が降り**洪水**が起きた。

1 こうすい　2 ごうずい　3 ごうすい　4 こうずい

⑤隣(となり)の家との**境**には、大きな木がある。

1 すきま　2 さかい　3 あいま　4 きょう

第36回 725まで

Ⅰ　ＣＤを聞いて、指示された数の漢字を使って文を書きなさい。CD37

①　(7) ______________________________

②　(9) ______________________________

Ⅱ　□の中の漢字を使って、文を完成させなさい。＿＿部分の読み方も書きなさい。

荒	込	枯	嫌	越	雇

①姉は人込みを＿＿＿＿て週末は家にいることが多い。
（　　　　　て）

②旅行している間に、植木鉢（うえきばち）の花が＿＿＿＿てしまった。
（　　　　　て）

③連休の最終日のせいか、東京（とうきょう）に向かう高速道路はひどく＿＿＿＿でいた。
（　　　　　で）

④大雨の被害（ひがい）を受け、田や畑が＿＿＿＿てしまった。
（　　　　　て）

⑤会社を経営する側（がわ）と会社に＿＿＿＿れる側（がわ）の意見が違うのは当然だ。
（　　　　　れる）

Ⅲ　□には同じ漢字が入ります。解答欄（らん）に漢字と＿＿の部分の読み方を書きなさい。

①これは重要な書類なので**金□**（a）にしまっておいてくれ。／
すぐに出られるように、車を**車□**（b）から出しておいた。

②あの喫茶店の前を通ると、コーヒーのいい**□り**（c）がする。／
フランスのお土産に**□水**（d）を頂（いただ）いた。

③運動すると**□吸**（e）が速くなる。／激（はげ）しい雨の中、川の向こうの岸
から助けを**□ぶ**（f）声が聞こえてきた。

④液体の温度を下げていくと**□まって**（g）**□体**（h）になる。

①	a	
	b	
②	c	り
	d	
③	e	
	f	ぶ
④	g	まって
	h	

⑤結婚生活は、**お□い**(i)を尊重(そんちょう)し合うところに成立する。／国際交流では**相□**(j)理解が大切だ。

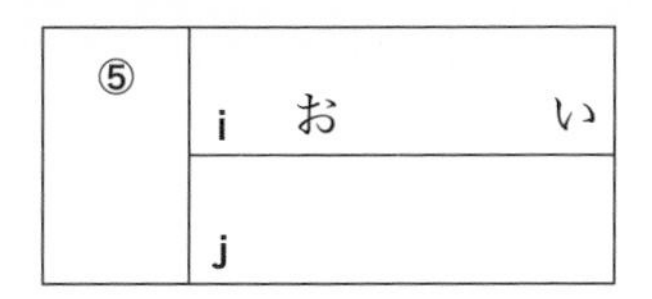

⑤	
	i　お　　い
	j

Ⅳ ＿＿＿部分の漢字は読み仮名を、平仮名は漢字を（送り仮名も）書きなさい。

①この時計は古い**型**(a)なので、毎日ねじを**巻かなければ**(b)ならない。

②**喫茶店**(c)ではいつも**禁煙**(d)席(せき)に座る。　③**厚かましい**(e)お願いですが、どうぞよろしく。

④ろうそくの**炎**(f)は、暖かい感じがする。　⑤最後に**塩**(g)を入れて、スープの出来上がりです。

⑥両親に**甘やかされて**(h)育つと、子供はわがままになる**恐れ**(i)がある。

⑦**紅茶**(j)の歴史について学ぶために、イギリスに留学した。

⑧この**海岸**(k)は星の形の**砂**(l)で有名だ。　⑨地球温暖化で**北極**(m)の氷(こおり)が溶(と)け始めているという。

⑩社員を新しく２名**採った**(n)。　⑪どうぞ、もう**構わないで**(o)ください。すぐ失礼しますので。

a	b　かなければ	c	d	e　かましい
f	g	h　やかされて	i　れ	j
k	l	m	n　った	o　わないで

Ⅴ ＿＿＿部分の漢字、または読み方を選びなさい。

①注意して書いたつもりだったが、いくつか漢字の**あやまり**があった。

1　違り　　2　過り　　3　誤り　　4　謝り

②その湖には冬になると白鳥(はくちょう)が海を**こえて**やってくる。

1　超えて　　2　延えて　　3　越えて　　4　過えて

③彼は現状(げんじょう)に満足(まんぞく)せず、**更に**いいものを求めた。

1　こうに　　2　つとに　　3　ふいに　　4　さらに

④長い人生の中には、山もあれば、**たに**もある。

1　池　　2　岸　　3　河　　4　谷

⑤日本では、２月から３月にかけて**かさい**が多くなる。

1　火災　　2　火炎　　3　火灰　　4　火炭

第37回 750まで

Ⅰ　ＣＤを聞いて、指示された数の漢字を使って文を書きなさい。CD38

① (4) ______________________________

② (9) ______________________________

Ⅱ　□の中の漢字を使って、文を完成させなさい。＿＿部分の読み方も書きなさい。

嫌	咲	辞	殺	似	散

①命あるものを簡単に＿＿＿＿てはならない。
（　　　　て）

②今きれいに＿＿＿＿ている花も、いつかは＿＿＿＿てしまう。
（　　　　て）　　（　　　　て）

③娘(むすめ)は、母親に＿＿＿＿て世話好きだ。
（　　　　て）

④突然(とつぜん)彼が会社を＿＿＿＿た理由を、だれも知らなかった。
（　　　　た）

⑤＿＿＿＿がる部下(ぶか)に無理に酒を飲ませる上司(じょうし)は、上司(じょうし)として失格(しっかく)だ。
（　　　　がる）

Ⅲ　□には同じ漢字が入ります。解答欄(らん)に漢字と＿＿の部分の読み方を書きなさい。

①この地方は、質のいい**木□**(a)の産地として知られている。／
明日のパーティーのために、料理の**□料**(b)を買いに行く。

②夏休みの宿題で植物(しょくぶつ)を**観□した**(c)。／
事件から10年後、**警□**(d)は犯人(はんにん)を捕(つか)まえた。

③奨学金(しょうがくきん)の**□給**(e)を受ける人は、銀行の**□店**(f)名も忘れずに記入してください。

④A液とB液を2対1の割合で**□合して**(g)ください。／
新宿(しんじゅく)駅や渋谷(しぶや)駅はいつも**□雑して**(h)いる。

①	a
	b
②	c
	d
③	e
	f
④	g
	h

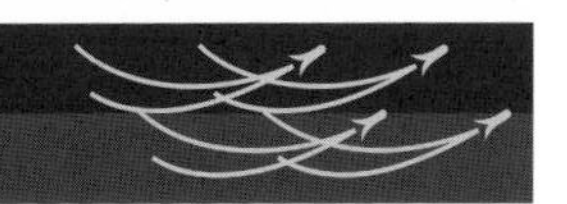

⑤毎朝、犬と□歩するのが私の日課です。／野球チームは
 i
メンバーが足りなくなって解□することになった。
 j

⑤	i
	j

Ⅳ ＿＿＿部分の漢字は読み仮名を、平仮名は漢字を（送り仮名も）書きなさい。

①仕事の帰りに**印刷所**(a)に寄って**刷り上がった**(b) **名刺**(c)を受け取った。

②**改札口**(d)の**人込み**(e)の中で中学時代の友人を見かけた。

③彼が**自殺**(f)した**げんいん**(g)は、だれにも分からない。

④**戸**(h)を開けると気持ちのいい風が吹（ふ）き込（こ）んできた。

⑤教授（きょうじゅ）：田中（たなか）**君**(i)、今度の**君**(j)の論文はなかなかいいね。 田中（たなか）：ありがとうございます。

⑥ここは学問の神様を**祭って**(k)いる神社なので、受験生が**お参り**(l)に来る。

⑦この雑誌は外国の**育児**(m)書を**さんこう**(n)にして作られた。 ⑧国民の**義務**(o)と権利について学んだ。

a	b り がった	c	d	e み
f	g	h	i	j
k って	l お り	m	n	o

Ⅴ ＿＿＿部分の漢字、または読み方を選びなさい。

①100年間休まず時を**刻んだ**(1)この時計も、とうとう壊れてしまって**歯車**(2)が動かない。

(1) 1 きざんだ 2 かんだ 3 こくんだ 4 かこんだ

(2) 1 はしゃ 2 ししゃ 3 はぐるま 4 しぐるま

②彼は「**漁師**になる。」と言って、急に会社を辞めた。

1 ぎょし 2 りょし 3 りょうし 4 ぎょうし

③父の代わりに私がお宅へ**伺い**ます。

1 うかがい 2 たずねい 3 まいりい 4 うらない

④犯人は**つみ**の意識に苦しみ、自ら警察に行った。

1 羅 2 罪 3 罰 4 悪

第38回 775まで

Ⅰ　ＣＤを聞いて、指示された数の漢字を使って文を書きなさい。CD39

①　(7)　＿＿＿＿＿＿＿＿＿＿＿＿＿＿＿＿＿＿＿＿

②　(13)　＿＿＿＿＿＿＿＿＿＿＿＿＿＿＿＿＿＿＿＿

Ⅱ　□の中の漢字を使って、文を完成させなさい。＿＿部分の読み方も書きなさい。

拾	述	就	支	甘	捨

①妹は祖母(そぼ)に＿＿＿＿てばかりいる。
(　　　　て)

②ごみの日に＿＿＿＿てあったいすや机などを＿＿＿＿て再利用した。
(　　　　て)　(　　　　て)

③彼は会議で、その問題についての見解を＿＿＿＿た。
(　　　　た)

④看板が倒(たお)れないように、しばらくの間＿＿＿＿ていてください。
(　　　　て)

⑤年を取っても、体が動く限り仕事に＿＿＿＿たいという人が増えている。
(　　　　たい)

Ⅲ　□には同じ漢字が入ります。解答欄(らん)に漢字と＿＿の部分の読み方を書きなさい。

①この学校は受験する学生の**水□**(a)が高いので、試験前にはしっかり**□備した**(b)ほうがいい。

②おかげさまで、仕事は**□調**(c)です。／入場するために**□番**(d)を待つ人の列(れつ)が続く。

③彼は帰国後、**□運な**(e)ことにいい会社に就職でき、結婚もして**□せな**(f)生活を送っている。

④夫が海外出張(しゅっちょう)で**留□**(g)の間、妻の私が家を**□って**(h)きました。

⑤結婚式に客を何人**□く**(i)か相談して決めた。／パーティーの**□待**(j)客は、約100人です。

①	a	
	b	
②	c	
	d	
③	e	な
	f	せな
④	g	
	h	って
⑤	i	く
	j	

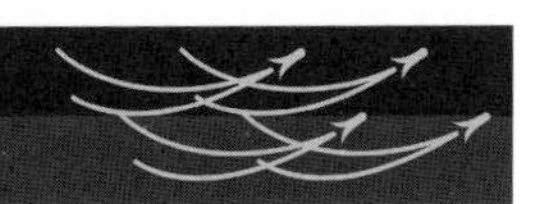

Ⅳ ＿＿＿部分の漢字は読み仮名を、平仮名は漢字を（送り仮名も）書きなさい。

①この柔らかい(a)革のコートは、きっと彼女に似合う(b)だろう。

②採点(c)した後、小数点以下を四捨五入(d)してへいきん(e)点を出してください。

③父がいつも行く床屋(f)はしょうぼうしょ(g)の隣(となり)にある。

④日本語の文法では、動詞(h)や形容詞(けいようし)は述語(i)になる。

⑤大学を卒業したら、日本の会社に就職(j)したい。

⑥卒業を祝って(k)友達と一緒に(l)旅行した。　⑦彼の行動は常識(m)では理解できない。

⑧ニューヨーク州(n)知事の選挙(せんきょ)結果はヨーロッパ諸国(o)でも注目されている。

a　　　らかい	b　　　う	c	d	e
f	g	h	i	j
k　　　って	l　　　に	m	n	o

Ⅴ ＿＿＿部分の漢字、または読み方を選びなさい。

①お口に合うかどうか分かりませんが、どうぞお召し上がりください。

1　おめしあがり　　2　おめいしあがり
3　おしょうしあがり　　4　おたべしあがり

②雨でしめってしまったせいか、なかなか花火に火がつかなかった。

1　濡って　　2　蒸って　　3　温って　　4　湿って

③そろそろデートに出かける支度をしなければ。

1　しど　　2　しいど　　3　したく　　4　しだく

④最近は若い女性も競馬を楽しむ。

1　きょうま　　2　きょうば　　3　けいま　　4　けいば

⑤明日５時に起床すれば、美しい日の出が見られます。

1　きしょう　　2　きじゅう　　3　おきゆか　　4　おきとこ

第39回 800まで

Ⅰ　ＣＤを聞いて、指示された数の漢字を使って文を書きなさい。CD40

①　(7) ______________________________

②　(4) ______________________________

Ⅱ　☐の中の漢字を使って、文を完成させなさい。＿＿部分の読み方も書きなさい。

畳　率　羽　割　歳　軒　冊

①田中(たなか)さんのお宅は、次の角を右に曲がって**六**＿＿＿＿目です。
(　　　　　)

②日本語で本を読むのはこの本で**八**＿＿＿＿目です。
(　　　　　)

③訪問先で私たちが通された茶室は**四**＿＿＿＿**半**ほどだった。
(　　　　　)

④木の枝に**一**＿＿＿＿の美しい鳥が留まっている。
(　　　　　)

⑤あの薬屋は、いつも**二**＿＿＿＿引きで商品を売っている。
(　　　　　)

⑥彼女は、**十**＿＿＿＿の誕生日(たんじょうび)から20年間ずっと日記をつけている。
(　　　　　)

Ⅲ　□には同じ漢字が入ります。解答欄(らん)に漢字と＿＿の部分の読み方を書きなさい。

①花が好きな母は、庭に様々な□**物**(a)を□**えて**(b)楽しんでいる。

②このクイズの優勝(ゆうしょう)者には、100万円の□**金**(c)のほかにすてきな□**品**(d)が贈(おく)られます。

③現場の□**況**(e)から考えて、犯人(はんにん)は一人ではないだろう。／風邪(かぜ)の**症**□(f)が軽いうちに病院へ行った。

④週末は公園の**周**□(g)を夫婦で軽く走ることにしている。／彼女は子供や孫(まご)に□**まれて**(h)幸せに暮(く)らしている。

①	a	
	b	えて
②	c	
	d	
③	e	
	f	
④	g	
	h	まれて

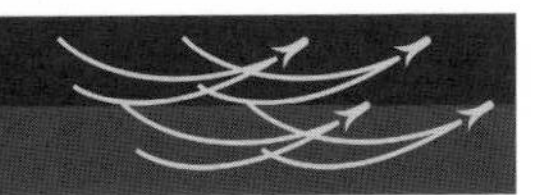

⑤東京(とうきょう)は毎日□**し暑い**(i)日が続いている。／

海水を□**発**(j)させると塩が残る。

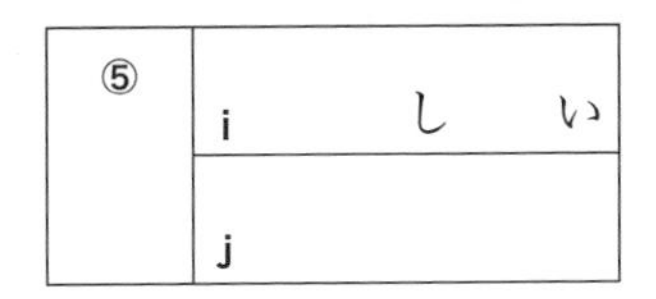

⑤	i　　しい
	j

Ⅳ ＿＿部分の漢字は読み仮名を、平仮名は漢字を（送り仮名も）書きなさい。

①その**丸い**(a) **お皿**(b)をテーブルに並べてください。　②雨がやんで急に日が**照って**(c)きた。

③その発見により、地下に古代(こだい)都市があったことが**しょうめい**(d)された。

④新しい**大臣**(e)として、女性が３人選ばれた。　⑤水平線に今年初めての太陽が**昇った**(f)。

⑥国が決めた国民の**祝い**(g)の日を「**祝日**(h)」あるいは「**祭日**(i)」という。

⑦この**ぶんしょう**(j)を分かりやすくノートにまとめなさい。

⑧今年の春は、明るい色の**口紅**(k)が流行している。　⑨けが人を**救助**(l)したのはこの犬です。

⑩**針**(m)で指を**刺して**(n)しまった。　⑪医者から**辛い**(o)物を食べないように言われている。

a　　い	b　お	c　　って	d	e
f　　った	g　　い	h	i	j
k	l	m	n　　して	o　　い

Ⅴ ＿＿部分の漢字、または読み方を選びなさい。

①結婚して**せい**が変わっていたので、名前を見てもすぐに彼女だと分からなかった。

1　姓　　2　性　　3　牲　　4　称

②確かにお客様の注文を**承り**ました。

1　うけとり　　2　うけたまわり　　3　しょうり　　4　うけつけり

③昨夜の**吹雪**(1)で、細い木の**えだ**(2)が折れてしまった。

(1) 1　ふきゆき　　2　ふゆき　　3　ふぶき　　4　ふきせつ

(2) 1　技　　2　枝　　3　肢　　4　支

④この絵は**逆さ**にして見ても面白い。

1　さくさ　　2　ぎゃくさ　　3　ぎょくさ　　4　さかさ

第40回 825まで

Ⅰ　ＣＤを聞いて、指示された数の漢字を使って文を書きなさい。CD41

①　(8)　＿＿＿＿＿＿＿＿＿＿＿＿＿＿＿＿＿＿＿＿

②　(12)　＿＿＿＿＿＿＿＿＿＿＿＿＿＿＿＿＿＿＿＿

Ⅱ　□の中の漢字を使って、文を完成させなさい。＿＿部分の読み方も書きなさい。

焼	積	触	吹	伸	植

①これ以上荷物を＿＿＿＿だら危険だ。
（　　　　だら）

②日本人の平均身長は、この半世紀(せいき)でかなり＿＿＿＿た。
（　　　　た）

③海からの風に＿＿＿＿れながら散歩した。
（　　　　れ）

④キャンプで肉や魚を＿＿＿＿て食べた。
（　　　　て）

⑤手で＿＿＿＿てみてください。柔らかくて軽い布(ぬの)でしょう。
（　　　　て）

Ⅲ　＿＿は「○○する」という漢字２字の言葉の一部分です。もう一つの漢字を考えて□に入れ、解答欄(らん)に漢字と＿＿部分の読み方を書きなさい。

①大型の台風が東京(とうきょう)に**□近して**いる。

②私は日本の文化を世界の人に**紹□しよう**と思っている。

③作文は間違いを直して、**清□して**から出してください。

④新しいコンピューターは、今までの倍の速さで仕事を

□理することができる。

⑤部長：この件は、すぐ先方(せんぽう)に連絡(れんらく)してくれ。

社員：はい、**□知しました**。

⑥この国は、ほかの国によって長い間**□配されて**いた。

①	
②	
③	
④	
⑤	
⑥	

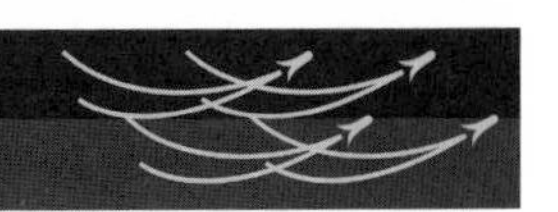

Ⅳ ＿＿部分の漢字は読み仮名を、平仮名は漢字を（送り仮名も）書きなさい。

①毎日、寝る前に日記を書いて１日の**反省**(a)をしている。

②古いビルに逃(に)げ込(こ)んだ犯人(はんにん)を必死に**捜した**(b)。　③たばこは**灰皿**(c)のある所で吸うこと。

④**窓**(d)ガラスを割ってしまったので、ほうきで**掃いた**(e)後、**掃除機**(f)をかけた。

⑤彼女は**看護師**(g)を目指して頑張(がんば)っている。

⑥あの兄弟は、顔は似ているが**精神**(h)的な面では**対照**(i)的だ。

⑦大型スーパーでは食料品のほか衣服や電気**製品**(j)も売っている。

⑧競技大会でいい**せいせき**(k)を取ったので、**賞状**(l)と**温泉**(m)旅行の招待券をもらった。

⑨地球上で海が**占める**(n) **めんせき**(o)の割合は、全体のおよそ10分の７と言われている。

a	b　　した	c	d	e　　いた
f	g	h	i	j
k	l	m	n　　める	o

Ⅴ ＿＿部分の漢字、または読み方を選びなさい。

①**床**にカーテンと同じ色のカーペットを敷(し)いた。

1　とこ　　2　ゆか　　3　いた　　4　かべ

②結婚の相手をトランプで**占って**もらった。

1　うらなって　　2　さぐって　　3　しめって　　4　めぐって

③昨夜のクラス会は学生時代の友人が**大勢**集まった。

1　たいせい　　2　たいぜい　　3　おおせい　　4　おおぜい

④試験に合格し、思わず「**万歳**。」と叫んだ。

1　まんざい　　2　まんさい　　3　ばんざい　　4　ばんさい

⑤彼の家は東京(とうきょう)の**こうがい**にある。

1　交外　　2　校外　　3　郊外　　4　効外

第41回 850まで

Ⅰ　ＣＤを聞いて、指示された数の漢字を使って文を書きなさい。CD42

①　(8)　＿＿＿＿＿＿＿＿＿＿＿＿＿＿＿＿＿＿＿＿

②　(6)　＿＿＿＿＿＿＿＿＿＿＿＿＿＿＿＿＿＿＿＿

Ⅱ　□の中の漢字を使って、文を完成させなさい。＿＿部分の読み方も書きなさい。

型	券	権	状	製	軒	率

①お世話になった先生に**お礼**＿＿＿を書いた。
（お　　　）

②医者は手術の前に、もう一度**血液**＿＿＿を確かめた。
（　　　）

③この**ドイツ**＿＿＿の車は、とても運転しやすくできている。
（ドイツ　　　）

④日本では、赤(あか)ん坊(ぼう)や幼児(ようじ)の**死亡**＿＿＿が大変低い。
（　　　）

⑤彼は、いつも**定期**＿＿＿と一緒に子供の写真を持ち歩いている。
（　　　）

⑥今回の会議においては、会員以外の方に**発言**＿＿＿はありません。
（　　　）

Ⅲ　□には同じ漢字が入ります。解答欄(らん)に漢字と＿＿の部分の読み方を書きなさい。

①身体**□定**(a)の日に、身長を**□った**(b)。

②ほかの人の意見も**□重する**(c)ことが大切だ。／
あの先生は学生から**□敬され**(d)ている。

③地球以外の星にも生物は**□在する**(e)のだろうか。／
飛行機事故の**生□**(f)者の名前が確認(かくにん)された。

④自然を観察することから自然の**法□**(g)が発見された。／
学校の**規□**(h)に従(したが)って行動してください。

①	a	
	b	った
②	c	
	d	
③	e	
	f	
④	g	
	h	

⑤年を取ると□(i)が弱くなり、転んだだけでも□(j)**折する**ことがある。

⑤	
	i
	j

Ⅳ ＿＿部分の漢字は読み仮名を、平仮名は漢字を（送り仮名も）書きなさい。

①熱を出した**息子**(a)が、苦しそうに**息**(b)をしている。 ②今日こそは、机の上を**整理**(c)しよう。

③上海(シャンハイ)には**高層**(d)ビルが建っている。 ④雨なので洗濯物(せんたく)を**乾燥機**(e)で乾かした。

⑤新しいＣＤの**製作**(f)について、会社の**方針**(g)はまだ決まっていない。

⑥誕生日(たんじょうび)の**贈り物**(h)にばらの**花束**(i)をもらった。 ⑦銀行で**硬貨**(j)を**お札**(k)に替えた。

⑧Ａチームは**勢い**(l)に乗って勝ち進み、とうとう優勝(ゆうしょう)した。

⑨**昔話**(m)は親から子へ、子から**孫**(n)へ、そしてその**子孫**(o)へと伝えられてきた。

a	b	c	d	e
f	g	h　り	i	j
k　お	l　い	m	n	o

Ⅴ ＿＿部分の漢字、または読み方を選びなさい。

①彼は、パソコンの**操作**には自信を持っている。

1　そうさ　　2　そうさく　　3　そさ　　4　そさく

②住所変更後、１年未満(みまん)の住民は、この調査の対象から**のぞき**ます。

1　余き　　2　除き　　3　省き　　4　削き

③会社に手紙を出す場合は、会社名の下に「**御中**」と書く。

1　おんちゅう　　2　おちゅう　　3　ぎょちゅう　　4　ごちゅう

④この装置は危ないですから、**触れて**はいけません。

1　ふうれて　　2　さわれて　　3　されて　　4　ふれて

⑤夕立がやむのを**軒下**で待っていた。

1　けんした　　2　のきした　　3　のきしも　　4　けんしも

チャレンジ　接辞（せつじ）②

Ⅰ　（　　）に入る漢字を１～４から選びなさい。

①映画を見る前に、指定（　　　　）を予約しておこう。

1　間　　2　室　　3　席　　4　区

②専門（　　　　）に大学の教授の論文が載（の）っている。

1　誌　　2　語　　3　家　　4　職

③車を運転する際は、免許（めんきょ）（　　　　）を忘れないように。

1　紙　　2　章　　3　書　　4　証

④海外でボランティアをして、（　　　　）文化交流の楽しさを知った。

1　外　　2　異　　3　違　　4　比

⑤心の中に教師としての理想（　　　　）を持っている。

1　心　　2　型　　3　体　　4　像

Ⅱ　□に入る共通の漢字を、□から選んで（　　）に書きなさい。

愛	外	用	観	再

①（　　　　）…来客□　非常□　携帯（けいたい）□

②（　　　　）…□提出　□教育　□出発

③（　　　　）…予想□　時間□　範囲□

④（　　　　）…人類□　家族□　兄弟□

⑤（　　　　）…死生□　人生□　価値□

Ⅲ　□に入る共通の言葉を、□から選んで（　　）に書きなさい。

水道	禁煙	消防	新聞	文化

①（　　　　）…□紙　古□　□社

②（　　　　）…□中　□席　□車

③（　　　　）…□士　□署　□車

④（　　　　）…下□　□管　□水

⑤（　　　　）…□財　□的　□人

第42回 875まで

Ⅰ　ＣＤを聞いて、指示された数の漢字を使って文を書きなさい。CD43

① ⑽ ＿＿＿＿＿＿＿＿＿＿＿＿＿＿＿＿＿＿＿＿

② ⑽ ＿＿＿＿＿＿＿＿＿＿＿＿＿＿＿＿＿＿＿＿

Ⅱ　□の中の漢字を使って、文を完成させなさい。＿＿部分の読み方も書きなさい。（すべて形容詞です）

荒	憎	暖	浅	清	硬

①台風のせいか、海の波が急に＿＿＿＿くなってきた。
（　　　　く）

②国民は常に＿＿＿＿く正しい政治を求めている。
（　　　　く）

③ここのプールは＿＿＿＿ので、飛び込み禁止になっている。
（　　　　）

④相手を思って注意するのであって、決して＿＿＿＿くて言っているのではない。
（　　　　くて）

⑤地球上で、最も＿＿＿＿宝石（ほうせき）はダイヤモンドである。
（　　　　）

Ⅲ　□には同じ漢字が入ります。解答欄に漢字と＿＿の部分の読み方を書きなさい。

①この辺（あた）りは**□庁**(a)街（がい）なので、いつも**警□**(b)が警備している。

②このプールは２時間を**□える**(c)と、**□過**(d)料金を払（はら）わなくてはならない。

③面接はきちんとした**服□**(e)で行くべきだ。／
400年前の劇場に、すでに舞台（ぶたい）が回ったり上がったりする**□置**(f)があった。

④**□直に**(g)意見を交換しよう。／
この成績なら、試験に合格する**確□**(h)は高い。

⑤国の経済状態は、**直□**(i)的にしろ**間□**(j)的にしろ、私たちの生活に深くかかわっている。

①	a
	b
②	c　　　える
	d
③	e
	f
④	g　　　に
	h
⑤	i
	j

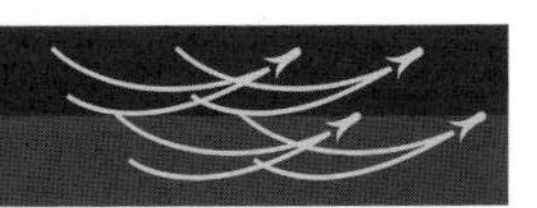

Ⅳ ＿＿＿部分の漢字は読み仮名を、平仮名は漢字を（送り仮名も）書きなさい。

①銀行の窓口で円をドルに**両替**(a)した。

②ここは消防署の前ですから、**ちゅうしゃ**(b)しないでください。

③目的のためには**手段**(c)を選ばない人がいる。　④**恥ずかしくて**(d)顔が赤くなった。

⑤**妻**(e)と田中さん**夫妻**(f)は、同じテニスサークルの**仲間**(g)だ。

⑥山の**頂上**(h)には石で造られた**建築物**(i)があった。　⑦日本では**総理大臣**(j)を首相という。

⑧**金属**(k)産業はオイルショックの時、**石炭**(l)を利用するなどして危機を乗り越えた。

⑨**うちゅう**(m)旅行が夢(ゆめ)ではない時代がやってきた。　⑩道の**両側**(n)に**電柱**(o)が立っている。

a	b	c	d　ずかしくて	e
f	g	h	i	j
k	l	m	n	o

Ⅴ ＿＿＿部分の漢字、または読み方を選びなさい。

①新しく**通帳**を作る時には、本人の証明と判(はん)こが必要だ。

1　とうちょう　　2　とうちょ　　3　つうちょう　　4　つうちょ

②試合に負けた原因は、相手を弱いと思って**ゆだん**していたことにある。

1　油段　　2　油断　　3 由段　　4　由断

③布団(ふとん)を**畳んで**押し入れにしまった。

1　たたみんで　　2　たたんで　　3　じょうんで　　4　つんで

④交通費は会社が**ふたん**します。

1　不担　　2　不断　　3　負断　　4　負担

⑤「先生、お待たせいたしました。お車が**まいり**ました。」

1　参り　　2　伺り　　3　承り　　4　祈り

第43回 900まで

Ⅰ　ＣＤを聞いて、指示された数の漢字を使って文を書きなさい。CD44

① ⑽ ____________________

② ⑹ ____________________

Ⅱ　□の中の漢字を使って、文を完成させなさい。＿＿＿部分の読み方も書きなさい。

断	贈	逃	凍	造	怒

①何度も約束の時間に遅れて、彼女を＿＿＿＿せてしまった。
（　　　　せて）

②お世話になった人へ、お礼の気持ちを込めてワインを＿＿＿＿た。
（　　　　た）

③法隆寺(ほうりゅうじ)は木で＿＿＿＿れた世界最古の建築物だ。
（　　　　れた）

④北国の子供たちは、冬の朝固く＿＿＿＿た道を歩いて通学する。
（　　　　た）

⑤かわいがっていた小鳥が鳥かごから＿＿＿＿てしまった。
（　　　　て）

Ⅲ　□には同じ漢字が入ります。解答欄(らん)に漢字と＿＿＿の部分の読み方を書きなさい。

①早く起きて**□度な**(a)運動をし、**快□な**(b) 1 日を過ごすことが私の健康法だ。

②あの学生は学習**□度**(c)が非常にいい。／
このままの**状□**(d)が続けば、景気は回復するだろう。

③日本へ来て初めて**地□**(e)を体験し、体が**□えて**(f)しまった。

④自由な**空□**(g)の中から、新しい**発□**(h)が生まれることがある。

⑤鼻(はな)の長い□(i)は動物園の人気者だ。／
大学生を**対□**(j)にアンケート調査を行った。

①	a	な
	b	な
②	c	
	d	
③	e	
	f	えて
④	g	
	h	
⑤	i	
	j	

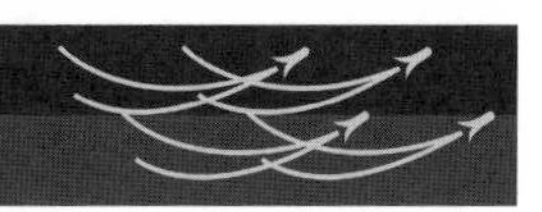

Ⅳ ＿＿部分の漢字は読み仮名を、平仮名は漢字を（送り仮名も）書きなさい。

①彼は、母国の産業の**はってん**(a)のために努力した。

②**政党**(b)間の争いが人々の話題になっている。　③この冬、**灯油**(c)が値上がりするらしい。

④**ちょきん**(d)を下ろした後は、**強盗**(e)にあったり**盗まれ**(f)たりしないように用心している。

⑤どなたか**心臓**(g)の専門医を**ご存じ**(h)ありませんか。

⑥その本を読むと**著者**(i)が戦争を**憎んで**(j)いることが分かる。

⑦エアコンが故障(こしょう)して**水滴**(k)が落ちてくる。　⑧森の中で、冷(つめ)たい**泉**(l)の水を飲んだ。

⑨母親が病気で**倒れた**(m)ので、兄弟４人が**交替**(n)で**面倒**(o)をみた。

a	b	c	d	e
f　　まれ	g	h　ご　　じ	i	j　　んで
k	l	m　　れた	n	o

Ⅴ ＿＿部分の漢字、または読み方を選びなさい。

①散歩の途中で**めずらしい**花を見かけた。

　1　珍しい　　2　貴しい　　3　希しい　　4　重しい

②雨の日にいなくなった犬が、**泥**だらけになって帰ってきた。

　1　すな　　2　つち　　3　どろ　　4　いわ

③感謝状(かんしゃじょう)をもらったら、名前の下に「**殿**」と書いてあった。

　1　どの　　2　との　　3　でん　　4　てん

④向こうに見えるのは、有名な五重(ごじゅう)の**とう**だ。

　1　島　　2　堂　　3　棟　　4　塔

⑤先月から前の道路で工事が始まり、昼間は**たえず**音がしてうるさい。

　1　絶えず　　2　断えず　　3　耐えず　　4　堪えず

第44回 925まで

Ⅰ　ＣＤを聞いて、指示された数の漢字を使って文を書きなさい。CD45

①　(9)　＿＿＿＿＿＿＿＿＿＿＿＿＿＿＿＿＿＿＿＿

②　(10)　＿＿＿＿＿＿＿＿＿＿＿＿＿＿＿＿＿＿＿＿

Ⅱ　□の中の漢字を使って、文を完成させなさい。＿＿＿部分の読み方も書きなさい。

探	省	悩	届	憎	認

①寮(りょう)に帰ると、国から大きい荷物が＿＿＿＿ていた。
（　　　　て）

②ゴッホは、生きている間は世間から＿＿＿＿られなかった。
（　　　　られ）

③私は、卒業後どうするかについて＿＿＿＿でいる。
（　　　　で）

④できるだけ無駄(むだ)を＿＿＿＿た生活をするように心掛(が)けている。
（　　　　た）

⑤引っ越したくて部屋を＿＿＿＿たが、いい所が見付からなかった。
（　　　　た）

Ⅲ　□には同じ漢字が入ります。解答欄(らん)に漢字と＿＿＿の部分の読み方を書きなさい。

①20世紀(せいき)に入って、アジアやアフリカでは多くの国が**□立**(a)した。／結婚するより**□身**(b)のほうが気楽でいいという若い人が増えている。

②**□然**(c)、大きなトラックが家に**□っ込んで**(d)きた。

③彼は借金をしすぎて**□産して**(e)しまった。／紙の袋が**□れて**(f)、中のりんごが床に落ちてしまった。

④山道で大きな荷物を**□負った**(g)男に出会った。／4月の入社に備えて**□広**(h)を作った。

①	a
	b
②	c
	d　つ　んで
③	e
	f　れて
④	g　った
	h

⑤これは大切な仕事だから、責□(i)感の強い彼に□せる(j)ことにしよう。

⑤	i
	j　　せる

Ⅳ ＿＿部分の漢字は読み仮名を、平仮名は漢字を（送り仮名も）書きなさい。

①山があると電波(a)が届きにくい。　②脳(b)の働きが鈍く(c)なると、甘いものが欲(ほ)しくなる。

③今年の夏は曇り(d)の日が多かったせいで、きれいな紅葉(e)が見られない。

④総選挙の後、首相は内閣(ないかく)を改造(f)すると発表した。

⑤屋根に濃い(g)青のペンキを塗る(h)ことにした。

⑥けんこう(i)を回復(かいふく)するためには、休息(j)が一番だ。　⑦彼はもう昔のように純情(k)ではない。

⑧日本では小学生を児童(l)、中学生・高校生を生徒(m)と呼ぶ。

⑨その地方の祭りでは、神社の四隅に巨大な(n) 柱(o)を立てるそうだ。

a	b	c　　く	d　　り	e
f	g　　い	h　　る	i	j
k	l	m	n　　な	o

Ⅴ ＿＿部分の漢字、または読み方を選びなさい。

①隣(となり)の方からすてきなお土産を頂いた。

1　とどいた　　2　いただいた　　3　もらいた　　4　たたいた

②たばこは体にどくですよ。

1　害　　2　菌　　3　悪　　4　毒

③缶(かん)コーヒーを買おうとして、ポケットを探って百円玉を出した。

1　さがって　　2　さぐって　　3　たどって　　4　たぐって

④地味な着物に派手な(1) 帯(2)を合わせた。

(1) 1　はでな　　2　はしゅな　　3　はてな　　4　はじゅな

(2) 1　たい　　2　つい　　3　おび　　4　ひも

第45回 950まで

Ⅰ　ＣＤを聞いて、指示された数の漢字を使って文を書きなさい。CD46

①　(9) ________________________________

②　(9) ________________________________

Ⅱ　□の中の漢字を使って、文を完成させなさい。＿＿＿部分の読み方も書きなさい。

巻	匹	泊	第	杯	兆

①大地震で被害を受けた国に**一**＿＿＿＿円の援助（えんじょ）が行われることになった。
（　　　　　）

②人間より大きい動物は一頭二頭、小さい動物は**一**＿＿＿＿、**二**＿＿＿＿と数える。
（　　　　　）（　　　　　）

③高校生の弟は、いつもご飯を**三**＿＿＿＿以上食べる。
（　　　　　）

④**五**＿＿＿＿**六日**の旅行に出かけた。
（　　　　　）

⑤この文学全集は全部で**六十**＿＿＿＿もある。
（　　　　　）

Ⅲ　＿＿＿は「○○する」という漢字２字の言葉の一部分です。もう一つの漢字を考えて□に入れ、解答欄（らん）に漢字と＿＿＿部分の読み方を書きなさい。

①服装や外見によって人を**判□して**はいけない。

②少年法の改正が国会で**承□された**。

③佐々木（ささき）さんに代わって、私が今日からこの仕事を**□当する**ことになりました。

④100年後の私たちの生活を**想□して**みてください。

⑤いくつか問題点があるものの、私はこの法律案（ほうりつ）に**□成したい**と思う。

①	
②	
③	
④	
⑤	

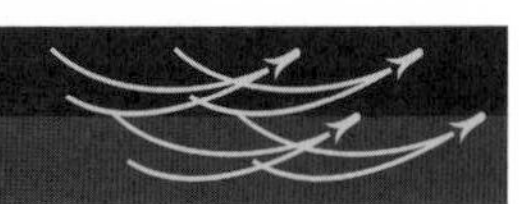

⑥来週のハイキングは各自弁当(べんとう)を**持□して**ください。

⑥	

Ⅳ ＿＿＿部分の漢字は読み仮名を、平仮名は漢字を（送り仮名も）書きなさい。

①更に研究に**努めて**(a)、よい論文が書けるように**努力**(b)いたします。

②急に空が暗くなり、**波**(c)まで高くなってきた。　③ロシアは**寒帯**(d)に属している。

④彼は会社に**損害**(e)を与え、周囲から**責められた**(f)。

⑤バスの**停留所**(g)はここから数分の所にあります。

⑥インターネット**販売**(h)に関係した**犯罪**(i)が増え、かなりの**被害**(j)が出ている。

⑦彼女の短い**髪**(k)にその帽子(ぼうし)はよく似合った。　⑧この**消毒薬**(l)は**薄めて**(m)使ってください。

⑨**坂**(n)の途中にある喫茶店に寄った。　⑩このテーブルは１枚の**板**(o)でできている。

a　　めて	b	c	d	e
f　　められた	g	h	i	j
k	l	m　　めて	n	o

Ⅴ ＿＿＿部分の漢字、または読み方を選びなさい。

①**どう**の文化から鉄の文化になったことで、人間の歴史は大きく変化した。

1　鉛　　2　銀　　3　銅　　4　鈴

②祖母の１日は、亡(な)くなった祖父の写真を**拝んで**から始まる。

1　おがんで　　2　にらんで　　3　はいんで　　4　たたんで

③心身共に健康な時には、**肌**も美しいものだ。

1　ほほ　　2　はだ　　3　かわ　　4　ひふ

④写真を撮(と)りますから、**背**の高い人は後ろに並んでください。

1　せい　　2　はい　　3　かた　　4　せなか

⑤暗い海に灯台の赤い**灯**がぽつりと見えた。

1　あかり　　2　めい　　3　ひ　　4　とう

第46回 975まで

I　ＣＤを聞いて、指示された数の漢字を使って文を書きなさい。CD47

①　⑽　＿＿＿＿＿＿＿＿＿＿＿＿＿＿＿＿＿＿＿＿＿＿＿＿

②　⑻　＿＿＿＿＿＿＿＿＿＿＿＿＿＿＿＿＿＿＿＿＿＿＿＿

II　□の中の漢字を使って、文を完成させなさい。＿＿＿部分の読み方も書きなさい。

再	諸	副	省	翌	型	総

①病気の社長に代わって、＿＿＿**社長**が代理を務めている。
（　　　　　）

②首都移転に関する＿＿＿**問題**について話し合った。
（　　　　　）

③カードをなくしてしまったので＿＿＿**発行して**もらった。
（　　　　　して）

④日本の＿＿＿**人口**はおよそ、１億2,000万人である。
（　　　　　）

⑤私たちは、＿＿＿**エネルギー**対策（たいさく）について、もっと真剣（しんけん）に考えるべきだ。
（　　　エネルギー）

⑥問題が本当に解決したのは、その＿＿＿**年**の９月だった。
（　　　　　）

III　□には同じ漢字が入ります。解答欄（らん）に漢字と＿＿＿の部分の読み方を書きなさい。

①「君が本当に盗んだのか。」と聞くと、少年は**肯□**(a)も**否□**(b)もしなかった。

②語学の勉強は繰（く）り返（かえ）し**□習する**(c)ことが大切だ。／
健康が**回□する**(d)まで、休んでください。

③書類の**□出**(e)期限は今週末です。／
新製品について私の**□案**(f)が採用（さいよう）された。

④外国人にとって日本語の敬語は**□雑**(g)だ。／
この事件の犯人は一人ではなく**□数**(h)に違いない。

①	a	
	b	
②	c	
	d	
③	e	
	f	
④	g	
	h	

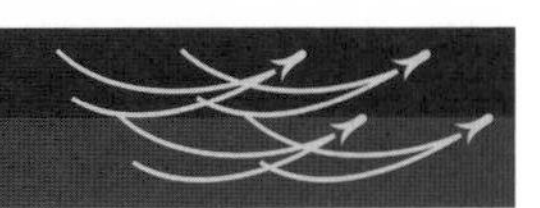

⑤祖父の代からの**□産**(i)を守るのが私の務めだ。／

私の**□布**(j)にはお金ではなくてカードばかり入っている。

⑤	i
	j

Ⅳ ＿＿部分の漢字は読み仮名を、平仮名は漢字を（送り仮名も）書きなさい。

①**城**(a)の**周り**(b)の堀(ほり)に、小さな**舟**(c)を**うかべて**(d)遊んだ。　②**お湯**(e)を**沸かして**(f)お茶にしよう。

③**猫**(g)は**祖母**(h)のひざの上で丸くなっている。　④様々な**濃度**(i)の液体を使って実験した。

⑤**お見舞い**(j)に行くと、部屋の壁(かべ)にはきれいな絵が飾(かざ)ってあった。

⑥雨が続いて**洗濯物**(k)が乾かなくて困っている。　⑦**封筒**(l)に切手をはった。

⑧犬は人間よりずっと**鼻**(m)がいい。　⑨人気歌手のコンサートの**切符**(n)をやっと手に入れた。

⑩大学院に入ったら、**博士**(o)課程まで進みたい。

a	b　　り	c	d	e　お
f　　かして	g	h	i	j　お　　い
k	l	m	n	o

Ⅴ ＿＿部分の漢字、または読み方を選びなさい。

①ダイヤモンドは地球上で一番硬い**こうぶつ**だ。

1　銅物　　2　鋼物　　3　鋼物　　4　鉱物

②会議は**再来週**に変更になりました。

1　さいらいしゅう　　2　さらいしゅう

3　ふたらいしゅう　　4　ふらいしゅう

③ここに**しょめい**をお願いします。

1　煮名　　2　暑名　　3　著名　　4　署名

④おじいさんから**へいたい**だった時の話を聞いた。

1　浜隊　　2　軍隊　　3　併隊　　4　兵隊

⑤夏休み、友達の家に**とまって**泳いだり釣(つ)りをしたりした。

1　泊まって　　2　宿まって　　3　止まって　　4　停まって

第47回 1000まで

Ⅰ　ＣＤを聞いて、指示された数の漢字を使って文を書きなさい。CD48

① (9) ____

② (8) ____

Ⅱ　□の中の漢字を使って、文を完成させなさい。＿＿部分の読み方も書きなさい。

凍	満	眠	暮	包	抱

①初めて海外旅行に行く前の晩は、うれしくて＿＿＿＿なかった。
（　　　　なかった）

②彼は自信に＿＿＿＿た表情で話し始めた。
（　　　　た）

③年を取ったら田舎(いなか)で静かに＿＿＿＿たい。
（　　　　たい）

④病院の待合室は子供を＿＿＿＿た母親でいっぱいだった。
（　　　　た）

⑤花瓶(かびん)や食器は新聞紙に＿＿＿＿でから箱に入れてください。
（　　　　で）

Ⅲ　□には同じ漢字が入ります。解答欄(らん)に漢字と＿＿の部分の読み方を書きなさい。

①この□り(a)に郵便局はありませんか。／
工事現場の音がうるさくて、周□(b)の住民は困っている。

②アメリカは天然資源(しげん)が□かな(c)国だ。／
□富な(d)経験が認められて、野球部の監督(かんとく)に就任した。

③交通事故による死□(e)者数は増える一方だ。中でも、65歳以上のお年寄りが□くなる(f)ケースが一番多い。

④□員(g)電車で通勤するのはつらい。／
彼女はどんなにつらくても不□(h)を言わなかった。

①	a	り
	b	
②	c	かな
	d	な
③	e	
	f	くなる
④	g	
	h	

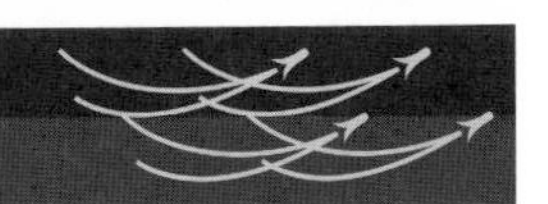

⑤起きたのが□かったので、学校に□刻してしまった。
　　　　　　　i　　　　　　　　　j

⑤	i　かった
	j

Ⅳ ＿＿部分の漢字は読み仮名を、平仮名は漢字を（送り仮名も）書きなさい。

①この地方の冬は、**毛皮**(a)のコートや**帽子**(b)がなければ過ごせない。

②**娘**(c)は**編み物**(d)が大好きで、あっという間にセーターや**手袋**(e)を**編んで**(f)しまう。

③**虫歯**(g)の予防には、食後に歯を**磨く**(h)ことが効果的だという。

④子供のころは、川で魚を**捕ったり**(i)秘密（ひみつ）の場所に**宝**(j)を**埋めたり**(k)して遊んだものだ。

⑤**牛乳**(l)を飲んでカルシウムの不足を**補う**(m)。　⑥事故で**居眠り**(n)運転の**恐怖**(o)を知った。

a	b	c	d　み	e
f　んで	g	h　く	i　ったり	j
k　めたり	l	m　う	n　り	o

Ⅴ ＿＿部分の漢字、または読み方を選びなさい。

①**独り言**というのは、ほかの人にとっては気味が悪いものである。

1　どくりごと　　2　くりごと　　3　ひとりごと　　4　ひどりごと

②北海道（ほっかいどう）では**ぼくちく**が盛（さか）んだ。

1　牧育　　2　牧蓄　　3　牧逐　　4　牧畜

③『**坊ちゃん**』は夏目漱石（なつめそうせき）が書いた有名な小説だ。

1　ぼうちゃん　　2　ぼおちゃん　　3　ぼっちゃん　　4　ぼんちゃん

④やっと山小屋に着いて**凍えた**体を温めた。

1　こごえた　　2　とおえた　　3　こおりえた　　4　さむえた

⑤彼は何でもよく知っているので、クラスの友達から物知り**博士**と言われていた。

1　ひろし　　2　ひろせ　　3　はくし　　4　はかせ

第48回 1025まで

Ⅰ　ＣＤを聞いて、指示された数の漢字を使って文を書きなさい。CD49

①　⑾ ＿＿＿＿＿＿＿＿＿＿＿＿＿＿＿＿＿＿＿＿

②　⑺ ＿＿＿＿＿＿＿＿＿＿＿＿＿＿＿＿＿＿＿＿

Ⅱ　□の中の漢字を使って、文を完成させなさい。＿＿部分の読み方も書きなさい。（すべて形容詞です）

易	優	幼	怖	薄	軟

①一般に、日本料理は味が＿＿＿＿と言われている。
（　　　　）

②この料理は、歯の悪いお年寄り向けに＿＿＿＿く作られています。
（　　　　く）

③血を見るのが＿＿＿＿なんて言っていたら、医者になれないよ。
（　　　　）

④モーツァルトは、＿＿＿＿ころから、その優れた才能を認められていた。
（　　　　）

⑤彼女の絵には、＿＿＿＿顔をした母と子が描(えが)かれている。
（　　　　）

Ⅲ　□には同じ漢字が入ります。解答欄(らん)に漢字と＿＿の部分の読み方を書きなさい。

①ビニール袋やプラスチック□器(a)が、環境汚(お)染(せん)の原因の一つになっている。／環境問題は□易(b)には解決しない。

②食□(c)の秋だ。食べ過ぎ、太り過ぎに注意。／病人は、水以外何も□しがら(d)なかった。

③海へ行く電車は海水□(e)客でいっぱいだ。／あまりの暑さに、何度もシャワーを□びた(f)。

④小□(g)を開けてみると、きれいに□装された(h)プレゼントが出てきた。

①	a	
	b	
②	c	
	d	しがら
③	e	
	f	びた
④	g	
	h	

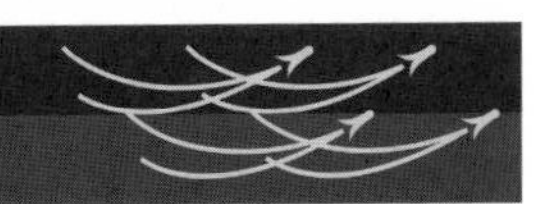

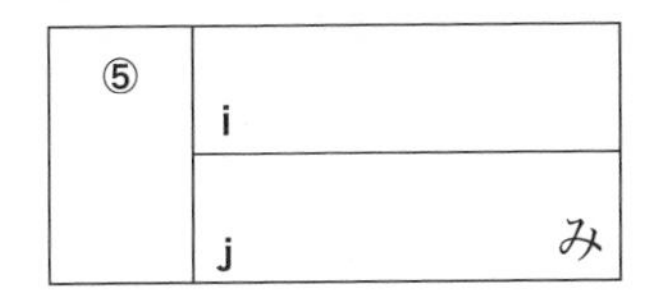

⑤その技術を身につけるには、特別な□練(i)が必要だ。／

漢字の読み方には音読みと□読み(j)があります。

⑤	i
	j　　　み

Ⅳ ＿＿部分の漢字は読み仮名を、平仮名は漢字を（送り仮名も）書きなさい。

①箱(a)の裏(b)に製造年月日が書いてあります。

②火山が爆発(c)したので、島の住民は全員島を離れなければならなかった。

③たいよう(d)がまぶしい夏が来た。　④いつか舞台(e)で踊れる(f)日を夢みています。

⑤「a、b、c」から選んで符号(g)で答えなさい。　⑥彼は若いのに迷信(h)を信じている。

⑦武器(i)を輸出して巨大な利益(りえき)を上げた貿易(j)会社の名前が公表された。

⑧駅の近くに賃貸(k)マンションを借りた。　⑨急に逃げ出した羊(l)をやっと捕まえた(m)。

⑩夏は綿(n)100パーセントの下着がいい。　⑪引っ越しを手伝って腰(o)を痛めてしまった。

a	b	c	d	e
f　　れる	g	h	i	j
k	l	m　　まえた	n	o

Ⅴ ＿＿部分の漢字、または読み方を選びなさい。

①この映画は昨年制作された映画の中で、最も優れた作品の一つです。

1　すれた　　2　すぐれた　　3　すかれた　　4　すたれた

②高校のころは理由もなく暴れて、親に心配をかけたものだ。

1　あばれて　　2　あはれて　　3　あぶれて　　4　あふれて

③彼は約束の日に花束を抱えて現れた。

1　いだえて　　2　だきえて　　3　かかえて　　4　ほうえて

④「仏(1)の顔も三度」「犬も歩けば棒(2)に当たる」などは、古くからあることわざだ。

(1) 1　ほっとけ　　2　ほとけ　　3　ぶつ　　4　ぶっだ

(2) 1　ぼう　　2　ほう　　3　ぼく　　4　つえ

第49回 1046まで

Ⅰ　ＣＤを聞いて、指示された数の漢字を使って文を書きなさい。CD50

①　⑼ ________________________________

②　⑻ ________________________________

Ⅱ　□の中の漢字を使って、文を完成させなさい。＿＿部分の読み方も書きなさい。

込	張	混	犯	整

①黄色と青の絵の具を＿＿＿＿と緑色になる。
（　　　　　）

②準備が＿＿＿＿たら、すぐ出発するつもりだ。
（　　　　　たら）

③事件があった場所にはロープが＿＿＿＿れていて、だれも入れなかった。
（　　　　　れて）

④彼は、まだ自分の＿＿＿＿た罪の大きさに気が付いていなかった。
（　　　　　た）

⑤感謝（かんしゃ）の気持ちを＿＿＿＿てお礼の手紙を書いた。
（　　　　　て）

Ⅲ　□には同じ漢字が入ります。解答欄に漢字と＿＿の部分の読み方を書きなさい。

①５月１日は、メーデーといって**□働**(a)者の日です。／
あの人は**苦□した**(b)だけあって、人のつらさをよく理解してくれる。

②調味料の**分□**(c)は、本に書いてある通りに**□る**(d)こと。

③落ち着いて**□静に**(e)考えれば分かることだ。／
外の空気が**□たくて**(f)、思わず体が震えた。

④私は**失□**(g)したことにより、人間的に成長したと思う。／
彼はいい人で大好きですが、私の**□人**(h)ではありません。

①	a
	b
②	c
	d　　る
③	e　　に
	f　　たくて
④	g
	h

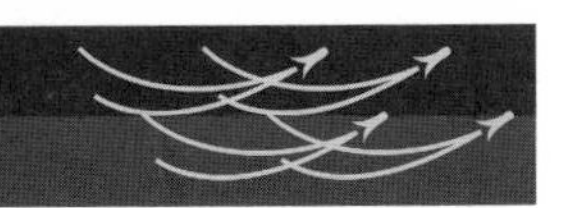

⑤資源(しげん)の少ない日本は、原料を□入しi製品を□出するjことが多い。

⑤	i
	j

Ⅳ ＿＿部分の漢字は読み仮名を、平仮名は漢字を（送り仮名も）書きなさい。

①**卵**(a)と**小麦粉**(b)を用意してください。そして、まず卵を**溶き**(c)、その中に**粉**(d)を入れます。

②**泥棒**(e)は、高価な**ほうせき**(f)がついた**ゆびわ**(g)だけ盗んでいったらしい。

③海外で仕事をしていた息子が**戻って**(h)きて**通訳**(i)になった。

④だれも**頼る**(j)人がいないと思うと、**余計**(k)不安になった。

⑤日本では、ある**年齢**(l)以上の人は**医療**(m)費が安くなる。

⑥大きな**夢**(n)を**抱いて**(o)来日した。

a	b	c　き	d	e
f	g	h　って	i	j　る
k	l	m	n	o　いて

Ⅴ ＿＿部分の漢字、または読み方を選びなさい。

①カーテンを作るには、この**布**(1)は**はば**(2)が足りない。

(1) 1 きれ　2 ぬの　3 きじ　4 ふ

(2) 1 副　2 福　3 幅　4 複

②天気がいいので、お客様用の**毛布**(1)と**布団**(2)を干した。

(1) 1 けふ　2 もふ　3 もうふ　4 もうふう

(2) 1 ふとん　2 ふうとん　3 ふだん　4 ふうだん

③山の上に**綿**のような雲が浮かんでいる。

1 もめん　2 わた　3 きぬ　4 めん

第50回 1046まで

Ⅰ　ＣＤを聞いて、指示された数の漢字を使って文を書きなさい。CD51

①（7）＿＿＿＿＿＿＿＿＿＿＿＿＿＿＿＿＿＿＿＿

②（9）＿＿＿＿＿＿＿＿＿＿＿＿＿＿＿＿＿＿＿＿

Ⅱ　□の中の漢字を使って、文を完成させなさい。＿＿部分の読み方も書きなさい。

浮	与	暮	冷	余	沈

①料理を作りすぎて＿＿＿＿てしまった。
（　　　　て）

②おもちゃのヨットを水に＿＿＿＿て遊ぶ。
（　　　　て）

③夏はよく＿＿＿＿たビールが何よりもうまい。
（　　　　た）

④動物園の中では、勝手に動物にえさを＿＿＿＿ないでください。
（　　　　ないで）

⑤船が傾いて今にも＿＿＿＿そうだ。
（　　　　）

Ⅲ　＿＿は「○○する」という漢字２字の言葉の一部分です。もう一つの漢字を考えて□に入れ、解答欄(らん)に漢字と＿＿部分の読み方を書きなさい。

①日本語では、主語を**省□する**ことは珍しくない。

②開店の５分前に準備が**完□した**。

③買いすぎた肉は**冷□して**おけばいい。

④たくさんの事件が一度に起こったので、頭が**混□して**考えがまとまりません。

⑤今、駅前の店でアルバイトを**□集して**いるそうだ。

⑥社長が**命□して**、社員がそれに従(したが)えばいいという時代は終わった。

①	
②	
③	
④	
⑤	
⑥	

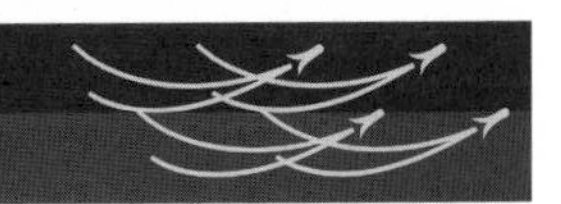

⑦ビルの屋上を□化して、ヒートアイランド現象を少しでも解決しようという試みがある。

⑦	

Ⅳ ＿＿＿部分の漢字は読み仮名を、平仮名は漢字を（送り仮名も）書きなさい。

①長い間日本を離れていると、畳(a)や日本料理が恋しく(b)なるものだ。

②優勝(c) 候補(d)チームの試合は雨で延期になった。　③給与(e)を月末に支給する会社が多い。

④彼は、涙(f)を流しながら、貧しかった(g)がこうふくな(h)人生だったと語った。

⑤日本食は、えいよう(i)のバランスの取れた低カロリー食として人気が高い。

⑥字が上手な彼は、自信に満ちた表情で、筆(j)で字を書き始めた。

⑦散らかって(k)いる書類を片付けて(l)、要らないものは燃える(m)ごみとして出した。

⑧電車の車輪(n)が線路から外れて大事故になった。　⑨犬は主人を決して裏切らない(o)。

a	b しく	c	d	e
f	g しかった	h	i	j
k らかって	l けて	m える	n	o らない

Ⅴ ＿＿＿部分の漢字、または読み方を選びなさい。

①その形と大きさから、赤ちゃんの手を例えて「紅葉のような手」と言う。

1　こうよう　　2　もみじ　　3　べにば　　4　あかは

②竹は節があるので強いと言われている。

1　ふし　　2　ぶし　　3　せつ　　4　せち

③この記事は、調査した資料にもとづいて書かれている。

1　素づいて　　2　許づいて　　3　下づいて　　4　基づいて

④彼女は週に１度、柔道を習っている。

1　にゆうどう　　2　にゅうどう　　3　じゆうどう　　4　じゅうどう

⑤これは、粒の大きいおいしそうなぶどうですね。

1　つぶ　　2　たま　　3　りゅう　　4　いわ

第51回 1046まで

Ⅰ　ＣＤを聞いて、指示された数の漢字を使って文を書きなさい。CD52

① (9) ______________________________

② (7) ______________________________

Ⅱ　ＡとＢから動詞を選んで、例のように文を完成させなさい。言葉は１回しか使えません。

A	~~引く~~　見る　乗る　呼ぶ　払う

B	~~張る~~　換える　慣れる　戻す　出す

（例）両側から<u>引っ張った</u>ので、途中で綱（つな）が切れてしまった。
（ひっぱった）

①会議中だったが、急な用事だったので夫を＿＿＿＿＿＿てもらった。
（　　　　　　て）

②旅行の予約を取り消すなら、早くしないとお金を＿＿＿＿＿＿てもらえなくなる。
（　　　　　　て）

③遊園地に行くなら、ここで私鉄に＿＿＿＿＿＿てください。
（　　　　　　て）

④どうも＿＿＿＿＿＿ない人だと思ったら新入生だった。
（　　　　　　ない）

Ⅲ　□には同じ漢字が入ります。解答欄（らん）に漢字と＿＿＿の部分の読み方を書きなさい。

①自ら進んで物事をやる様子を**積□的**(a)、その反対を**消□的**(b)という。

②日本**□島**(c)は南北に細くて長い。／話題の映画を見る人で、朝早くから映画館の前に**行□**(d)ができていた。

③ゆでた野菜を、**□まして**(e)から**□蔵庫**(f)に入れた。

④この仕事は大事なお客様から**依□された**(g)ものです。／病気がちだった少年が**□もしい**(h)若者に成長していた。

⑤彼女は大学で**法□**(i)を学んでいる。／寮（りょう）では**規□**(j)正しい生活をしなければならない。

①	a	
	b	
②	c	
	d	
③	e	まして
	f	
④	g	
	h	もしい
⑤	i	
	j	

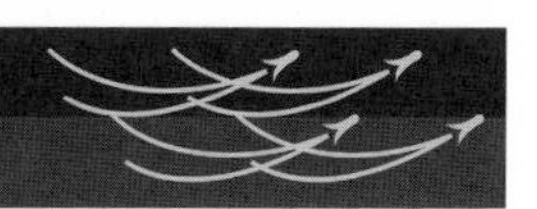

Ⅳ ＿＿部分の漢字は読み仮名を、平仮名は漢字を（送り仮名も）書きなさい。

①頂いた本を、早速**拝見**(a)しました。

②河川開発(かせんかいはつ)の**かんきょう**(b) **きじゅん**(c)が発表された。

③彼は現在の税制度を**批判**(d)して、収入に**応じて**(e)負担を変える新しい**案**(f)を**しゅちょう**(g)した。

④結婚式の**しかい**(h)は、アナウンサーをしている友人がしてくれる。

⑤予想に**反して**(i)、**家賃**(j)の値上げについての不満はだれからも出なかった。

⑥暑い**きせつ**(k)は生物(なまもの)の**保存**(l)に気を付けたほうがいい。

⑦**欲張りな**(m)彼は、たくさん**もくひょう**(n)を立てるが、**意志**(o)が弱いのでいつも途中でやめてしまう。

a	b	c	d	e　　じて
f	g	h	i　　して	j
k	l	m　　りな	n	o

Ⅴ ＿＿部分の漢字、または読み方を選びなさい。

①犯人は、逃げようとしたところを**捕らえ**られた。

1　とからえ　　2　とらえ　　3　つからえ　　4　つらえ

②観光船に乗って東京(とうきょう)**湾**を回った。

1　こう　　2　みさき　　3　おき　　4　わん

③子供たちは、主人公が**勇ましく**活躍(かつやく)するテレビのアニメに夢中だ。

1　ゆうましく　　2　はさましく　　3　いさましく　　4　すさましく

④最近の日本では、**床の間**(1)や**雨戸**(2)のある家が少なくなった。

(1) 1　ゆかのま　　2　ゆかのかん　　3　とこのま　　4　とこのかん

(2) 1　あまど　　2　あめど　　3　あまと　　4　あめと

第52回 1046まで

Ⅰ　ＣＤを聞いて、指示された数の漢字を使って文を書きなさい。CD53

①　(7) ____________________

②　(13) ____________________

Ⅱ　□の中の漢字を使って、文を完成させなさい。＿＿部分の読み方も書きなさい。

溶ける	引く	飛ぶ	申す	思う	突く

①日本に来るまで、日本の女性はみんな着物を着ていると＿＿＿＿**込んで**いた。
（　　　　んで）

②彼はおぼれた子供を助けるために、流れの激(はげ)しい川に＿＿＿＿**込んだ**。
（　　　　んだ）

③都会での生活に疲れた彼は、すべての財産を処分して田舎(いなか)に＿＿＿＿**込んだ**。
（　　　　んだ）

④体の色を変えて、辺りの色に＿＿＿＿**込み**、自分の身を守る動物がいる。
（　　　　み）

⑤年ごとに、奨学金(しょうがくきん)を＿＿＿＿**込む**学生の数が増えている。
（　　　　む）

Ⅲ　□には同じ漢字が入ります。解答欄(らん)に漢字と＿＿の部分の読み方を書きなさい。

①その演劇について、専門家の**評□**(a)は分かれた。／
自分の存在の**□値**(b)を見付けるために哲学(てつがく)を学んだ。

②新入社員の**研□**(c)は少なくとも３か月は続く。／
彼は壊れた電気製品の**□理**(d)が得意だ。

③兄は大学で経済学の**教□**(e)をしている。／
彼女は一度も**□業**(f)に遅刻したことはない。

④弟は食事代を**□約して**(g)パソコンを買った。／
テレビの音の大きさを**調□する**(h)。

①	a
	b
②	c
	d
③	e
	f
④	g
	h

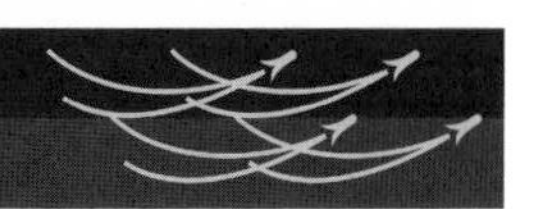

⑤販売地域の**拡□**(i)のため、海外への**出□**(j)が多くなった。

⑤	i
	j

Ⅳ ＿＿＿部分の漢字は読み仮名を、平仮名は漢字を（送り仮名も）書きなさい。

①人々は日が**くれる**(a)まで**夢中**(b)で踊り続けた。　②これは、**幼児**(c)向けの絵本です。

③電車が遅れたのに、**寝坊**(d)して遅刻したと思われて**腹**(e)が立った。

④**編集**(f)会議の費用の**領収**(g)書は残しておいてください。

⑤**筆記**(h)試験では、**略した**(i)文字や**乱暴な**(j)文字を書かないように注意してください。

⑥子供の時、ちょっと**ゆうき**(k)を出して、抜けかかっている歯を自分で**抜いた**(l)。

⑦**腕**(m)にやけどをしてしまい、**こおり**(n)で冷やしながら**皮膚科**(o)へ行った。

a	b	c	d	e
f	g	h	i　　した	j　　な
k	l　　いた	m	n	o

Ⅴ ＿＿＿部分の漢字、または読み方を選びなさい。

①**二十歳**になったお祝いに成人式に着ていく着物を買ってもらった。

1　はたち　　2　ふたとし　　3　はだち　　4　ふたさい

②赤いシャツを着ている５歳くらいの男の子が**迷子**になっています。

1　まよご　　2　まいご　　3　めいご　　4　まよいご

③**白髪**を明るい色に変えて、おしゃれを楽しむ人が増えている。

1　しろが　　2　しろかみ　　3　しらがみ　　4　しらが

④**木綿**の白いシャツにアイロンをかける。

1　きめん　　2　もくめん　　3　もめん　　4　ぼくめん

⑤**浴衣**を着て花火を見に出かけた。

1　ゆた　　2　よくい　　3　よくた　　4　ゆかた

第53回 1046まで

Ⅰ　ＣＤを聞いて、指示された数の漢字を使って文を書きなさい。CD54

① ⑭ ________________

② ⑼ ________________

Ⅱ　[　]の中の漢字を使って、文を完成させなさい。＿＿＿部分の読み方も書きなさい。

含	果	養	迷	払	離

①日本の歴史の中で、仏教が＿＿＿＿た役割についての本を読んだ。
（　　　　た）

②地下鉄の出口を間違えたために、すっかり道に＿＿＿＿てしまった。
（　　　　て）

③代金はコンビニでも＿＿＿＿ことができます。
（　　　　）

④日本を＿＿＿＿前に、富士山（ふじさん）に登りたいと思っている。
（　　　　）

⑤これは、サービス料を＿＿＿＿た料金です。
（　　　　た）

Ⅲ　□には同じ漢字が入ります。解答欄（らん）に漢字と＿＿＿部分の読み方を書きなさい。

①割れたガラスの**破□**(a)がまだ残っているかもしれない。／
京都（きょうと）までの**□道**(b)料金はいくらですか。

②結果より**過□**(c)を重視（じゅうし）する。／地震の被害の**□度**(d)が報告された。

③電気**系□**(e)の故障で電車が２時間不通になった。／
100年以上の**伝□**(f)のある学校に入学した。

④新しい製品の**□判**(g)は大変よかった。／1,500字ぐらいの
□論(h)文を、200字にまとめる練習を重ねた。

⑤**結□してても**(i)すぐ**離□して**(j)しまうカップルが増えている。

①	a	
	b	
②	c	
	d	
③	e	
	f	
④	g	
	h	
⑤	i	
	j	

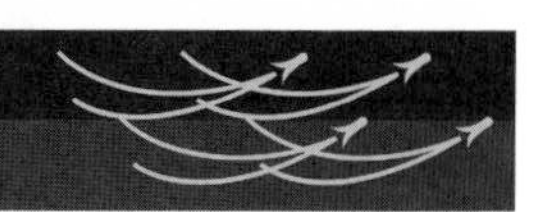

Ⅳ ＿＿＿部分の漢字は読み仮名を、平仮名は漢字を（送り仮名も）書きなさい。

①**ろうどう**(a)者を**まもる**(b)ためのろうどう基準**法**(c)の整備を進めている。

②彼は株で3,000万円**損**(d)をしたそうだ。

③**武士**(e)の時代、人々は身の**程**(f)をわきまえて行動していた。

④地震に備えるためにと、母から**水筒**(g)や乾電池などが**宅配便**(h)で送られてきた。

⑤いつまでも**若々しく**(i)いるためにどんな努力をしていますか。

⑥新しい繊維(せんい)が開発されたことにより、**羊毛**(j)の消費量は大きく変化した。

⑦水泳大会で、百分の一**びょう**(k)の差で惜(お)しくも２位になった。

⑧**停電**(l)の原因は、機械の**付属**(m)部分の破損(はそん)だった。

⑨山田(やまだ)さんの**御両親**(n)から頂いた皮の**手帳**(o)を今でも大切に使っている。

a	b	c	d	e
f	g	h	i　　しく	j
k	l	m	n	o

Ⅴ ＿＿＿部分の漢字、または読み方を選びなさい。

①彼の**立派**な行いは、後世に語り伝えられた。

1　りつは　　2　たちぱ　　3　りっは　　4　りっぱ

②マンションの**かべ**を塗り替える。

1　壁　　2　僻　　3　璧　　4　擗

③**言い訳**ばかりしていてはだめですよ。

1　いいわけ　　2　いいやけ　　3　いいわく　　4　いいやく

④彼は**にくらしい**ことばかり言っていたが、今となっては懐(なつ)かしい。

1　憎らしい　　2　増らしい　　3　僧らしい　　4　贈らしい

⑤空港で円をドルに**かえた**。

1　変えた　　2　替えた　　3　代えた　　4　還えた

総合問題 2

I　次の文を、漢字で書ける部分はできるだけ漢字を使って書きなさい。

（例）にほんごのべんきょうはたのしいです。

日	本	語	の	勉	強	は	楽	し	い	で	す	。					

①にほんはよっつのしまからなっています。どこのくににも、くにがどうやってうまれたかというしんわがありますが、にほんのばあいは、おとことおんなのかみさまがけっこんして、これらのしまをつくったということになっています。

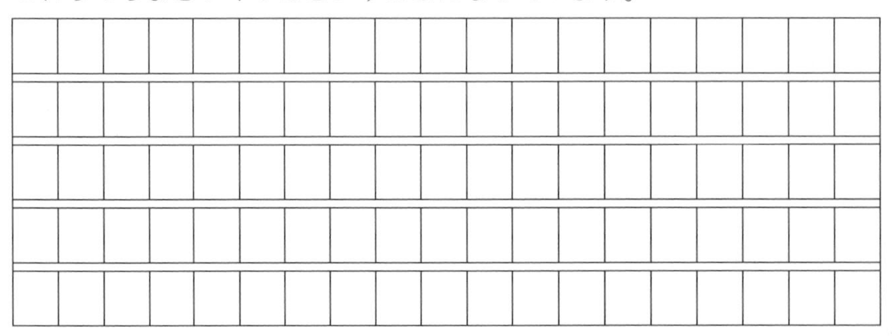

②おとなは、おさないこどもはなやんだりくるしんだりすることはないとおもいがちだ。しかし、こどもはそんなにたんじゅんではない。あるじどうぶんがくしゃは、「こどもにあまいおかしのようなはなしばかりあたえるのはまちがいだ。かれらはおとないじょうにしのきょうふをかんじ、じんせいのいみをかんがえている。」とかたっている。

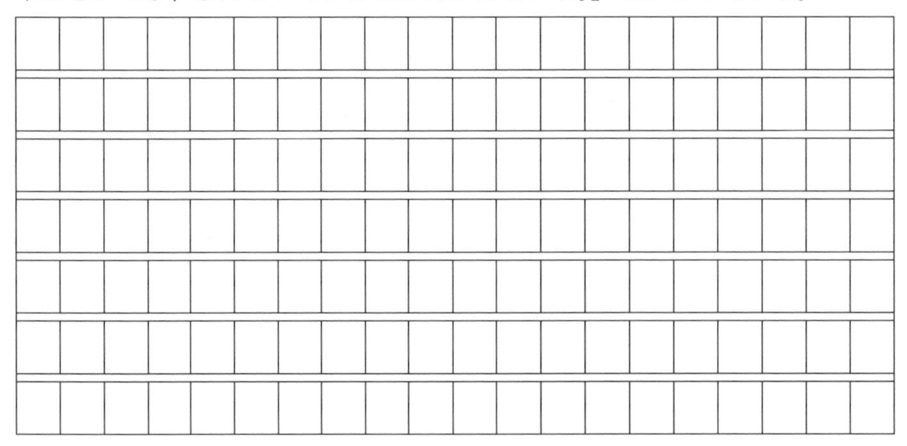

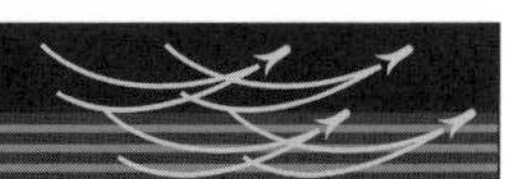

Ⅱ　次の文の＿＿＿には ～～～ を引いた語と反対の意味の言葉が入ります。考えて入れ、読み仮名も書きなさい。

（例）遠足の日は朝学校に集合して、帰りは駅で＿解散＿します。
（かいさん）

①飛行機が**上昇**(じょうしょう)したかと思うと、急に＿＿＿＿＿した。
（　　　　　）

②計画するのは**容易**だが、それを実行するには＿＿＿＿＿な問題がある。
（　　　　　な）

③マラソンは**個人**競技で、サッカーは＿＿＿＿＿競技だ。
（　　　　　）

④成田(なりた)の**出発**時刻は９時で、北京(ペキン)には３時間後に＿＿＿＿＿の予定です。
（　　　　　）

⑤これは**複雑**な問題ではない。＿＿＿＿＿な計算を繰(く)り返(かえ)せば答えが出る。
（　　　　　な）

⑥**支出**が増える割に、＿＿＿＿＿が増えない。
（　　　　　）

Ⅲ　次の二つの文の＿＿＿には前後入れ替えた漢字の言葉が入ります。［　　］の中から漢字を選んで入れ、（　　）には読み仮名も書きなさい。

~~会~~	体	階	先	~~社~~	実	祖	段	現	重

（例）父は今年定年で＿会社＿を辞めた。／＿社会＿制度の発達についてレポートを書いた。
（かいしゃ）　（しゃかい）

①お相撲(すもう)さんの＿＿＿＿＿は100キロ以上ある。／病人が＿＿＿＿＿になったので救急車を呼んだ。
（　　　　　）　（　　　　　）

②エレベーターが故障(こしょう)しているから＿＿＿＿＿で行こう。／事態は新たな＿＿＿＿＿を迎えた。
（　　　　　）　（　　　　　）

③長年の夢が＿＿＿＿＿してうれしい。／理想ばかり追っていないで＿＿＿＿＿をよく考えなさい。
（　　　　　）　（　　　　　）

④＿＿＿＿＿の墓(はか)参りに行った。／人類の＿＿＿＿＿は猿(さる)だという説がある。
（　　　　　）　（　　　　　）

Ⅳ ＿＿部分の漢字は読み仮名を、平仮名は漢字を（送り仮名も）書きなさい。

①**精神**(a)の病気にかかる人が増えているが、**げんいん**(b)としては、**身体**(c)的なもの、つらい体験から来るもの、特に理由のないものの三つに分けられる。一般に、心の病気というと体の病気とは違うと考えられがちだが、**深刻**(d)に考えずに、すぐに医者にかかり、薬で治すほうがいい。ある精神科の**医師**(e)の話では、「患者(かんじゃ)に**接した**(f) **印象**(g)では、**しゅうい**(h)の評判を気にして**期待通り**(i)に動こうとするまじめで**優しい**(j)人ほどかかりやすい。」とのことだった。

a	b	c	d	e
f した	g	h	i り	j しい

②平均寿命(じゅみょう)が伸びた今日、人生**せっけい**(a)をきちんと持つことが大切になっている。特に、技術の進歩が**急**(b)テンポになったため、**常に**(c)能力を高めておかないと、**職場**(d)を**おわれる**(e)ことにもなりかねない。だからといって、**必死に**(f)仕事と勉強という生活も寂(さび)しいものだ。最近の研究によると、人間の**脳**(g)は楽しい時ほど、脳を刺激(しげき)する物質が**生じて**(h)よく働くという。仕事も勉強も遊び**かんかく**(i)で楽しめたら最高だ。また、よい仲間を見付けることも重要だ。相手のことを生活面も**ふくめて**(j) **れいせい**(k)に**かんさつ**(l)し、アドバイスし合える友人を持とう。長い人生の中で、**努力**(m)が**実らない**(n)時もある。そんな時も仲間がいれば**勇気**(o)も出る。

a	b	c に	d	e
f に	g	h じて	i	j
k	l	m	n らない	o

チャレンジ　接辞③

Ⅰ　（　　　）に入る漢字を１～４から選びなさい。

①今日はお祭りで表通りが込んでいるので、(　　　　　)通りを通って駅まで行きましょう。

1　離　　2　別　　3　裏　　4　静

②私の国の消費(　　　　　) は日本のより高い。

1　賃　　2　金　　3　税　　4　料

③よく晴れて気持ちのいい日には、外で日光(　　　　　) を楽しみたい。

1　味　　2　食　　3　吸　　4　浴

④インターネットでそのニュースの最新(　　　　　) がチェックできる。

1　面　　2　本　　3　帳　　4　版

⑤結婚して姓が変わっても、(　　　　　)姓で呼ばれている。

1　旧　　2　前　　3　古　　4　新

⑥空から魚が降るという (　　　　　)事件が報道された。

1　実　　2　変　　3　新　　4　珍

Ⅱ　次の文の（　　　）に入る漢字を、□から選んで書きなさい。

系　派　化　性　超

①コンピューターの仕事をするなら理科(　　　) に進んだほうがよい。

②鉄道各社は自動改札にして合理(　　　) を進めた。

③地球外に生物がいる可能(　　　) があると思いますか。

④ダムの建設について、反対(　　　) の住民が集会を開いた。

⑤都心には (　　　)高層ビルが立ち並んでいる。

広がる広げる漢字の知識

3 言葉の構成

◆基本の四つのタイプ

a □→■ b □←■ c □＋■ d □と■／□↔■
□の／が／修飾■ ■を□ □て、■。 □と■（対になる語）

I 下線の言葉について、例にならって［　　］に言葉を書きましょう。

a（例）**日光**と水がなければ植物は育たない。 ［日］の → ［光］
親友の結婚式でスピーチをした。 ［　しい］ → ［　　］

b（例）秋は**読書**の季節だ。 ［読む］ ← ［書］を （書＝本の意味）
家族で祭りの**見物**に出かけた。 ［　　］ ← ［　　］を

c（例）荷物が多い時は車での**移動**が便利だ。 ［移る］ ＋ ［動く］
日本語の**学習**は面白い。 ［　　］ ＋ ［　　］

d（例）**左右**をよく見てから道を渡ってください。 ［左］と［右］
故郷（こきょう）の**父母**に手紙を書いた。 ［　　］と［　　］

【クイズ1】次の下線の言葉は、上のａ～ｄのどれになりますか。

①**損得**ばかり考えて行動する人にはなりたくない。 （　　）
②祖母は若いころこの町で評判の**美人**だった。 （　　）
③あの人はだれもが認める**善良**な人だ。 （　　）
④**登山**に行く時は動きやすい服装がいい。 （　　）

【クイズ2】言葉の構成が同じものを——で結びましょう。

①運動会は**晴天**に恵まれた。 ・　　・ a 父は 60 歳で**退職**した。
②適切な判断が**生死**を分ける。 ・　　・ b 自分の**良心**に従（したが）って行動する。
③**身体**の調子を整える。 ・　　・ c 収入の**増減**は景気に影響（えいきょう）される。
④皆さん、**着席**してください。 ・　　・ d 火事で逃げ遅れた人を**救助**する。

◆否定の意味の漢字

否定の意味の漢字＋■
不（■ではない。■しない。）／無（■がない。）／
未（まだ、■ない。）／否（■しない。）／非（■ではない。）

（例１）私の家は駅から遠いので**不便**だ。　［不］＋［便］利→便利ではない

（例２）申し込み順に 100 名様に限り新発売の化粧（けしょう）品を**無料**で差し上げます。

［無］＋［料］金→料金が要らない

【クイズ３】［　　］の中から適当な言葉を選んで（　　）に入れて、文を読みましょう。

~~a未満~~　b否決　c未知　d無断　e不順

（例）二十歳（　a　）の人は、お酒を飲んではいけません。

①その法案は、反対多数で（　　）された。

②天候（　　）のため、野菜が育たなくて、農家は困っている。

③地球上の（　　）の世界を旅したい。

④彼は、会社の資料を（　　）で外に持ち出したと疑われている。

f無知　g否認　h未婚　i非婚　j不良

⑤体調（　　）のため、休ませていただきます。

⑥刑事（けいじ）は彼が盗んだと疑ったが、彼はあくまで（　　）した。

⑦ 30 代の女性のうち５人に一人が（　　）だが、一生結婚しないという（　　）の道を選ぶ人も増えている。

⑧法律のことは全く（　　）なので、アドバイスをしてくださいませんか。

答え

Ｉ a親しい　友（達）　b見る　物　c学ぶ　習う　d父　母　クイズ１　①d　②a　③c　④b

クイズ２　①b　②c　③d　④a　クイズ３　①b　②e　③c　④d　⑤j　⑥g　⑦h i　⑧f

広がる広げる漢字の知識

4 音（おと）の変化

漢字を二つ使って言葉を作る時、読み方の音（おと）が変わることがあります。

例えば、

ガ㋗		㋕		ガ(ッ)カ
学	＋	科	⇒	学科
ガ㋗		㋖ュウ		ガ(ッ)キュウ
学	＋	級	⇒	学級
ガ㋗		㋙ウ		ガ(ッ)コウ
学	＋	校	⇒	学校

前の漢字の終わりの音（おと）が㋗で、後の漢字の始めの音（おと）が**カ行**（カ、キ、ク、ケ、コ）の時は、㋗は小さい(ッ)になります。

このほかにも、音（おと）が変わることがあります。

（例）ニ㋠		㋖		ニ(ッ)キ
日	＋	記	⇒	日記
ハ㋡		㋪ョウ		ハ(ッ)㋪ョウ
発	＋	表	⇒	発表
サ(ン)		㋭		サ(ン)㋭
散	＋	歩	⇒	散歩

音（おと）の変化のルール

	前の字の終わりの音（おと）「キ、ク、チ、ツ」が小さい「ッ」になる場合				後の字の始めの「ハ行」が「パ行」になる場合
後の字の始めの音（おと） ＼ 前の字の終わりの音（おと）	カ行	サ行	タ行	ハ行	ハ行
キ	積極的（せっきょくてき）	—	—	—	—
ク	作家（さっか）	—	—	—	—
チ	一家（いっか）	一種（いっしゅ）	一致（いっち）	一方（いっぽう）	一方（いっぽう）、一般（いっぱん）
ツ	結果（けっか）	雑誌（ざっし）	決定（けってい）	失敗（しっぱい）	失敗（しっぱい）、発表（はっぴょう）、出発（しゅっぱつ）
ン	—	—	—	—	散歩（さんぽ）、心配（しんぱい）

チャレンジ 音(おと)の変化

Ⅰ　次の言葉で、音が変わるものにA、変わらないものにBを書きなさい。下に読み方を書きなさい。

（例）特（トク）

1．特色（ B ）	2．特定（ B ）	3．特許（ A ）	4．特権（ A ）
（とくしょく）	（とくてい）	（とっきょ）	（とっけん）

①国（コク）

1．国立（　）	2．国産（　）	3．国境（　）	4．国連（　）
（　）	（　）	（　）	（　）

②出（シュツ）

1．出勤（　）	2．出現（　）	3．出産（　）	4．出題（　）
（　）	（　）	（　）	（　）

③発（ハツ）

1．始発（　）	2．開発（　）	3．反発（　）	4．先発（　）
（　）	（　）	（　）	（　）

④方（ホウ）

1．一方（　）	2．遠方（　）	3．他方（　）	4．立方（　）
（　）	（　）	（　）	（　）

Ⅱ　下線の言葉の読み方を書きなさい。

①このような事件の**再発**(a)を防ぐための対策について、皆さんからの**活発**(b)なご意見をお願いします。

②調査を依頼された場合、調査料金のほかに、調査にかかった**経費**(c)についても**実費**(d)をお支払い願います。

③絶対勝つぞという強い**決意**(e)を胸にして、選手たちは**決勝**(f)戦の会場に向かった。

④事業で得た収入を**分配**(g)するに当たっては、事業に参加した程度に応じて**配分**(h)を決めようと思う。

⑤会場の火事で怖い思いをしたにもかかわらず、記者の質問に答える**観客**(i)の発言は、冷静で**客観**(j)的なものだった。

a	b	c	d	e
f	g	h	i	j

Ⅲ ＿＿＿と同じ意味になるように、［　　］から１字選んで□に入れなさい。読み方も書きなさい。

~~動~~　用　健　建　有

（例）ビルの火事で、消防自動車が３台**現場に出た**。⇒**出□**した。

①ここは**個人が持っている土地**ですから、入ってはいけません。

⇒**私□地**

②会社のパソコンは、**個人的な目的に使ってはいけません**。

⇒**私□禁止**です。

③この寺は、２年前の台風で倒壊（とうかい）したが、

昨年もう一度**建てなおされた**。　⇒**再□**された。

④ご両親は、**お元気でいらっしゃいますか**。　⇒**ご□在**ですか。

（例）	出　動
	しゅつどう
①	私 ＿＿ 地
②	私 ＿＿ 禁止
③	再 ＿＿
④	ご ＿＿ 在

京　連　居　品

⑤私は、大学卒業後も両親と**一緒に住んでいます**。

⇒**同□**しています。

⑥来週は、３日間**連続している休み**があります。　⇒**□休**

⑦展覧会（てんらんかい）に、写真を**作品として出しました**。　⇒**出□**しました。

⑧社長は、来週大阪から**東京へ帰ります**。　⇒**帰□**します。

⑤	同 ＿＿
⑥	＿＿ 休
⑦	出 ＿＿
⑧	帰 ＿＿

チャレンジ 読解

長い文章を読む時、漢字の言葉を読むことで、大体の内容が分かることがあります。
知らない言葉でも、読めたり意味が分かったりする言葉もあるはずです。
さあ、チャレンジしてみましょう。

例）東京都卸売市場（おろしうりしじょう）見学と鮮魚（せんぎょ）お買い物　日帰りツアー

① 〔　　〕の中はインターネットの記事の一部です。漢字と片仮名の言葉だけに注意して読んで、内容を想像しましょう。

> 東京都中央卸売市場…、……私たち…食生活…欠かすこと…水産物…供給…。我が国最大…消費地…抱える巨大総合卸売市場…。まずはＴ市場…ご案内活気…市場…お買い物…お楽しみ…。その後、Ｔ市場内…自由見学…。市場見学…後…、Ｔ…お寿司…ご昼食…。ご昼食後、解散…。最少開催人数…６。Ｔ市場見学…鮮魚お買い物日帰りツアー…ご予約…電話…お受付も…。

②この記事の内容と合っていると思うものに○を、合っていないと思うものに×をつけなさい。

1．（ ○ ）ここでは、魚や貝を売っている。
2．（ × ）ここでは、魚や貝以外は売っていない。
3．（ ○ ）ここで、買い物をしたあと見学をする。
4．（ ○ ）この日帰りツアーは、電話で予約できる。

◆問題の解き方のヒント

例）1．（　　）ここでは、魚や貝を売っている。
→記事から関係のあるキーワードを探す。
↓
…水産物…供給…。
→問題文とキーワードを比較する。「魚や貝を売っている」＝「…水産物…供給…」
→1．（ ○ ）ここでは、魚や貝を売っている。

例）2．（　　）ここでは、魚や貝以外は売っていない。
→記事から関係のあるキーワードを探す。
↓
巨大総合卸売市場…。
→問題文とキーワードを比較する。「魚や貝以外は売っていない」＝「…総合…」
→2．（ × ）ここでは、魚や貝以外は売っていない。

I　子ぐま型ロボット

以下は新聞の見出しと記事の一部です。

①見出しを見てください。知らない漢字があっても、調べたり質問したりしないで、どんな記事か、想像してください。下の文のa～dに適当な言葉を入れてみましょう。

ロボットに癒(い)やし効果　介護者の負担減も

「富士通ジャーナル」
2010年4月号より転載

この記事は、子ぐまの形をしたロボットの話だ。

その［a　　］には、高齢者を癒(い)やす［b　　］がある。

高齢者を［c　　］する人の［d　　］を減らすこともできる。

②（　　）の中の言葉を読んで、内容を想像してください。
記事の漢字の言葉と片仮名の言葉だけに注意して読んでください。

ロボット…触れ合い…通じ…高齢者…患者(かんじゃ)…心…癒(い)やす「ロボットセラピー」…注目…。………ロボット…安全…衛生的…アレルギー…感染症(かんせんしょう)…心配もない。利用者…評判…上々だ。

A市…特別養護老人ホーム、……。…暮らすSさん（85）…お気に入り…F研究所…開発…子ぐま型のロボット…。「…、お元気ですか」…子ぐま…話しかけられ、Sさん…「元気ですよ」…ほほ笑(え)む。

……「ロボット…触れ合った後…、症状…よくなる」……事務主任…話す。……ロボットセラピー…有効性…調…実証試験…進めて…。研究グループ…H教授…「ロボット…使う…介護者…負担…減る効果…大…」…指摘(してき)…。

③記事の内容と合っていると思うものに○を、合っていないと思うものに×をつけてください。

1.（　　）このロボットは、子供のために開発された。
2.（　　）このロボットを使うと、アレルギーや感染症(かんせんしょう)が心配される。
3.（　　）このロボットを使っている人からの評判はいい。
4.（　　）このロボットは、人と話ができる。
5.（　　）このロボットを使った高齢者が元気になった例がある。
6.（　　）このロボットの効果の調査は、終了している。

④「癒(い)やす」は記事から考えて、どんな意味だと思いますか。

⑤次の言葉を読んでください。

1．高齢者（　　　　）　2．上々（　　　　）
3．有効性（　　　　）　4．実証（　　　　）
5．介護　（　　　　）　6．負担（　　　　）

＊原文(げんぶん)は、p.121にあります。

Ⅱ　I市職員はヒゲ禁止

①見出しを見てください。知らない言葉があっても、調べたり質問したりしないで、どんな記事か、想像してください。下の文のａ～ｅに適当な言葉を入れてみましょう。

I市職員はヒゲ禁止
…庁内文書で「不快に思う市民も」…「伸ばすかどうか自分で決めるのは権利」との声も

I市の職員は、［a］を［b］ことが禁止された。理由は、［c］が［d］に思うから。禁止するのは、e{いい・しかたがない・おかしい}という意見もある。

②（　　）の中の言葉を読んで、内容を想像してください。
記事の漢字の言葉と片仮名の言葉だけに注意して読んでください。

I市…職員…「ヒゲ禁止」…明文化…。…18日…掲示…。「勤務時間…自由…服装…いいわけではありません。…不快に思う市民…禁止……。
……、現在ヒゲ…伸ばして…職員…ゼロ。…無精(ぶしょう)ヒゲ…苦情…寄せられる…。…「…。苦情…対処…」…。
しかし、憲法(けんぽう)学者…田中春雄(たなかはるお)さくら大学教授…「…、きれい…整えられたヒゲ…社会的…容認されて…。全面禁止…憲法(けんぽう)違反…可能性…」…述べている。

③記事の内容と合っていると思うものに○を、合っていないと思うものに×をつけてください。

1．（　　）I市では、市長が職員に「ヒゲを禁止する」と話した。
2．（　　）I市の担当者は、勤務時間中の服装は一定の制限があると考えている。
3．（　　）市民からヒゲを伸ばした職員について、文句を言われた。
4．（　　）ヒゲを伸ばしている職員はいるが、皆きれいに整えている。
5．（　　）ヒゲを伸ばすことを全面的に禁止することは憲法(けんぽう)に違反する可能性があると、憲法(けんぽう)学者の一人は述べている。

④＿＿＿部分の文は、次のようになっています。この文から考えて「無精(ぶしょう)ヒゲ」はどんな意味だと思いますか。

長期休みの後などに無精(ぶしょう)ヒゲになった職員に対して苦情が寄せられることがあった。

⑤次の言葉を読んでください。

1．庁内文書（　　　　　　　）　2．不快（　　　　　　　）
3．明文化（　　　　　　　）　4．対処する（　　　　する）
5．容認する（　　　　する）　6．全面禁止（　　　　　　　）

＊原文(げんぶん)は、p.121にあります。

原文

Ⅰ　「ロボットに癒やし効果　介護者の負担減も」

ロボットとの触れ合いを通じて高齢者や患者の心を癒やす「ロボットセラピー」が注目されている。認知症の症状改善などに効果がみられる例もある。動物の癒やし効果を狙うアニマルセラピーに似ているが、ロボットは安全で衛生的でアレルギーや感染症の心配もない。利用者の評判も上々だ。

埼玉県上尾市の特別養護老人ホーム、パストーン浅間台。ここに暮らす坂井ウメさん（仮名、85）のお気に入りは富士通研究所（川崎市）が開発した子ぐま型のロボットだ。「こんにちは、お元気ですか」と子ぐまに話しかけられ、坂井さんは「元気ですよ」とほほ笑む。

坂井さんは要介護度３の軽度の認知症だが「ロボットと触れ合った後は、症状がよくなる」とパストーン浅間台の米岡利彦事務主任は話す。認知症が進んで友人が作れず、孤独な高齢者もいる。そういう人ほど「あっと驚くような改善効果がある」（米岡氏）という。

パストーン浅間台ではソニー製犬型ロボット「ＡＩＢＯ」なども使い、ロボットセラピーの有効性を調べる実証試験を進めている。研究グループの筑波学院大学の浜田利満教授は「ロボットを使うことで介護者の負担が減る効果は大きい」と指摘する。介護人材の不足が指摘されているが、ロボットが老人ホームなどで活躍することで負担軽減につながる可能性もある。

（後略）　　　（川合智之）

日本経済新聞（2010年5月14日）

Ⅱ　伊勢崎市職員はヒゲ禁止　／
庁内文書に記載「不快に思う市民も」／「人格権侵害の可能性」との声も

群馬県伊勢崎市は、職員の「ヒゲ禁止」を明文化した。職員が閲覧する庁内ＬＡＮのページで18日に掲示した。不快に感じる市民に配慮したとしているが、行き過ぎを指摘する声もある。

19日からクールビズに切り替えることを通知する文書の中で示した。「執務時間はプライベートな時間ではなく、全くの自由な服装をして良い訳ではありません。髭についても不快に思う市民もいるため禁止します」としている。

職員課によると、現在ヒゲを伸ばしている職員はいない。ただ、長期休みの後などに無精ヒゲになった職員に対して苦情が寄せられることがあり、個別に注意してきた。担当者は「市役所も市民サービスの場。苦情には対処しなければならない」と話す。

しかし、県弁護士会人権擁護委員長の春山典勇弁護士は「無精ヒゲはともかく、きれいに整えられたヒゲは社会的に容認されている。全面禁止は人格権の侵害に当たる可能性がある」と指摘する。総務省公務員課では「全国の自治体の規定を把握しているわけではないが、髪形やヒゲなどについて規定したり、規定が問題になったりした例は聞いたことがない」としている。（木下こゆる）

朝日新聞（2010年5月20日）

著者
石井怜子
鈴木英子　国際善隣学院
青柳方子　淑徳日本語学校
大野純子　公益財団法人アジア学生文化協会　日本語コース
木村典子
斎藤明子　フジ国際語学院
塩田安佐　JICA 海外シニアボランティア　ベトナム派遣
杉山ますよ　早稲田大学日本語教育研究センター、国士舘大学、亜細亜大学、明治大学
松田直子
岑村康代
村上まさみ　早稲田大学日本語教育研究センター、一橋大学国際教育センター、神奈川県立国際言語文化アカデミア
守屋和美
山崎洋子　学校法人長沼スクール　東京日本語学校

装幀・本文デザイン
糟谷一穂

イラスト
山本和香

新完全マスター漢字　日本語能力試験N２

2010 年 10 月 20 日　初版第 1 刷発行
2019 年 11 月 6 日　第 11 刷 発 行

著　者　石井怜子　鈴木英子　青柳方子　大野純子　木村典子
斎藤明子　塩田安佐　杉山ますよ　松田直子　岑村康代
村上まさみ　守屋和美　山崎洋子
発行者　藤嵜政子
発　行　株式会社　スリーエーネットワーク
〒 102-0083　東京都千代田区麹町 3 丁目 4 番
トラスティ麹町ビル 2F
電話　営業　03(5275)2722
編集　03(5275)2725
https://www.3anet.co.jp/
印　刷　倉敷印刷株式会社

ISBN978-4-88319-547-3 C0081

■ 新完全マスターシリーズ

●新完全マスター漢字

日本語能力試験N1
1,200円+税　〔ISBN978-4-88319-546-6〕

日本語能力試験N2（CD付）
1,400円+税　〔ISBN978-4-88319-547-3〕

日本語能力試験N3
1,200円+税　〔ISBN978-4-88319-688-3〕

日本語能力試験N3 ベトナム語版
1,200円+税　〔ISBN978-4-88319-711-8〕

日本語能力試験N4
1,200円+税　〔ISBN978-4-88319-780-4〕

●新完全マスター語彙

日本語能力試験N1
1,200円+税　〔ISBN978-4-88319-573-2〕

日本語能力試験N2
1,200円+税　〔ISBN978-4-88319-574-9〕

日本語能力試験N3
1,200円+税　〔ISBN978-4-88319-743-9〕

日本語能力試験N3 ベトナム語版
1,200円+税　〔ISBN978-4-88319-765-1〕

●新完全マスター読解

日本語能力試験N1
1,400円+税　〔ISBN978-4-88319-571-8〕

日本語能力試験N2
1,400円+税　〔ISBN978-4-88319-572-5〕

日本語能力試験N3
1,400円+税　〔ISBN978-4-88319-671-5〕

日本語能力試験N3 ベトナム語版
1,400円+税　〔ISBN978-4-88319-722-4〕

日本語能力試験N4
1,200円+税　〔ISBN978-4-88319-764-4〕

●新完全マスター単語

日本語能力試験N2 重要2200語
1,600円+税　〔ISBN978-4-88319-762-0〕

日本語能力試験N3 重要1800語
1,600円+税　〔ISBN978-4-88319-735-4〕

●新完全マスター文法

日本語能力試験N1
1,200円+税　〔ISBN978-4-88319-564-0〕

日本語能力試験N2
1,200円+税　〔ISBN978-4-88319-565-7〕

日本語能力試験N3
1,200円+税　〔ISBN978-4-88319-610-4〕

日本語能力試験N3 ベトナム語版
1,200円+税　〔ISBN978-4-88319-717-0〕

日本語能力試験N4
1,200円+税　〔ISBN978-4-88319-694-4〕

日本語能力試験N4 ベトナム語版
1,200円+税　〔ISBN978-4-88319-725-5〕

●新完全マスター聴解

日本語能力試験N1（CD付）
1,600円+税　〔ISBN978-4-88319-566-4〕

日本語能力試験N2（CD付）
1,600円+税　〔ISBN978-4-88319-567-1〕

日本語能力試験N3（CD付）
1,500円+税　〔ISBN978-4-88319-609-8〕

日本語能力試験N3 ベトナム語版（CD付）
1,500円+税　〔ISBN978-4-88319-710-1〕

日本語能力試験N4（CD付）
1,500円+税　〔ISBN978-4-88319-763-7〕

■読解攻略！
日本語能力試験
N1レベル
1,400円+税
〔ISBN978-4-88319-706-4〕

CD付
各冊900円+税

■ 日本語能力試験模擬テスト

●日本語能力試験N1
模擬テスト

〈1〉〔ISBN978-4-88319-556-5〕
〈2〉〔ISBN978-4-88319-575-6〕
〈3〉〔ISBN978-4-88319-631-9〕
〈4〉〔ISBN978-4-88319-652-4〕

●日本語能力試験N2
模擬テスト

〈1〉〔ISBN978-4-88319-557-2〕
〈2〉〔ISBN978-4-88319-576-3〕
〈3〉〔ISBN978-4-88319-632-6〕
〈4〉〔ISBN978-4-88319-653-1〕

スリーエーネットワーク
ウェブサイトで新刊や日本語セミナーをご案内しております。
https://www.3anet.co.jp/

新完全マスター漢字 日本語能力試験N2

解答（かいとう）と解説（かいせつ）

名前

スリーエーネットワーク

ステップ 1

第1回

Ⅰ①先月は晴れた日が少なかった。
②親しい友人に日常会話を習っている。
③読書と旅行と、どちらが好きですか。
④弟は、古い切手を集めています。
⑤**日本**では、車は左、人は右を**通る**ことになっている。
⑥この店の定休日は木曜日です。
⑦**私**は、朝**九時**に始まって夕方五時に終わる仕事がしたい。

Ⅰ⑤日本：「にっぽん」とも読む。
通る：参通う、通じる
⑦私：正しくは「わたくし」と読む。「わたし」は慣用的な読み方。
九時：「九」の基本の音読みは「キュウ」。

第2回

Ⅰ①一日に一度は教科書に**目を通そう**。
②銀行は三時に閉まるから早く行きなさい。
③お昼はいつも会社の食堂で食べることにしている。
④あの有名な作曲**家**は、**元**歌手だそうだ。
⑤あれは東洋**一**大きい建物です。
⑥私は新聞の漢字が読めるようになりたい。
⑦この土地の名物をお送りしましたので、お受け取りください。

Ⅰ①目を通す：慣「ざっと見る」
④〜家：「〜を職業とする人」
元〜：「以前」
⑤〜一：「〜の中で一番」

第3回

Ⅰ①毎朝四時に起きて、公園を走ることにしている。
②スピーチをする時は、自分の考えを短くまとめて話すこと。
③**今年**は、七月**二十日**から夏休みだ。
④**世界**の言語には**文字**を持たないものもある。
⑤自転車で転んでしまって足が痛い。
⑥**明日**の午後は、大事な用事で外出します。
⑦父母の元気な顔を見て安心した。
⑧旅行の費用は、係の者が集金します。

Ⅰ③今年　二十日：参（特）
④世界：「世」の基本の音読みは「セイ」。例：中世
文字：「もんじ」とも読む。「文」の基本の音読みは「ブン」。例：文学
⑥明日：参（特）改まった場合の読み方は「みょうにち」。「あした」は平仮名で書く。

第4回

I ①この用紙に、住所、氏名、**生年月日**と電話番号を書いてください。
②今年は天気の悪い日が多く、見学者は去年の半分だ。
③遠くに海が見えるレストランで昼食を取ろう。
④しっかり働いた**後で**飲むお茶はおいしい。
⑤**台風**の強い風のため、電線が切れ電気が消えた。
⑥安全運転で楽しい旅を。
⑦春の洋服には、明るい色が**好まれる**。
⑧山の上から見下ろすと、町も村も小さく見える。

II a **うつって** b だいがく c おくじょう d 大小
e ふたつ f くださる g **げか** h いがく
i まなんで j みごとに k はずれた l **せけん**
m **悪口** n 会う o 急いで

I ①生年月日：「月」の基本の音読みは「ゲツ」。例：今月
④後で：参後、後ろ
⑤台風：「台」の基本の音読みは「ダイ」。例：台所
⑦好む（動）：参好き（形）

II a 映る：参写る
g 外科：「外」の基本の音読みは「ガイ」。例：外国
l 世間：「間」の基本の音読みは「カン」。例：時間
m 悪口：「わるぐち」の読み方もある。

第5回

I ①食事の後、**空いた**コップを台所まで運んでください。
②こちらへは、地下鉄を利用されるのが便利です。
③兄はドアをぴったり**閉めて**、夕飯になっても**部屋**から一歩も出てこない。
④姉から、男の子が生まれたという知らせが来た。
⑤先生は高校時代の思い出を話してくださった。
⑥**薬屋**は、そこを右に曲がるとありますよ。
⑦この県の人口は、ここ五、六年ほぼ一定している。

II a **うお** b いちば c きんぎょ d しゅうちゅうりょく
e 高めて f **まざって** g いつつ h いと
i 親切な j じいん k 黒くて l 止まって
m 手 n 円 o おおやさん

I ①空く（動）：参空き（名）、空（名）、空（名）
③閉める：参閉じる
部屋：参（特）
⑥〜屋：「その職業の人、職業を営む店」

II a 魚：参魚
f 交ざる：参混ざる

第6回

Ⅰ①電気と水道の使用料金で、毎月九千円ぐらいかかる。
②大会に出場する人は、全員こちらに集まってください。
③受験のために毎日八時間も勉強した。
④私は特に「か」と「が」の区別が苦手だ。
⑤自転車の**二人**乗りは危ないので禁止されている。
⑥日本の首都の人口は約**千三百万人**です。
⑦今度の休みは部長の代理でゴルフに行くことになっている。

Ⅱ a **じょうず**　b **へた**　c うわぎ　d 金色
e 紙　f さんしょく　g ぜんしゃ　h **こうしゃ**
i あらたな　j **しょうじた**　k **なま**　l 魚
m まさに　n ちゅうせい　o おこなわれて

Ⅰ⑤二人：参（特）
⑥千三百万人：2010年3月現在の人口。「人」の基本の音読みは「ジン」。例：外国人
Ⅱ a 上手　b 下手：参（特）
h 後者：「後」の基本の音読みは「ゴ」。例：午後
j 生じる：「発生する」という意味。「生じる／ずる」あり。参（51Ⅳ e）「生」の基本の音読みは「セイ」。例：生活
k 生：「熱を加えていない」

第7回

Ⅰ①海外に住んでいる親友から七年ぶりに**便り**が来た。
②遠くに家を買うより、都心のマンションを借りたほうが便利だ。
③この先の広い道を三**分**ほど行くと、お寺の前に出ます。
④花に水をやり小鳥の世話をするのが、私の朝の仕事だ。
⑤来週**長男**が海外から帰るのを楽しみにしている。
⑥**楽な**一生よりも、苦しくても自分らしい人生を送りたい。
⑦あの後ろに見える西洋**風**の建物が国立**図書館**です。

Ⅱ a 代わって　b おもに　c てくび　d 痛む
e **きょうだい**　f ちょうしょ　g たんしょ　h みやこ
i **二日**　j 日曜日　k **つごう**　l 九日
m 赤い　n 土　o 川

Ⅰ①便り：送り仮名に注意。
③～分：「分」の基本の音読みは「ブン」。例：気分
⑤長男：「男」の基本の音読みは「ダン」。例：男子
⑥楽な：「楽」の基本の音読みは「ガク」。例：音楽
⑦～風：「～の特色を持つ」
図書館：「図」の基本の音読みは「ズ」。例：地図
Ⅱ e 兄弟：「兄」の基本の音読みは「ケイ」。
i 二日：参（特）
k 都合：「都」の基本の音読みは「ト」。例：都会

第8回

Ⅰ ①消費者の**好み**を考えて、新しいタイプの車を作った。

②**勉強不足**で、何を聞かれても正しく答えられなかった。

③日本は、春、夏、秋、冬の区別がはっきりしている。

④小さい時は体が弱かったが、**大人**になってからは病気一つしない。

⑤この地方は南から北にかけて森林が広がっている。

⑥ニュースによると青少年の体力が少しずつ低下してきているそうだ。

⑦本が着きましたら、来月の十日までに代金を郵送してください。

Ⅱ a **かいとう**　b 土曜日　c 出して　d 同じ

e **どういつ**　f せきどう　g とっきゅう　h じょうきょう

i 南北　j 長い　k **お父さん**　l 手前

m 言った　n 牛肉　o 安くて

Ⅰ ①好み：「好む」（動）の名詞化。

②勉強不足：「べんきょう＋ふそく」→「べんきょうぶそく」読み方に注意。

④大人：参（特）

Ⅱ a 回答：「質問や要求などへの返事」参解答

e 同一：「一」の基本の音読みは「イチ」。例：一度

k お父さん：参（特）

第9回

Ⅰ ①雨が降った後は、運動場を使用しないでください。

②地図によれば、交番は映画館と公園の間にあるはずだ。

③苦心して作った作品をほめられて、少女はうれしそうだった。

④開会にあたって、市長は今後の**計画**を**力強く**語った。

⑤お寺の門の前で、**一人**の男が飲み物を売っている。

⑥このレポートは今晩中に仕上げるつもりだ。

⑦火事があったために、**今日**この通りは通行禁止になっている。

Ⅱ a 四日　b 六日　c **ちゅうこ**しゃ

d ばいばい　e たいはん　f まったく　g うれゆき

h 非常に　i じょうひんな　j **先日**　k しな

l うち　m そと　n 使い分ける　o **しょもつ**

Ⅰ ④計画：「画」の基本の音読みは「ガ」。例：映画

力強く：「ちから＋つよく」→「ちからづよく」読み方に注意。

⑤一人　⑦今日：参（特）

Ⅱ c 中古：「使用して古くなった品物」

j 先日：「日」の基本の音読みは「ニチ」。例：日曜

o 書物：「物」の基本の音読みは「ブツ」。例：動物

「モツ」と読むのは「食物」など。

第10回

Ⅰ①あの黒っぽい服を着た方は物理学者です。

②こういうミスが何回も重なって、社長の**耳に入る**とまずい。

③**寝不足**と疲れから入院してしまった。

④**動物好**きの母は、犬も家族同様に大切にしています。

⑤兄は、四十代**半ば**で小学校の校長になった。

⑥この工場では危険な化学薬品を使っている。

⑦ただいま、都内の電車は全線が不通になっています。

Ⅱ a 西口　b ごじゅうおん　c **じゅうぶん**　d ほんにん

e 子犬　f **ゆくえ**　g 歌　h 歌って

i 閉会　j **あけたら**　k 林　l 交通

m **べん**　n いっぽう　o しゃっきん

Ⅰ②耳に入る：慣「情報などを聞いて知る」

③寝不足：「ね＋ふそく」→「ねぶそく」読み方に注意。

④動物好き：「どうぶつ＋すき」→「どうぶつずき」読み方に注意。

⑤半ば：送り仮名に注意。

Ⅱ c 十分：「不足がない」

f 行方：参（特）

j 明ける：「年が明ける」は「新年になる」という意味。

m 便：「便が悪い」は「不便だ」という意味。「ビン」と読むのは「郵便や輸送機関」の時。

第11回

Ⅰ①友人間でお金を貸したり借りたりしないこと。

②二階で一晩中物音がしていて寝られなかった。

③お**正月**に国へ帰って、**お母さん**の作ってくれる料理を味わうのを楽しみにしています。(手紙文で)

④私の好きな学科は理科と音楽だ。

⑤あの病院は、曜日によっては夜間も**開いて**いる。

⑥去年行った工事をめぐる不正について、知事に質問が集中した。

⑦私は父親から心の広い**人間**になれと教わった。

Ⅱ a 三十七度　b さがって　c **ほんじつ**　d 中止

e **はたち**　f みっか　g **ぎょうじ**　h 田

i おこめ　j 味　k 痛み　l 取る

m きょうりょくな　n くつう　o なかった

Ⅰ③正月：「正」の基本の音読みは「セイ」。例：不正

お母さん：参（特）

⑤開く：参開く

⑦人間：「間」の基本の音読みは「カン」。例：時間

Ⅱ c 本日：「今日」の改まった言い方。

e 二十：参（特）

g 行事：「行」の基本の音読みは「コウ」。例：行動

第12回

Ⅰ ①**お兄さん**は南米でお医者さんとして働いていらっしゃるとか。

②友人の**お姉さん**がケーキを八つに切って分けてくれた。

③四月七日は遠足です。

④この全集は、**東西**の有名な作家の作品が集められている。

⑤考えても分かりませんでしたので、答えを教えてください。

⑥持った時重かったのに、開けたら中は空だった。

⑦今は多くの人が、心に不安を持って生きている時代だ。

Ⅱ a **けさ**　b 夜　c 低く　d かない

e **みょうごにち**　f おへんじ　g お名前　h **みょうじ**

i **降りて**　j したまち　k めいしょ　l 木

m 森　n 部分　o 全体

Ⅰ ①お兄さん　②お姉さん：参（特）

④東西：「西」の基本の音読みは「セイ」。例：西洋

Ⅱ a 今朝：参（特）

e 明後日：「明」の基本の音読みは「メイ」。例：説明　参「あさって」は平仮名で書く。

h 名字：「名」の基本の音読みは「メイ」。例：氏名

i 降りる：参下りる

第13回

Ⅰ ①何か足りない物があったら、近所の店で買ってください。

②南の国を旅行した時に見た、白い花の名前が知りたい。

③元教会だった建物は、今大使館として使われている。

④姉が日本に住んでいるので、来日して特に困ったことはない。

⑤兄弟二人の年を足すとちょうど四十になる。

⑥人がいないはずの教室の中から、小さい女の子の声が聞こえる。

⑦この地方の地下水は飲料水として使用されている。

Ⅱ a **むじ**　b **きじ**　c 見せて　d よあけ　e ようか

f **やおや**　g 安売り　h 夕食　i 特別な　j 青

k **さゆう**　l 来月　m **ついたち**　n つねに　o **ようじん**

Ⅱ a 無地：「地」の基本の音読みは「チ」。例：地球

b 生地：「き（訓）＋ジ（音）」の読み方に注意。

f 八百屋　m 一日：参（特）

k 左右：「右」の基本の音読みは「ウ」。

o 用心：「用心する」は「気をつける」という意味。「心」の基本の音読みは「シン」。例：心配

第14回

Ⅰ①駅の売店で新聞と飲み物を買った。

②この石は火には強いが、水には弱い。

③山林の火事は四十八時間で消し止められた。

④学費の一部にするために、週三回、飲食店で働いています。

⑤学校まで歩いて**通える**場所に部屋を借りた。

⑥東の空に大きな月が出ていた。

⑦入り口の所に立っていると、入る人のじゃまになります。

Ⅱ a みおくり　b 友　c 別れ　d **あかり**

e 消して　f 閉じる　g できごと　h しまい

i 九つ　j 六つ　k 四つ　l **ぶじ**

m **話**　n **なにじん**　o はえて

Ⅰ⑤通う：参通る、通じる

Ⅱ d 明かり（名）：送り仮名に注意。参明るい（形）

l 無事：「無」の基本の音読みは「ム」。例：無理

n 何人：「何人」との意味の違いに注意。

m 話（名）：参話す（動）

ステップ 2

第15回

Ⅰ①気分が悪いのなら、しばらくそこに横になっていなさい。

②広場の中央に大きな**時計**台がある。

③**上り**と**下り**の電車を間違えて乗ってしまった。

Ⅱ①解く（とく）　②加える（くわえる）

③**温めます（あたためます）**　④過ぎた（すぎた）

⑤返す（かえす）

Ⅲ①各　c かくじ　d かくち

②育　e たいいくかん　f きょういく

③感　g かんしんな　h かんどう

Ⅳ a かいが　b 貝　c なま　d 鳥　e **おうじ**

f ものがたり　g 一億円　h かど　i **明らか**　j ようす

Ⅴ①**2**　②1　③1　④**3**　⑤**4**

Ⅰ②時計：参（特）

③上り：ここでは「地方から中央へ向かう」。⇔下り

Ⅱ③温める：「温める」は手など体の一部で感じられるものに使う。参暖める

Ⅳ e 王子：「子」の基本の音読みは「シ」。例：調子

i 明らか：送り仮名に注意。「はっきりしている」という意味。参明かり（名）、明るい（形）

Ⅴ①強引に：「強」の基本の音読みは「キョウ」。例：勉強

④果たして（副）：「本当に～だろうか」

⑤自ら：送り仮名に注意。「自分から、自分で」という意味。

第16回

Ⅰ①大通りにある薬局は、**年中**特売をしている。

②花火を見物する人で、橋の上は動けないほどだった。

Ⅱ①日課（にっか）　②活気（かっき）　③意外（いがい）

④経営（けいえい）　⑤以降（いこう）

Ⅲ①角　a さんかくけい　b かくど

②月　c おしょうがつ　d つきひ

③記　e きにゅう　f きじ

④共　g きょうつう　h きょうどう

Ⅳ a **おのおの**　b ちょうしょ　c **かこ**　d かいぎ

e ながびいて　f 器具　g お**すまい**　h むりょう

i たいおんけい　j **はかる**

Ⅴ①**4**　②(1)1　(2)**1**　(3)2　③**3**

Ⅰ①年中：「ずっと、いつも」

Ⅳ a 各々：「一人一人」という意味。「々」は同じ文字の繰り返し符号。「各」だけで「おのおの」とも読む。

c 過去：「去」の基本の音読みは「キョ」。例：去年

g 住まい（名）：「住んでいる所」参住む（動）

j 計る：「数量や時間を調べ数える」参測る、量る

Ⅴ①玉：「丸い形をした物」

②(2)大木：「大」の基本の音読みは「ダイ」。「木」の基本の音読みは「ボク」だが、「木曜日」「木材」など「モク」と読む語が多い。

③足る：「十分である」

第17回

Ⅰ①広告は、新聞よりテレビのほうが効果があるようだ。

②コンサートに行く前に、どこかで**軽く食べて**行こう。

③日記を読んで、楽しかった学生時代を思い出した。

Ⅱ①改める（あらためる）　②育って（そだって）

③結んで（むすんで）　④光って（ひかって）

⑤用いる（もちいる）

Ⅲ①泳　a すいえい　b およいだ

②向　c ほうこう　d むかって

③決　e きめた　f けっしん

④待　g きたい　h まって

Ⅳ a かたち　b ちょうほうけい　c 過ごした　d **ほうがく**

e 事件　f 限り　g 可決　h してつ　i 起こした　j くらい

Ⅴ①2　②4　③1　④**3**　⑤2

Ⅰ②軽く食べる：「少し食べる」

Ⅱ⑤用いる：「使う、使用する」

Ⅳ d 方角：「角」の基本の音読みは「カク」。例：三角

Ⅴ④球：「スポーツのボール、それに似た形のもの」

第18回

Ⅰ①強い**光**は目に悪いので、夏はサングラスをかけるようにしている。

②**昨日**売り出されたコンピューターは、**あっという間**に売り切れた。

Ⅱ①空港（くうこう）　②山林（さんりん）　③目次（もくじ）

④生産（せいさん）　⑤国際（こくさい）

Ⅲ①限　aげんかい　　bむげん

②在　cざいがく**ちゅう**　　dげんざい

③解　e**かいとう**　　fりかい

④合　gごうどう　　hごうりか

⑤長　i**とくちょう**　　jちょうちょう

Ⅳaね　　bつち　cとりいれる　dこんがっき

eしけん　f課　gいたい　　hゆび

iち　　j**けっして**

Ⅴ①⑴3　⑵**4**　②**4**　③⑴**1**　⑵2

Ⅰ①光（名）：送り仮名はつかない。参光る（動）

②昨日：参（特）改まった場合は「昨日」とも読む。

あっという間：「短い時間、すぐ」

Ⅲc～中：「～している」という意味。例：工事中

e解答：「練習問題などの答え」参回答

i特長：「そのものの特によい所」参特徴

Ⅳj決して：「決して～ない」の形で用い、「絶対に～ない」という意味。

Ⅴ①⑵指す：「指などで示す」

②効く：「効果がある」

③⑴通じる：「通じる／ずる」あり。参（51Ⅳe）

第19回

Ⅰ①西**向き**の部屋なので、夏の夕方は暑くてたまらない。 ②さっきまで泣いていた妹が、もう笑っている。 Ⅱ①失った（うしなった）　②**示して（しめして）** ③死ぬ（しぬ）　④効く（きく） ⑤試して（ためして） Ⅲ①資　aしほん　bしりょう ②式　cけいしき　dけっこんしき ③情　eかんじょう　fじじょう ④商　gしょうばい　hしょうひん ⑤原　iげんりょう　jげんし Ⅳa王　b教師　c**ながねん**　d研究　e**み** f**むすんだ**　gさん**しょう**　hかち　i手術 j**なおしたい** Ⅴ①(1)3　(2)**1**　②2　③(1)**4**　(2)**4**	Ⅰ①～向き：「部屋の窓などが～の方向に向いている」 Ⅱ②示す：「相手にはっきり分かるように見せる」 Ⅳc長年：「なが(訓)＋ネン(音)」の読み方に注意。 e f 実を結ぶ：慣「よい結果を得る」 g～勝：勝った回数を数える助数詞。 j治す：「病気」の時には「治す」を使う。参直す Ⅴ①(2)四つ角：「四つ」の読み方は「よっつ」だが、名詞につくと「よつ」と読む。 ③(1)険しい：ここでは「傾斜が急な」という意味。 (2)目指す：「目標にする」

第20回

Ⅰ①ここの海はすぐ深くなるので、泳ぐのは危ない。

②私が受けた大学は、受験科目が英語と数学だけだった。

Ⅱ①政治（せいじ）　②社説（しゃせつ）　③助手（じょしゅ）

④果実（かじつ）　**⑤身分（みぶん）**

Ⅲ①一昨年（いっさくねん）　②暗記（あんき）

③合格（ごうかく）　**④改正（かいせい）**

⑤真空（しんくう）

Ⅳa 雪　b **初めて**　c 屋根　d だんせい　e 願って

f **がんじつ**　g 寺　h **じんじゃ**　i 静かな　j お座り

Ⅴ① **3**　② 1　③(1) 4　(2) 2　④ **2**

Ⅱ⑤身分：「み（訓）＋ブン（音）」の読み方に注意。

Ⅲ④改正：「改めて正しくする」。例：憲法改正

Ⅳb 初めて：「1回目」参始める（×始めて、×初める）

f 元日：「元」の基本の音読みは「ゲン」。例：元気

h 神社：「神」の基本の音読みは「シン」、「社」の基本の音読みは「シャ」。例：神経、会社

Ⅴ①笑顔：参（特）

④酒場：「さか」の読み方に注意。

第21回

Ⅰ①今若い人の間では、船の旅も**人気がある**そうだ。

②外が暗くなったと思ったら、急に雨が降り出した。

③色の組み合わせで最も**目立つ**のは、黄色と黒だ。

Ⅱ①相違（そうい）　②勝手（かって）　③相続（そうぞく）

④対立（たいりつ）　⑤成分（せいぶん）

⑥身長（しんちょう）

Ⅲ①設　a せっけい　b けんせつ

②宅　c じたく　d きたく

③信　e しんごうき　f じしん

④題　g もんだい　h だいめい

⑤制　i せいど　j せいげん

Ⅳa 地球　b **自然**　c 会議　d 昨日　e 星

f **こまかい**　g 指示　h 他人　i せんそう　j たたかった

Ⅴ①(1) **1**　(2) 4　② **2**　③ 3　④ 3

Ⅰ①人気がある：「人々に好かれる」

③目立つ：「め＋たつ」→「めだつ」読み方に注意。

Ⅳb 自然：「自」の基本の音読みは「ジ」。例：自由

f 細かい：送り仮名に注意。参細い

Ⅴ①(1)治める：「混乱をしずめる」参治す

②済む：「解決する」という意味。「終わる」という意味もある。

第22回

Ⅰ①今年(ことし)の冬(ふゆ)は暖(あたた)かくて、まだ一度(いちど)も雪(ゆき)が降(ふ)らない。

②都会(とかい)では鳥(とり)や虫(むし)がだんだん見(み)られなくなってきている。

Ⅱ①**達した（たっした）**　②注いで（そそいで）

③助かって（たすかって）　④追われて（おわれて）

⑤折れて（おれて）　⑥調べて（しらべて）

Ⅲ①選　a せんしゅ　b えらばれた

②進　c すすまない　d しんぽ

③相　e あいて　f そうだん

④置　g おく　h いち

⑤速　i じそく　j **はやさ**

⑥最　k もっとも　l さいこう

Ⅳ a 軍　b 関係　c **でんごん**　d **打つ**　e 写真

f じつぶつ　g 写って　h **おそい**　i **おくれて**　j 差

Ⅴ①(1) 1　(2) 3　② 1　③ **4**　④ **3**

Ⅱ①達(たっ)する：「ある場所(ばしょ)や程度(ていど)に届(とど)く、及(およ)ぶ」㊫「漢字(かんじ)1字(じ)＋する」動詞(どうし)（52 Ⅰ②）

Ⅲ j 速(はや)さ（名）：㊫速(はや)い（形）
「速」は速度(そくど)に、「早」は時間(じかん)の経過(けいか)に使(つか)う。

Ⅳ c 伝言(でんごん)：「言」の基本(きほん)の音読(おんよ)みは「ゲン」。例：言語(げんご)

d 打(う)つ：「心(こころ)を打(う)つ」は㊞「感(かん)動(どう)させる」という意味(いみ)。

h i 遅(おそ)い・遅(おく)れる：遅(おそ)い（形）、遅(おく)れる（動）読(よ)み方(かた)に注意(ちゅうい)。

Ⅴ③手伝(てつだ)う：㊫（特）

④暖(あたた)まる（自）：㊫暖(あたた)める（他）

第23回

Ⅰ①個人的(こじんてき)な意見(いけん)ですが、私(わたし)はそれに反対(はんたい)です。

②日本(にほん)では、牛(うし)や馬(うま)は農業(のうぎょう)でよく使(つか)われていた。

Ⅱ①**直して（なおして）**　②静まった（しずまった）

③争って（あらそって）　④**熱する（ねっする）**

⑤比べる（くらべる）　⑥深まった（ふかまった）

Ⅲ①退　a たいいん　b いんたい

②職　c しょくにん　d **しょくば**

③数　e かず　f かぞえる

④点　g じゃくてん　h しゅうてん

⑤期　i じき　j たんきかん

Ⅳ a **かのじょ**　b 発音　c 得意げ　d なげる

e 竹　f のぼりたい　g 死んで　h 悲しそう

i おんだんか　j とうしょ

Ⅴ①(1) 2　(2) 3　(3) **2**　②(1) 1　(2) **3**

Ⅱ①直(なお)す：「間違(まちが)いなどを正(ただ)しくする」㊫治(なお)す

④熱(ねっ)する：「熱(ねつ)が生(しょう)ずる、熱(あつ)くする」㊫「漢字(かんじ)1字(じ)＋する」動詞(どうし)。（52 Ⅰ②）

Ⅲ d 職場(しょくば)：「ショク（音）＋ば（訓）」の読(よ)み方(かた)に注意(ちゅうい)。

Ⅳ a 彼女(かのじょ)：「彼」の基本(きほん)の訓読(くんよ)みは「かれ」。

Ⅴ①(3)飛(と)ばす：「風船(ふうせん)を飛(と)ばす」は「風船(ふうせん)を空(そら)に上(あ)げる」という意味(いみ)。

②(2)増(ふ)える（自）：㊫増(ふ)やす（他）、増(ま)す（類）

第24回

Ⅰ①夫は**気が短い**のが欠点で、少しの時間も待つことができない。

②初級の文法といっても、完全に使える人は少ない。

Ⅱ①**解放（かいほう）**　②電池（でんち）　③**開放（かいほう）**

④普通（ふつう）　⑤付近（ふきん）　⑥美人（びじん）

Ⅲ①現　a げんじつ　b **あらわれて**

②残　c のこって　d ざんねん

③酒　e にほんしゅ　f おさけ

④負　g まける　h **しょうぶ**

⑤熱　i あつかった　j ねつ

⑥増　k ふえて　l ぞうか

Ⅳ a 忘れて　b 治す　c え　d 才能　e 婦人服

f 地位　g 忙しく　h おもて　i **とびでる**　j 平行

Ⅴ①(1)**2**　(2)1　②**1**　③4　④3

Ⅰ①気が短い：[慣]「せっかちである、短気である」という意味。

Ⅱ①解放：「制限がなく自由にすること」

③開放：「ドアや窓などを開けたままにしておくこと」「出入りを自由にすること」

Ⅲ b 現れる：「今まで見えなかったものが見えるようになる」

例：雲の間から太陽が現れる

h 勝負：「負」の基本の音読みは「フ」。例：負担

Ⅳ i 飛び出る：「目の玉が飛び出る」は[慣]「ひどく驚く」という意味。

Ⅴ①(1)首相：「相」の基本の音読みは「ソウ」。例：相談

②直ちに：「すぐに」の改まった言い方。[参]直に

第25回

Ⅰ①テレビ放送が始まってから、日本人の生活スタイルは大きく変わった。

②ベルが鳴ったのに気付かず、教室に入るのが遅れてしまった。

Ⅱ①伝わった（つたわった）　②**信じ（しんじ）**

③**増す（ます）**　④表す（あらわす）

⑤望んで（のぞんで）　⑥在る（ある）

Ⅲ①第　a **しだいに**　b だいいちい

②面　c しょうめん　d じめん

③命　e じんめい　f せいめい

④農　g のうそん　h のうみん

⑤未　i みかいけつ　j みらい

⑥単　k たんい　l たんご

Ⅳa 並んで　b 寒い　c 必要　d **しんけいしつな**

e しゅやく　f **つとめる**　g 毛糸　h のはら

i ねころんで　j 雲　k おちてきた

l あたって　m 頭

Ⅴ①⑴3　⑵4　②1　③**1**　④3

Ⅱ②信じる：「信じる／ずる」あり。参（51Ⅳe）

③増す：参増える

Ⅲa 次第に（副）：「だんだん」「次」の基本の音読みは「ジ」。例：目次

Ⅳd 神経質な：「細かいことが気になる性質」「〜質」は「〜の性質や傾向を持った」という意味。

f 務める：「任された仕事や役目を果たす」参勤める、努める

Ⅴ③夫婦：「夫」の基本の音読みは「フ」。例：夫妻

第26回

Ⅰ①大学に合格したことを伝えると、両親は心から喜んでくれた。

②次の試合に勝つためには、もっと練習する必要がある。

③先日は無理なことを申しまして、大変失礼しました。

Ⅱ①月末（げつまつ） ②予備（よび）

③分類（ぶんるい） ④知能（ちのう）

⑤困難（こんなん） ⑥草原（そうげん）

Ⅲ①直　aちょくご　bちょくつう

②形　c**にんぎょう**　dけいしき

③例　eじつれい　fれいがい

④和　gへいわな　h**わ**ふく

⑤表　iだいひょう　jひょうし

⑥路　kつうろ　l**ろせん**

Ⅳaりゅう　bせんめん　cすずしい　d減って

e航空　f**工夫**　gかはんすう　hえられる

iだいぶ　jみのる

Ⅴ①2　②1　③⑴**3**　⑵**4**　⑶3

Ⅲc人形：「形」の基本の音読みは「ケイ」。例：形式

h和～：「日本風の」という意味。

l路線：「鉄道やバス道路、またはその道筋」圏線路

Ⅳf工夫：「よい方法をいろいろ考えること」。「工」の基本の音読みは「コウ」。例：工場

Ⅴ③⑴真っ赤：圏（特）

⑵登山：「登」の基本の音読みは「トウ」。例：登場

第27回

Ⅰ①親切な青年に手を引かれて老人は道を歩いて行った。

②山に降った雨は岩の間を通って川に流れ出る。

③学校では、目立たないごく普通の子です。

Ⅱ①務めた（つとめた）　②放す（はなす）

③連れて（つれて）　④太って（ふとって）

⑤論じて（ろんじて）　⑥洗いなさい（あらいなさい）

Ⅲ①配　a はいたつ　b くばる

②速　c **はやく**　d そくたつ

③遊　e ゆうえんち　f あそぶ

④落　g らくだい　h おちつき

⑤備　i そなえて　j せつび

Ⅳ a 枚数　b 信用　c 預ける　d 機会　e 相談

f 留学　g **続ける**　h **くだもの**　i すいぶん　j 例えば

Ⅴ①⑴ 1　⑵ 4　②⑴ 3　⑵ **3**　③ 2

Ⅱ⑤論じる：「議論する」という意味。「論じる／ずる」あり。参（51Ⅳe）

Ⅲ c 速い（形）：参速さ（名）

Ⅳ g 続ける：「つづける」振り仮名に注意。（×つずける）

h 果物：参（特）

Ⅴ②⑵問い合わせる：「知りたいことを電話や手紙などで聞く」

第28回

Ⅰ①美しい海の底を泳ぐ魚を見てみたいものだ。
②旅行に行くので、飛行機とホテルを予約した。
③小学生の時から、算数は苦手でしたが、歴史は大好きでした。

Ⅱ①論争して（ろんそうして）
②注目されて（ちゅうもくされて）
③登場した（とうじょうした）
④合流する（ごうりゅうする）
⑤強調して（きょうちょうして）
⑥卒業して（そつぎょうして）

Ⅲ①等　a **びょうどう**　b とうぶん
②重　c じゅうだいな　d じゅうてん
③失　e しつぼう　f かしつ
④由　g ふじゆう　h りゆう
⑤具　i ぐあい　j ぐたいてき

Ⅳ a **しょうじきな**　b ふり　c よのなか　d たしょう
e ぞうげん　f だいたい　g しゅうにゅう　h くすりや
i **ずつうやく**　j 事務

Ⅴ①3　②4　③**2**　④3　⑤**1**

Ⅲ a 平等：「平」の基本の音読みは「ヘイ」。例：平和

Ⅳ a 正直な：「直」の基本の音読みは「チョク」。例：直前「ジキ」はほかに「直に」（副）
i 頭痛薬：「頭」の基本の音読みは「トウ」。例：先頭

Ⅴ③収める：「結果を得る」「物をきちんと入れる」
⑤船便：「ふね＋びん」→「ふなびん」読み方に注意。「便」の基本の音読みは「ベン」。例：便利

第29回

Ⅰ①二人は四年間の交際の末、婚約した。
②彼女は折れそうなくらい細い指をしている。
③言語にはそれぞれ特色があり、難しさを比べることはできない。

Ⅱ①打ち合わせた（うちあわせた）
②書き上げた（かきあげた）
③見**直しなさい**（みなおしなさい）
④**引き返した**（ひきかえした）
⑤知り合いました（しりあいました）

Ⅲ①**天然（てんねん）**　②一流（いちりゅう）
③経由（けいゆ）　④平日（へいじつ）
⑤調味料（ちょうみりょう）　⑥結論（けつろん）

Ⅳ a はんとう　b **まっさお**　c はたけ　d 解決法
e **ありがたく**　f 言葉　g しなもの　h **さっそく**
i かきとめ　j やど

Ⅴ①⑴3　⑵2　⑶4　⑷**1**　②3

Ⅱ③～直す：「動詞（ます）＋直す」で、「もう一度～する」
④引き返す：「元の場所まで戻る」

Ⅲ①天然：「然」の基本の音読みは「ゼン」。例：自然

Ⅳ b 真っ青：㊕（特）
e 有り難い：「感謝したい気持ちである」
h 早速：「早」の基本の音読みは「ソウ」。

Ⅴ①⑷プロ級：「プロ」は「プロフェッショナル（職業としてそれを行う専門家）」の略。「～級」は「～と同じ程度」という意味。例：大臣級

第30回

Ⅰ①あの二人は気が合わなくて、まるで水と油のようだ。

②彼は有能な男だったが、家庭ではいい父親ではなかった。

③五年に一回、職業や生活についての調査が行われる。

Ⅱ①打ち消した（うちけした）

②引き受けて（ひきうけて）

③差し引かれる（さしひかれる）

④通り過ぎて（とおりすぎて）

⑤組み立てられる（くみたてられる）

⑥飛び出して（とびだして）

Ⅲ①温　a きおん　b あたたかい

②続　c れんぞく　d つづき

③済　e **けいざい**　f しようずみ

④次　g しだいに　h ついで

⑤必　i ひっしに　j かならず

Ⅳ a あいず　b すえっこ　c **できうる**　d じゅうやく

e 組　f 注文　g 追加

h **じっとう／じゅっとう**　i せんとう　j **いっちゃく**

Ⅴ①⑴**2**　⑵**2**　②**4**　③1　④3

Ⅲ e 経済：「済」の基本の音読みは「サイ」。

Ⅳ c 出来得る：読み方に注意。「出来る」を強めた固い言い方。「～得る」は古い言い方で「～できる、可能性がある」という意味。

h 十頭：読み方は「じっとう／じゅっとう」どちらもあり。「～頭」は大きい動物を数える時使う助数詞。

j 一着：「～着」は到着の順を表す助数詞。また、服を数える時にも使う助数詞でもある。

Ⅴ①⑴自治：「治」の基本の音読みは「ジ」。例：政治

⑵自由：「由」の基本の音読みは「ユ」。例：経由

②作法：読み方に注意。「作」の基本の音読みは「サク」。

総合問題１

Ⅰ⑴①説　②解　③見　④実

ａせつめい　ｂかいせつ　ｃけんかい　ｄじっけん

ｅはっけん　ｆじつげん

⑵①性　②反　③心　④議

ａせいべつ　ｂはんえい　ｃせいのう　ｄいはん

ｅしんぱい　ｆかんしん　ｇねっしん　ｈぎろん　ｉふしぎ

Ⅱ①一日（ついたち）　一日（いちにち）

②月日（がっぴ）　月日（つきひ）

③十分（じっぷん／じゅっぷん）　十分（じゅうぶん）

④今日（きょう）　今日（こんにち）

Ⅲ①着（ちゃくちゃく）　②別（べつべつに）

③続（ぞくぞく）　④次（つぎつぎに）

⑤広（ひろびろ）　⑥様（さまざまな）

⑦点（てんてん）

Ⅳ①ａ道具　ｂ人類　ｃ能力　ｄ入れた　ｅ発明

ｆ産業　ｇ工業　ｈ現代　ｉ情報　ｊ主要

②ａ訪ねた　ｂ野　ｃ草　ｄ種　ｅ庭

ｆ池　ｇ**鳴いて**　ｈ**けはい**　ｉ**めし**　ｊ**くって**

③ａ発達　ｂ成長　ｃ願う　ｄぎょうじ　ｅななつ

ｆみっつ　ｇ国民　ｈいつか　ｉ成人　ｊはたち

④ａ**ともだち**　ｂそくたつ　ｃ経営学　ｄ下宿　ｅぶんや

ｆいのち　ｇ政府　ｈ注意　ｉ**えがお**　ｊふとい

Ⅲ　々：同じ漢字が続く語の時に用いる符号。ほかに「人々」「山々」「国々」や「近々」などがある。

Ⅳ②ｇ鳴く：参泣く

ｈ気配：「気」の基本の音読みは「キ」。例：空気

ｉ飯　ｊ食う：「飯を食う」は「ご飯を食べる」「食事をする」の男性のくだけた言い方。

④ａ友達　ｉ笑顔：参（特）

チャレンジ　接辞①

Ⅰ①１　②３　③１　④３　⑤１

Ⅱ①食　②生　③中　④者

Ⅲ①有名人　大学生　銀行員　②入学金　生活費　電車賃

③運動場　大使館　案内所　研究室　観光地

Ⅳ①無　②未　③不　④非

チャレンジ　読み方と意味

Ⅰ①れんきゅう　②さいかい　③たよう　④はいち　⑤ぜんれい　⑥かいし

Ⅱ①再会　②多様　③開始　④配置　⑤前例　⑥連休

Ⅲ①同 どうかん　②予 よかん　③反 はんかん

④未 みてい　⑤固 こてい　⑥制 せいてい

ステップ3

第31回

Ⅰ①日本は海に囲まれた**島国**である。

②いい部屋が見付かったので、今度の土曜日に引っ越しをする。

Ⅱ①鋭い（するどい）　**②永い（ながい）**

③汚くて（きたなくて）　④偉い（えらい）

⑤易しそう（やさしそう）

Ⅲ①延　a **のびた**　b えんちょう

②移　c うつした　d いてん

③域　e ちいき　f くいき

④液　g けつえき　h えきたい

⑤貨　i **つうか**　j **かもつ**

Ⅳ a **かわ**　b しるし　c い**えん**　d **けむり**

e おかし　f いしょくじゅう　g おさえて　h 永遠

i 愛　j おく

Ⅴ①⑴2　⑵4　②2　③1　④**1**

Ⅰ①島国：「しま＋くに」→「しまぐに」読み方に注意。

Ⅱ②永い：「いつまでもずっと続く様子」㊜長い

③汚い（形）：㊜汚れる（自）、汚す（他）

Ⅲ a 延びる：「距離や時間が長くなる」例：会議が延びる、道路が延びる　㊜伸びる

i j：通貨・貨物：「貨」には「お金」と「荷物、品物」二つの意味がある。

Ⅳ a 河：「大きい川」㊜川

c ～炎：「～に痛み、熱、赤みなどを起こすこと」

d 煙（名）：送り仮名はない。㊜煙い（形）

Ⅴ④運河：「河」の基本の音読みは「カ」。

第32回

Ⅰ①漢字を一日に十五個ずつ覚えることにしている。

②経済の成長と共に、公害が社会問題となった。

Ⅱ①隠そう（かくそう）　②異なる（ことなる）

③汚して（よごして）　**④換えて（かえて）**

Ⅲ①慣　a しゅうかん　b なれる

②観　c かんきゃく　d かんこう

③確　e せいかくな　f たしかめて

④乾　g かわいて　h かんでんち

⑤割　i わりあい　j やくわり

Ⅳ a かぶ　**b みなさん**　**c はね**　d かいせい

e ほした　f けつあつ　g しょくえん　**h かわ**

i くつ　j はいいろ

Ⅴ①1　②1　**③2**　**④2**　⑤2

Ⅱ④換える：「ほかの物ととりかえる、交換する」㊜替える、代える

Ⅳ b 皆さん：「みんな」は「皆」のくだけた言い方。

c 羽：「鳥や虫に生えている羽」

h 革：「動物の皮を加工した物」㊜皮

Ⅴ③羽根：「鳥から抜けた羽根」

④仮名：㊜（特）

第33回

Ⅰ①休みの日の公園は、子供**連れ**の家族でいっぱいだ。

②技術の進歩があまりにも速いため、追い付いていけない人もいる。

Ⅱ①祈った（いのった）　②居た（いた）　**③叫んだ（さけんだ）**

④吸った（すった）　⑤救って（すくって）

⑥割って（わって）

Ⅲ①許　a きょか　b ゆるして

②疑　c うたがわれた　d ぎもん

③求　e ようきゅう　f もとめて

④演　g えんぎ　h えんぜつ

⑤給　i きょうきゅう　j きゅうりょう

Ⅳ a 荷物　b あまそうな　c つまって　d 基本

e 応用　f ふくんだ　g よせられた　h きふ

i 金額　j 物価　k 仮定　l かんき

m 異常　n きゅうかん　o 案内

Ⅴ①2　②4　③2　**④4**　⑤3

Ⅰ①～連れ：「～と一緒に行動している」

Ⅱ③叫ぶ：「大きな声を出す」「世の中に意見を強く主張する」という意味。例：平和を叫ぶ

Ⅴ④丸（名）：㊜丸い（形）、円い（形）

第34回

Ⅰ①暑かった夏が終わり、読書の秋、芸術の秋がやってきた。
②会議が進むうちに、会員たちの多くが反対意見に傾き始めた。

Ⅱ①押す（おす）　②驚いた（おどろいた）
③恐れて（おそれて）　④愛して（あいして）
⑤寄って（よって）

Ⅲ①敬　a けいご　b けいい
②景　c けいき　d **けしき**
③勤　e つうきん　f **つとめた**
④久　g ひさしぶりに　h えいきゅう
⑤義　i いぎ　j こうぎ

Ⅳ a むれ　b **あんいな**　c ぎゃく　d かんびょう
e きゅうこん　f むね　g こっきょう　h 拡大
i 机　j **覚めた**　k きょうぎ　l ぎょぎょう
m ひかく　n ぶんけい　o ぐうぜん

Ⅴ①3　②2　③**2**　④3　⑤1

Ⅲ d 景色：参（特）
f 勤める：「会社などで給料をもらって仕事をする」参務める、努める

Ⅳ b 安易な：「易」の基本の音読みは「エキ」。例：貿易
j 覚める：参覚える

Ⅴ③逆らう：「順当な方向に対して逆に進もうとする」「反抗する」　例：「風に逆らう」「先生に逆らう」参逆さ

第35回

Ⅰ①明日、国から友達が来るので、空港へ迎えに行く。
②図書館で借りた本は厚いので、一週間では読めそうにない。

Ⅱ①狭い（せまい）　②賢い（かしこい）
③**恐ろしい（おそろしい）**　④煙く（けむく）
⑤**固い（かたい）**

Ⅲ①検（けんさ）　②解（ごかい）　③更（へんこう）
④協（きょうりょく）　⑤管（かんり）　⑥競（きょうそう）
⑦及（ふきゅう）

Ⅳ a 傾向　b 事故　c ちょうかん　d 権利
e かんたんな　f かんかく　g こ　h みずうみ
i じゅうきょ　j **ちえ**　k しき　l くんれん
m かた　n **あいけん**か　o ひげき

Ⅴ①**2**　②**1**　③1　④4　⑤2

Ⅱ③恐ろしい：「危険を感じて逃げ出したくなるような感じ」
⑤固い：参硬い

Ⅳ j 知恵：「恵」の基本の音読みは「ケイ」。
n 愛犬：「愛～」は「大切に思っている、大切にしている」という意味。例：愛車

Ⅴ①幸いな（形）：送り仮名に注意。参幸せ（名）
②機嫌：ここでは「表情や態度に表れる快・不快などの感情」という意味。

第36回

Ⅰ①野菜や果物を食べないとビタミンが不足する。

②世界中で気候の温暖化が進んでいる。

Ⅱ①嫌って（きらって）　②枯れて（かれて）

③込んで（こんで）　④荒れて（あれて）

⑤雇われる（やとわれる）

Ⅲ①庫　a きんこ　b しゃこ

②香　c **かおり**　d こうすい

③呼　e こきゅう　f よぶ

④固　g かたまって　h こたい

⑤互　i **おたがい**　j そうご

Ⅳ a **かた**　b まかなければ　c **きっさ**てん

d きんえん　e **あつかましい**　f ほのお

g しお　h あまやかされて　i おそれ

j こうちゃ　k かいがん　l すな

m ほっきょく　n **とった**　o **かまわないで**

Ⅴ①**3**　②**3**　③4　④4　⑤1

Ⅱ③込む：「人や物が動けないくらいたくさん集まった状態」

Ⅲ c 香り（名）：「におい」の中で「いいにおい」の時に使う。

i お互い：送り仮名に注意。

Ⅳ a 型：「同じ物を作る時のもとになる物」[参]形

c 喫茶：「茶」の基本の音読みは「チャ」。例：茶色

e 厚かましい：「ずうずうしい、遠慮がない」

n 採る：ここでは「人を雇う」という意味。[参]取る、捕る

o 構う：「気を遣う」

Ⅴ①誤り（名）：「間違い」という意味。誤る（動）

②越える：「ある場所・地点を通り過ぎて向こうへ行く」[参]超える

第37回

Ⅰ①この辞書は、例がたくさんあって使いやすい。

②彼は、大学の文学部に入ることを希望している。

Ⅱ①殺して（ころして）

②咲いて（さいて） 散って（ちって）

③似て（にて） **④辞めた（やめた）** ⑤嫌がる（いやがる）

Ⅲ①材 aもくざい bざいりょう

②察 cかんさつ dけいさつ

③支 eしきゅう fしてん

④混 gこんごう hこんざつ

⑤散 iさんぽ jかいさん

Ⅳa **いんさつじょ** b **すりあがった** cめいし

d **かいさつぐち** eひとごみ fじさつ

g原因 hと i **くん** jきみ kまつって

lおまいり mいくじ n参考 oぎむ

Ⅴ①⑴1 ⑵**3** ②**3** ③1 ④2

Ⅱ④辞める：「勤めや地位から身を引く」

Ⅳa印刷所：「所」の基本の音読みは「ショ」。例：事務所

b刷り上がる：「〜上がる」は、ここでは「完成する」

d改札口：「かいさつ＋くち」→「かいさつぐち」読み方に注意。

i〜君：仲間や目下に使う、軽い敬意を示す言葉。

Ⅴ①⑵歯車：「は＋くるま」→「はぐるま」読み方に注意。

②漁師：「漁」の基本の音読みは「ギョ」。例：漁業

第38回

Ⅰ①日本の夏は、湿度が高くて過ごしにくい。

②日本文化に関する知識を深くするために、寺や神社を訪ねて回った。

Ⅱ①甘えて（あまえて）

②捨てて（すてて） 拾って（ひろって） ③述べた（のべた）

④支えて（ささえて） ⑤就きたい（つきたい）

Ⅲ①準 aすいじゅん bじゅんび

②順 cじゅんちょう dじゅんばん

③幸 eこううんな f **しあわせな**

④守 g **るす** hまもって

⑤招 iまねく jしょうたい

Ⅳa **やわらかい** bにあう cさいてん dししゃごにゅう

e平均 fとこや g消防署 hどうし

iじゅつご jしゅうしょく kいわって

lいっしょに mじょうしき nしゅう oしょこく

Ⅴ①1 ②4 ③**3** ④**4** ⑤1

Ⅲf幸せな：読み方に注意。

g留守：「守」の基本の音読みは「シュ」。「留」の基本の音読みは「リュウ」。例：留学

Ⅳa柔らかい：参軟らかい

Ⅴ③支度：「度」の基本の音読みは「ド」。例：温度

④競馬：「競」の基本の音読みは「キョウ」。例：競争

第39回

I ①将来（しょうらい）、この近（ちか）くに地下鉄（ちかてつ）の駅（えき）ができる。

②わずかながら株（かぶ）の価格（かかく）が上（あ）がった。

II ①六**軒**（ろっ**けん**）

②八**冊**（はっ**さつ**） 四**畳**半（よ**じょう**はん）

③一**羽**（いち**わ**） ④二**割**（に**わり**）

⑤十**歳**（じっ**さい**／じゅっ**さい**）

III ①植 aしょくぶつ bうえて

②賞 cしょうきん dしょうひん

③状 eじょうきょう fしょうじょう

④囲 gしゅうい hかこまれて

⑤蒸 iむしあつい jじょうはつ

IV aまるい b お皿 cてって d証明

e**だいじん** f**のぼった** gいわい hしゅくじつ

iさいじつ j文章 kくちべに lきゅうじょ

mはり nさして oからい

V ①**1** ②**2** ③(1)**3** (2)2 ④4

II ①〜⑤助数詞

IV e大臣（だいじん）：「臣」の基本（きほん）の音読（おんよ）みは「シン」。

f昇（のぼ）る：「勢（いきお）いよく高（たか）い所（ところ）に行（い）く」例：エレベーターで一気（いっき）に昇（のぼ）る 参「登（のぼ）る」「上（のぼ）る」

V ①姓（せい）：「名字（みょうじ）」

②承（うけたまわ）る：「引（ひ）き受（う）ける」「聞（き）く」の謙譲語（けんじょうご）。

③(1)吹雪（ふぶき）：参（特）

第40回

Ⅰ①面接は第一印象が大切である。

②この委員会は、住民の代表と専門家で構成されている。

Ⅱ①積んだら（つんだら）　**②伸びた（のびた）**

③吹かれ（ふかれ）　④焼いて（やいて）

⑤触って（さわって）

Ⅲ①接（せっきん）　②介（しょうかい）　③書（せいしょ）

④処（しょり）　⑤承（しょうち）　⑥支（しはい）

Ⅳa はんせい　b **さがした**　c **はいざら**　d まど

e はいた　f **そうじき**　g かんごし　h せいしん

i **たいしょう**　j せいひん　k 成績　l しょうじょう

m おんせん　n **しめる**　o 面積

Ⅴ①2　②**1**　③**4**　④**3**　⑤3

Ⅱ②伸びる：物の長さ、身長、成績などに使う。参延びる

⑤触る：参触れる

Ⅳb 捜す：「見えなくなったものを見付けようとする」参探す

c 灰皿：参「はい＋さら」→「はいざら」読み方に注意。

f 掃除機：「除」の基本の音読みは「ジョ」。

i 対照：参対象

n 占める：ここでは「全体の中である割合を持つ」という意味。例：賛成が過半数を占める

Ⅴ②占う：「将来の運勢を予測する」

③大勢：「勢」の基本の音読みは「セイ」。

④万歳：読み方に注意。「万」の基本の音読みは「マン」、「歳」の基本の音読みは「サイ」。例：1万円、3歳

第41回

Ⅰ①その機械の構造は、意外にも簡単だった。

②約束を守らなければ信用を失うだろう。

Ⅱ①お礼状（おれいじょう）　②血液**型**（けつえきがた）

③ドイツ製（ドイツせい）　④死亡**率**（しぼうりつ）

⑤定期券（ていきけん）　⑥発言権（はつげんけん）

Ⅲ①測　a そくてい　b **はかった**

②尊　c **そんちょう**　d そんけい

③存　e **そんざい**　f **せいぞん**

④則　g ほうそく　h きそく

⑤骨　i ほね　j こっせつ

Ⅳa **むすこ**　b いき　c せいり　d こうそう

e かんそうき　f **せいさく**　g ほうしん　h おくりもの

i はなたば　j こうか　k お**さつ**　l いきおい

m **むかしばなし**　n まご　o しそん

Ⅴ①1　②2　③**1**　④**4**　⑤2

Ⅱ②～型：「～型」の読み方に注意。

④～率：「～の割合」。「率」の基本の音読みは「ソツ」。例：率直

Ⅲ①b 測る：長さや高さや広さなどを調べる時に使う。参計る、量る

c 尊重：「重」の基本の音読みは「ジュウ」。例：重要

③e f 存在・生存：「存」の基本の音読みは「ソン」だが、「ゾン」と読む語が多い。

Ⅳa 息子：参（特）

f 製作：「道具や機械を使って物を作る」参制作

k お札：「紙のお金」

m 昔話：「むかし＋はなし」→「むかしばなし」読み方に注意。

Ⅴ③御中：読み方に注意。会社などに郵便物を出す時、あて名の下に添える語。参個人あての郵便物には「～様」を使う。

④触れる：「軽く触る」参触る

チャレンジ　接辞②

Ⅰ①3　②1　③4　④2　⑤4

Ⅱ①用　②再　③外　④愛　⑤観

Ⅲ①新聞　②禁煙　③消防　④水道　⑤文化

第42回

Ⅰ①団体旅行は安全だが、自由が制限される。

②東京は**土地**の値段も物価も高くて住みにくい。

Ⅱ①荒く（あらく）　②清く（きよく）　③浅い（あさい）

④憎くて（にくくて）　⑤**硬い（かたい）**

Ⅲ①官　aかんちょう　bけいかん

②超　c**こえる**　dちょうか

③装　eふくそう　fそうち

④率　gそっちょくに　hかくりつ

⑤接　iちょくせつ　jかんせつ

Ⅳaりょうがえ　b駐車　cしゅだん　dはずかしくて

eつま　fふさい　gなかま　hちょうじょう

iけんちくぶつ　jそうりだいじん　kきんぞく

lせきたん　m宇宙　nりょうがわ　oでんちゅう

Ⅴ①3　②2　③**2**　④4　⑤1

Ⅰ②土地：「土」の基本の音読みは「ド」。例：土曜

Ⅱ⑤硬い：「石や金属が外力に強い」 参固い

Ⅲc超える：「基準や限界から出る」例：半数を超える　参越える

Ⅴ③畳む（動）：参畳（名）

第43回

Ⅰ①信号が赤から青になるのを待って、横断歩道を渡った。

②特急はすべて座席指定となっております。

Ⅱ①怒らせて（おこらせて）　②**贈った（おくった）**

③**造られた（つくられた）**　④**凍った**（こおった）

⑤逃げて（にげて）

Ⅲ①適　aてきどな　bかいてきな

②態　cたいど　dじょうたい

③震　eじしん　fふるえて

④想　gくうそう　hはっそう

⑤象　i**ぞう**　j**たいしょう**

Ⅳa発展　bせいとう　cとうゆ　d貯金

e**ごうとう**　fぬすまれ　gしんぞう　hごぞんじ

iちょしゃ　jにくんで　kすいてき　lいずみ

mたおれた　nこうたい　o**めんどう**

Ⅴ①1　②3　③1　④4　⑤1

Ⅱ②贈る：「人に感謝や愛情、祝福の気持ちを表すために位や物をあげる」参送る

③造る：抽象的なものには使わない。参作る

④凍る：参凍える

Ⅲij象・対象：「象」の基本の音読みは「ショウ」。「ゾウ」は「動物の象」

Ⅳe強盗：「強」の基本の音読みは「キョウ」。例：「勉強」

o面倒：「倒」の基本の音読みは「トウ」。

第44回

Ⅰ①スピーチ大会に出場するので、発音の指導を受けた。

②家へ帰る途中で、図書館に寄って本を返した。

Ⅱ①届いて（とどいて）　②認められ（みとめられ）

③悩んで（なやんで）　④省いた（はぶいた）

⑤探した（さがした）

Ⅲ①独　a どくりつ　b どくしん

②突　c とつぜん　d つっこんで

③破　e はさん　f やぶれて

④背　g **せおった**　h **せびろ**

⑤任　i せきにん　j まかせる

Ⅳa でんぱ　b のう　c にぶく　d くもり

e **こうよう**　f かいぞう　g こい　h ぬる

i 健康　j きゅうそく　k じゅんじょう　l じどう

m せいと　n きょだいな　o はしら

Ⅴ①2　②4　③**2**　④(1)1　(2)3

Ⅱ⑤探す：「欲しいもの、必要なものを求める」参捜す

Ⅲg 背負う：「背中に乗せる」

h 背広：「男性用のスーツ」

Ⅳe 紅葉（名）：「秋になって色を変えた葉」参紅葉

Ⅴ③探る：「目に見えないものをさがす」例：「秘密を探る」参探す

第45回

Ⅰ①本の出版を記念して、講演会が開かれた。

②大教室では前に座らないと**黒板**の字が見にくい。

Ⅱ①一兆（いっちょう）　②一**匹**（いっぴき）　二**匹**（にひき）

③三**杯**（さんばい）　④五泊六日（ごはくむいか）

⑤六十**巻**（ろくじっかん／ろくじゅっかん）

Ⅲ①断（はんだん）　②認（しょうにん）　③担（たんとう）

④像（そうぞう）　⑤賛（さんせい）　⑥参（じさん）

Ⅳa **つとめて**　b どりょく　c なみ　d かんたい

e そんがい　f せめられた　g ていりゅうじょ　h はんばい

i はんざい　j ひがい　k かみ　l しょうどくやく

m うすめて　n さか　o いた

Ⅴ①3　②1　③2　④**1**　⑤**3**

Ⅰ②黒板：「板」の基本の音読みは「ハン」。

Ⅱ②～匹　③～杯：助数詞　読み方、音変化に注意。

⑤～巻：シリーズの本の数え方。

Ⅳa 努める：「一生懸命力をつくす」参務める、勤める

Ⅴ④背：意味が「身長」の時には「せい」とも「せ」とも読む。

⑤灯：「明かり」

第46回

Ⅰ①会社の方針が能率第一に変わってから、働きづらくなった。

②君の言っていることは、一般論にすぎず具体性がない。

Ⅱ①**副**社長（ふくしゃちょう）

②**諸**問題（しょもんだい）

③**再**発行して（さいはっこうして）

④**総**人口（そうじんこう）

⑤**省**エネルギー（しょうエネルギー）

⑥**翌**年（よくねん／よくとし）

Ⅲ①定　a こうてい　b ひてい

②復　c ふくしゅう　d かいふく

③提　e ていしゅつ　f ていあん

④複　g ふくざつ　h ふくすう

⑤財　i **ざいさん**　j **さいふ**

Ⅳ a しろ　b まわり　c ふね　d 浮かべて

e おゆ　f わかして　g ねこ　h そぼ

i のうど　j おみまい　k **せんたくもの**　l ふうとう

m はな　n きっぷ　o **はくし**

Ⅴ①4　②**2**　③4　④4　⑤1

Ⅱ　①～⑥接辞「副～」「諸～」「再～」「総～」「省～」「翌～」 参「広がる広げる漢字の言葉　接辞」

⑤省～：「必要のない、～を使わない」という意味。「省エネルギー」を省略して「省エネ」とも言う。

Ⅲ i 財産　j 財布：「財」の基本の音読みは「ザイ」。

Ⅳ k 「洗濯物」：「センタク（音）＋もの（訓）」読み方に注意。

o 博士：「大学院の後期課程」の時は「ハクシ」と読む。参 博士

Ⅴ②再来週：「再」の基本の音読みは「サイ」。「再来～」は「次の次の～」という意味。例：再来月

第47回

Ⅰ①この雑誌の記事は、確かな情報を基に書かれている。

②税金の支払いは期限までに必ず**済ませる**こと。

Ⅱ①眠れなかった（ねむれなかった）　②満ちた（みちた）

③暮らしたい（くらしたい）　**④抱いた（だいた）**

⑤包んで（つつんで）

Ⅲ①辺　a **あたり**　b しゅうへん

②豊　c ゆたかな　d ほうふな

③亡　e しぼう　f なくなる

④満　g まんいん　h ふまん

⑤遅　i おそかった　j ちこく

Ⅳ a けがわ　b ぼうし　c むすめ　d あみもの

e てぶくろ　f あんで　g むしば　h みがく

i **とったり**　j たから　k うめたり　l ぎゅうにゅう

m おぎなう　n **いねむり**　o きょうふ

Ⅴ①3　②4　③**3**　④1　⑤**4**

Ⅰ②済ませる：「仕事などを終わらせる」

Ⅱ④抱く：「しっかりと両手で胸に持つ」参抱える、抱く

Ⅲ a 辺り：送り仮名に注意。

Ⅳ i 捕る：「逃げる相手を押さえて動かないようにする」参捕まえる、捕らえる

n 居眠り：「座ったり、腰掛けたりしたまま眠ること」

Ⅴ③坊ちゃん：「坊」の基本の音読みは「ボウ」。例：寝坊

⑤博士：参（特）意味は「その道に通じた人」参博士

第48回

Ⅰ①大雪のため、飛行機の到着時刻が変更になりました。

②欠席する場合は必ず連絡してください。

Ⅱ①薄い（うすい）　②**軟らかく**（やわらかく）

③怖い（こわい）　④幼い（おさない）

⑤優しい（やさしい）

Ⅲ①容　a ようき　b **ようい**

②欲　c しょくよく　d ほしがら

③浴　e かいすいよく　f あびた

④包　g こづつみ　h ほうそう

⑤訓　i くんれん　j くんよみ

Ⅳ a はこ　b うら　c ばくはつ　d 太陽　e ぶたい

f おどれる　g ふごう　h めいしん　i ぶき　j **ぼうえき**

k ちんたい　l ひつじ　m **つかまえた**　n **めん**　o こし

Ⅴ①2　②1　③**3**　④(1)**2**　(2)**1**

Ⅱ②軟らかい：「力を加えると変形しやすい」参柔らかい

Ⅲ b 容易・Ⅳ j 貿易：「エキ」と読む時は「取り替える」という意味。「イ」と読む時は「易しい」という意味。

Ⅳ m 捕まえる：「しっかりと手につかむ」参捕る、捕らえる

n 綿：「メン」は布の種類を表す時に使う。参綿

Ⅴ③抱える：読み方に注意。「胸の前、またはわきに両手で支える」参抱く、抱く

④(1)仏の顔も三度：ことわざ「どんなに温和な人も何度もひどいことをされれば、最後には怒り出す」

(2)犬も歩けば棒に当たる：ことわざ「時には災難にあうこともある」「何かやっていれば意外な幸運に出合うことがある。(現在はこちらの意味で使われることが多い。)」

第49回

Ⅰ①地球の緑を失わないように守り育てるのが私たちの仕事だ。

②スポーツの世界では、毎年新しい記録が生まれている。

Ⅱ①**混ぜる（まぜる）**　②整ったら（ととのったら）

③張られて（はられて）④犯した（おかした）

⑤込めて（こめて）

Ⅲ①労　aろうどう　bくろう

②量　cぶんりょう　d**はかる**

③冷　eれいせいに　fつめたくて

④恋　gしつれん　hこいびと

⑤輸　iゆにゅう　jゆしゅつ

Ⅳaたまご　bこむぎ**こ**　cとき　dこな

eどろぼう　f宝石　g指輪　hもどって

iつうやく　jたよる　kよけい　lねんれい

mいりょう　nゆめ　o**いだいて**

Ⅴ①⑴2　⑵3　②⑴3　⑵**1**　③**2**

Ⅱ①混ぜる：「２種類以上の物を一緒にして溶け合わす」参交ぜる

Ⅲ②d量る：重さ・量を調べる時に使う。参計る、測る

Ⅳb～粉：「～を細かくして粉にしたもの」

o抱く：「心の中に持つ」参抱く、抱える

Ⅴ②⑵布団：「団」の基本の音読みは「ダン」。例：集団

③綿：「綿のような～」は比喩。「柔らかくてふわふわしているところが、綿に似ている～」という意味。参綿

第50回

Ⅰ①眠い時は、軽く体操をして目を**覚ます**ようにしている。

②労働条件を改善するための話し合いが行われた。

Ⅱ①余って（あまって）②浮かべて（うかべて）

③冷えた（ひえた）　④与えないで（あたえないで）

⑤沈み（しずみ）

Ⅲ①**略（しょうりゃく）**　②了（かんりょう）

③凍（れいとう）　④乱（こんらん）　⑤募（ぼしゅう）

⑥令（めいれい）　**⑦緑（りょっか）**

Ⅳaたたみ　bこいしく　cゆうしょう　dこうほ

eきゅうよ　fなみだ　gまずしかった　h幸福な

i栄養　jふで　k**ちらかって**　lかたづけて

mもえる　nしゃりん　oうらぎらない

Ⅴ①**2**　②1　③4　④4　⑤1

Ⅰ①覚ます：参覚える

Ⅱ③冷える（動）：参冷める（動）、冷たい（形）

Ⅲ①省略：「省」の基本の音読みは「セイ」。例：反省

⑦緑化：「植物を植えて緑を多くすること」読み方に注意。

Ⅳk散らかる：「物が片付かないであちこちにある様子」

Ⅴ①紅葉：「もみじ」という木の名前。参（特）参紅葉

第51回

Ⅰ①社長は、自分の判断ミスを絶対認めようとしなかった。

②はっきり**断った**のに、その男は借金を頼みに再び現れた。

Ⅱ①呼び出して（よびだして）

②払い戻して（はらいもどして）

③乗り換えて（のりかえて）

④見慣れない（みなれない）

Ⅲ①極　aせっきょくてき　bしょうきょくてき

②列　cれっとう　dぎょうれつ

③冷　eさまして　fれいぞうこ

④頼　gいらい　h**たのもしい**

⑤律　iほうりつ　jきりつ

Ⅳ a はいけん　b 環境　c 基準　d ひはん　e **おうじて**

f あん　g 主張　h 司会　i **はんして**　j やちん

k 季節　l ほぞん　m よくばりな　n 目標　o いし

Ⅴ① **2**　②4　③3　④⑴3　⑵ **1**

Ⅰ②断る：「相手の頼みを受け入れない」

Ⅲh 頼もしい：「頼りになりそうな感じがする」参頼る、頼む

Ⅳe 応じる：「応じる／ずる」あり。「漢字1字＋じる／ずる」で動詞になる漢字には「生じる、通じる、信じる、論じる、感じる、命じる、存じる」などがある。

i 反する：参「漢字1字＋する」動詞（52Ⅰ②）

Ⅴ①捕らえる：「相手の動きに応じてつかまえる」「しっかりとつかむ」参捕る、捕まえる

④⑵雨戸：「あめ＋と」→「あまど」読み方に注意。

第52回

Ⅰ①失敗を恐れず、理想に向かって進め。 ②このレポートは、戦争で心と体に深刻なダメージを受けた子供たちに**接した**医師が書いたものだ。 Ⅱ①思い込んで（おもい**こんで**）②飛び込んだ（とび**こんだ**） ③引っ込んだ（ひっ**こんだ**）④溶け込み（とけ**こみ**） ⑤申し込む（もうし**こむ**） Ⅲ①価　aひょうか　bかち ②修　cけんしゅう　dしゅうり ③授　eきょうじゅ　fじゅぎょう ④節　gせつやく　hちょうせつ ⑤張　iかくちょう　jしゅっちょう Ⅳa**暮れる**　bむちゅう　c**ようじ**　dねぼう eはら　fへんしゅう　gりょうしゅう　hひっき iりゃくした　jらんぼうな　k勇気　lぬいた mうで　n氷　oひふか Ⅴ①**1**　②**2**　③**4**　④**3**　⑤**4**	Ⅰ②接する：「漢字1字＋する」で動詞になる漢字には「達する、熱する、愛する、関する、反する、略する」などがある。 Ⅱ　複合動詞「〜込む」②③⑤「何かがその中に入ること。またそうした状態にすること」という意味。①④「すっかりその状態になってしまい、元の状態に戻れない」という意味。 Ⅳa暮れる：「日が沈んで暗くなる」圏暮らす c幼児：「小学校に入る前ぐらいまでの子供」 Ⅴ　二十歳、迷子、白髪、木綿、浴衣：圏（特）

第53回

Ⅰ①当時の政府は、農家から米を高く買い、消費者には安く売っていた。

②満足できる結果が得られて、今までの苦労も忘れてしまった。

Ⅱ①果たした（はたした）　②迷って（まよって）

③払う（はらう）　④離れる（はなれる）

⑤含めた（ふくめた）

Ⅲ①片　aはへん　bかたみち

②程　cかてい　dていど

③統　eけいとう　fでんとう

④評　g**ひょうばん**　hひょうろん

⑤婚　iけっこん　jりこん

Ⅳa労働　b守る　cほう　dそん

eぶし　f**ほど**　gすいとう　h**たくはいびん**

iわかわかしく　jようもう　k秒　lていでん

mふぞく　n**ご**りょうしん　oてちょう

Ⅴ①4　②1　③1　④1　⑤2

Ⅲg評判：「判」の基本の音読みは「ハン」。例：判断

Ⅳf程：「身の程」で「身分」「能力の程度」という意味。

h宅配便：「宅配」は「自宅配達」の略。「商品や荷物を自宅まで配達すること」という意味。

n御～：例：御連絡、御意見など。「御」の基本の音読みは「ギョ」。

総合問題2

Ⅰ①日本は四つの島から成っています。どこの国にも、国がどうやって生まれたかという神話がありますが、日本の場合は、男と女の神様が結婚して、これらの島を作ったということになっています。

②大人は、幼い子供は悩んだり苦しんだりすることはないと思いがちだ。しかし、子供はそんなに単純ではない。ある児童文学者は、「子供に甘いお菓子のような話ばかり与えるのは間違いだ。彼らは大人以上に死の恐怖を感じ、人生の意味を考えている。」と語っている。

Ⅱ①下降（かこう）　②困難な（こんなんな）　③団体（だんたい）

④到着（とうちゃく）　⑤単純な（たんじゅんな）　⑥収入（しゅうにゅう）

Ⅲ①体重（たいじゅう）　重体（じゅうたい）　②階段（かいだん）　段階（だんかい）

③実現（じつげん）　現実（げんじつ）　④先祖（せんぞ）　祖先（そせん）

Ⅳ①aせいしん　b原因　cしんたい　dしんこく　eいし

fせっした　gいんしょう　h周囲　iきたいどおり　jやさしい

②a設計　bきゅう　cつねに　dしょくば　e追われる

fひっしに　gのう　hしょうじて　i感覚　j含めて

k冷静　l観察　mどりょく　nみのらない　oゆうき

チャレンジ　接辞③

Ⅰ①3　②3　③4　④4　⑤1　⑥4

Ⅱ①系(けい)　②化(か)　③性(せい)　④派(は)　⑤超(ちょう)

チャレンジ　音の変化

Ⅰ①1．B こくりつ　2．B こくさん　3．A こっきょう　4．B こくれん

②1．A しゅっきん　2．B しゅつげん　3．A しゅっさん　4．B しゅつだい

③1．B しはつ　2．B かいはつ　3．A はんぱつ　4．A せんぱつ

④1．A いっぽう　2．A えんぽう　3．B たほう　4．A りっぽう

Ⅱ a さいはつ　b かっぱつ　c けいひ　d じっぴ　e けつい

f けっしょう　g ぶんぱい　h はいぶん　i かんきゃく　j きゃっかん

Ⅲ①有 しゆうち　②用 しようきんし　③建 さいけん　④健 けんざい

⑤居 どうきょ　⑥連 れんきゅう　⑦品 しゅっぴん　⑧京 ききょう

チャレンジ　読解

Ⅰ① a ロボット　b 効果　c 介護　d 負担

②省略

③1．×　2．×　3．○　4．○　5．○　6．×

④気持(きも)ちを元気(げんき)で明(あか)るくする（など）

⑤1．こうれいしゃ　2．じょうじょう　3．ゆうこうせい　4．じっしょう　5．かいご　6．ふたん

Ⅱ① a ヒゲ　b 伸(の)ばす　c 市民(しみん)　d 不快(ふかい)　e おかしい

②省略

③1．×　2．○　3．○　4．×　5．○

④きれいに整(ととの)えられていないヒゲ

⑤1．ちょうないぶんしょ　2．ふかい　3．めいぶんか

4．たいしょする　5．ようにんする　6．ぜんめんきんし